# PAREN LAS ROTATIVAS

HISTORIA DE LOS MEDIOS DE COMUNICACIÓN
EN LA ARGENTINA

Carlos Ulanovsky

# Paren las rotativas

## Diarios, revistas y periodistas

### 1920-1969

Colaboraron en la investigación periodística,
las entrevistas y la cronología:
Ana Laura Pérez y Fernando Cáceres

Asistencia periodística:
Ricardo Dios Zaid y Ligia López

HISTORIA DE LOS MEDIOS DE COMUNICACIÓN
EN LA ARGENTINA

emecé

Ulanovsky, Carlos
      Paren las rotativas 1920-1969.– 1ª ed.– Buenos Aires : Emecé Editores,
2005.
      v. 1 320 p. ; 24x16 cm.

      ISBN 950-04-2670-6

      1. Periódicos Argentinos-Historia I. Título
      CDD 079.82

Emecé Editores S.A.
Independencia 1668, C 1100 ABQ, Buenos Aires, Argentina
www.editorialplaneta.com.ar

© 1997, 2005, Ulanovsky, Carlos
© 2005, Emecé Editores, S. A.

Diseño de cubierta: Carolina Cortabitarte

1ª edición: agosto de 2005
Impreso en Grafinor S. A.,
Lamadrid 1576, Villa Ballester,
en el mes de julio de 2005.

IMPRESO EN LA ARGENTINA / PRINTED IN ARGENTINA
Queda hecho el depósito que previene la ley 11.723
ISBN: 950-04-2670-6

*A Rodolfo Terragno por él y por los siete números de la revista* Orbe.
*A mis hermanitos-colegas del 23 de octubre, Norma Osnajanski,
Rubén Cácamo y Cristina Meliante. A Fernando González T.
y Natasha Niebeskikwiat, que tienen un camino por delante.
A Marta, Julieta, Inés y Diego. Un especial agradecimiento
a la editora de la primera edición Alejandra Procupet.
A los que, en los inicios, me ayudaron a hacerme periodista;
Francisco Valle de Juan, Pablo Alonso, Paco Vera, Aníbal Walfisch,
Roberto Hosne, Martín Campos, Enrique Raab, Osvaldo Seiguerman,
Osvaldo Ciézar, Carlos Aguirre, Pancho Loiácono, Bernardo Neustadt,
Jorge Aráoz Badí, Mabel Itzcovich, Horacio Verbitsky.*

*El autor agradece la tarea de los responsables de esta nueva edición:
Raquel Franco y Juan Balaguer, así como a Mercedes Güiraldes,
María Luz Fuster y todos aquellos que han contribuido a que esta
obra se vea tan bien.*

# Prólogo
# a la nueva edición

La primera edición de *Paren las rotativas* salió a mediados de 1997 y desde entonces el libro tuvo un recorrido por demás alentador. Fue severamente cotejado (pero también admirablemente leído) por colegas, observado por intelectuales de la historia y, en especial, estudiado por alumnos de distintas carreras. Hoy, con el sello editorial de Emecé, reaparece aquella edición inicial. Esta vez, se presenta en dos volúmenes, con un formato y diseño renovados que permitirán un acceso ágil, una lectura más dinámica y un entendimiento más claro y veloz de este proceso fascinante que es la creación de diarios y revistas argentinos, una tarea que corrió paralela a la construcción del país.

Mientras esta obra aparece en las librerías, ya se encuentra en estado de investigación una imprescindible actualización, que abarcará de 1997 a 2006 y que Emecé lanzará como parte de la llamada "Biblioteca de los medios argentinos", de la cual también forman parte las respectivas reediciones y actualizaciones de *Días de Radio* y *Estamos en el aire*.

Este libro fue concebido con la intención de reunir una gran cantidad de información dispersa en distintos libros, archivos y bases de datos, e incluso en memorias personales. Sin embargo, el proyecto de *Paren las rotativas* fue desde el comienzo enmarcar esa información, dotándola de explicaciones, interpretaciones y reconocimientos históricos diversos y plenos. En estas páginas se encontrará, entonces, la trayectoria de los principales diarios y revistas de la Argentina, así como la tarea que en ellos tuvieron muchos grandes periodistas. Se trata de una historia apasionante, porque a modo de arteria vital, atraviesa y riega por entero el cuerpo social argentino.

La investigación está sostenida por múltiples fuentes y numerosos documentos de superlativo valor, por conversaciones con casi un centenar de colegas de distintas generaciones, variadas tendencias y líneas de pensamiento y también por la experiencia personal, la ventaja que me otorga haber sido un testigo cercano del periodismo desde los inicios de la década del 60. Lo que no se encontrará en este libro es el registro lamentablemente frecuente en nuestra tarea de las enemistades, las miserias y las interminables rencillas (acaso lógicas, porque la nuestra es una actividad realizada por hombres y mujeres, tan identificables como imperfectos).

*Paren las rotativas* no puede leerse de manera autobiográfica sino como un sincero homenaje a una tarea, el periodismo, que le dio y continúa dándole sentido total a mi vida.

CARLOS ULANOVSKY

# Prólogo
# a la edición original

¿Dónde empezó todo? ¿Cómo habrá sido en realidad? A lo mejor fue en el secundario Mariano Moreno, cuando mi compañero Rodolfo Terragno me invitó a compartir su aventura en la revista estudiantil *Orbe*, de la que entre 1959 y 1961 salieron siete números. Yo, que hasta ese momento era "Tito" (mi apodo desde niño), por primera vez me convertí en Carlos y jugué al periodismo. ¿O fue antes todavía, cuando organizaba torneos de fútbol con figuritas sobre la alfombra del living de mi casa en Floresta y los relataba, y manipulaba los cartoncitos de manera que el campeón fuera, casi siempre, Racing? Ya en esa época, en mi casa, aseguraban que todo el tiempo contaba –y exageraba– historias que sólo yo veía: "Vi a Fulano... ¿Adiviná quién estaba?... ¿A que no sabés a quién le di la mano?". De esto podía deducirse: "Está loco, fantasea en exceso, es un mentirosito sin remedio". O lo que prefiero pensar desde hace tiempo: no mentía, ya era un periodista en busca de noticias que interesaran a mis lectores. No mentía: sencillamente, mi mundo interior peleaba por diferenciarse del exterior. No mentía: quería ser periodista.

Cuesta ubicar en dónde (o en quién) estuvo el verdadero impulso inicial. Vivía en una casa de clase media lectora, más revistera y diariera que librera, y recuerdo con cuánta ansiedad esperaba el diario *El Mundo* o revistas como *Mundo Deportivo*, *Goles*, *Radiolandia* o el diario *La Razón*, del que no me perdía la sección "La Galera del Mago". En la revista *Racing*, que yo leía como si fuera un texto sagrado, firmaba sus crónicas un tal "Cruz de Piedra" –tiempo más tarde me enteré de que era Bernardo Neustadt–, cuyas notas me fascinaban igualmente en la contratapa de *El Mundo*, donde también leía a Horacio de Dios. Ahora leo aquellas notas de *Orbe* y me río: a pesar de su candor, algunas eran crónicas respetablemente construidas. Nadie me lo había enseñado: todo lo había aprendido copiando, leyendo a los que me gustaban. El estilo era el de la revista *Usted* y un poco el de *Platea*. Vaya a saber uno de dónde lo había sacado, aunque seguro fue de algo que había leído.

Hoy, con emoción, puedo afirmar que la vida me recompensó haciéndome un privilegiado, integrando el grupo de aquellos que pudieron trabajar en lo que realmente era su vocación. Vaya mi agradecimiento a los que me recibieron y ayudaron en los primerísimos tiempos: Francisco Valle de Juan, Pablo Alonso, Paco Vera, Aníbal Walfisch, Roberto Hosne, Martín Campos, Enrique Raab, Osvaldo Seiguerman, Carlos Aguirre, Pancho Loiácono, Bernardo Neustadt, Jorge Aráoz Badí, Mabel Itzcovich, Horacio Verbitsky y especialmente Osvaldo Ciézar, que en la redacción de *Confirmado* me enseñó de todo, hasta a tachar con la "x", la "w" y la "y" en las Remington y Olivetti previas a la computación.

Haber tenido la oportunidad de hacer este libro es algo que agradezco a la editorial y que vivo como una recompensa especial a tantos buenos años de actividad y participación.

CARLOS ULANOVSKY

# Noticias
# de la gran aldea

El jueves 7 de junio de 1810 inició su circulación *La Gazeta de Buenos Ayres*, pensada por Mariano Moreno –entonces secretario de la Primera Junta patria– como órgano de difusión y defensa de los ideales revolucionarios e independentistas de Mayo. Él, y muchos junto con él, creían que los ciudadanos debían estar al tanto de los hechos, pensamientos y conductas de sus representantes y conocerlos periódicamente, revisarlos con profundidad, comentarlos y hasta criticarlos con libertad. Pero antes de que la gazeta moreniana comenzara a hacerse entender desde su lema ("Rara felicidad de los tiempos en los que se puede sentir lo que se quiere y decir lo que se siente"), ocurrieron muchas cosas que hicieron posible su salida.

Las gacetas (o "gazetas") manuscritas comenzaron a circular por primera vez por el puerto de Buenos Aires a partir del martes 19 de junio de 1764. Esas hojas de 25 por 15 centímetros aún se conservan en la Biblioteca Nacional. En 1801 aparece *El Telégrafo Mercantil, Rural, Político, Económico e Historiográfico del Río de la Plata*, editado por el abogado español Francisco Antonio Cabello y Mesa, considerado uno de los primeros periodistas rioplatenses. La nueva publicación traía ocho páginas, salía dos veces por semana y se producía en la Imprenta de Los Niños Expósitos.

Cuando se inicia la etapa posrrevolucionaria, diarios como *La Gazeta*, impulsada por Moreno, resultaron fundamentales para difundir las ideas jurídicas y legales alrededor de la nueva organización de poderes, así como en la instalación de otros asuntos de interés para la flamante nación: necesidad de distanciarse de España; difundir conceptos como soberanía, igualdad y libertad; consolidar la apertura del comercio y arraigar costumbres cotidianas. Todo estaba por hacerse y muchos se habían cerciorado ya de que los diarios podían ser un excelente vehículo. A partir de 1810 comenzó a gestarse una forma de opinión pública que era, según Félix Luna, "expresada en los diarios mediante artículos editoriales, críticos o con desarrollo de tipo conceptual, como los de Mariano Moreno. Por primera vez los diarios ponían sobre el tapete ideas revolucionarias, estimulantes".

## Los primeros años

La agencia de noticias que en 1815 el pionero Charles Havas había instalado en París para servir al mundo prefería las palomas mensajeras para trasladar la información, porque eran 10 ó 12 veces más rápidas y eficaces que el sistema de telégrafo óptico, frecuentemente obstaculizado por lluvias, nieblas y otros fenómenos naturales. De ese modo, las noticias viajaban por el mundo sobre las alas de palomas mensajeras, y en ocasiones pasaban meses hasta que un episodio se hacía público. Pero no era el único retraso. Los 350 periódicos que habían aparecido en Europa para dar cuenta de la ebullición de la Revolución Francesa se elaboraban con una técnica tipográfica manual que hacía posible la impresión de 400 ejemplares por hora. Recién en 1814 las maquinarias mejoraron hasta permitir 1.100 impresos, pero sólo tres décadas más tarde la llegada de la rotativa originaría un avance sustancial, posibilitando que llegaran a imprimirse 96.000 hojas por hora.

Mientras tanto, en el Río de la Plata nacen y mueren más de cien diarios entre 1810 y 1820: son hojas libertarias, órganos de opinión política, libelos, pasquines, pero dejan huella en la transformación de la sociedad de ese momento y permiten el crecimiento público de figuras desconocidas hasta entonces. De 1810 a 1870 se desarrolló un periodismo absolutamente entregado a lo político o faccioso: los diarios eran tribunas partidistas y los periodistas eran mirados como políticos o tribunos.

Hasta 1867, cuando aparece *La Capital*, de Rosario –el primer diario noticioso y de interés general– los diarios no se voceaban. La gran novedad la introduce el chileno exiliado Manuel Bilbao, cuando funda su diario *La República*, con el que da algunos pasos en el sistema de distribución y venta considerados revolucionarios para la época. El precio corriente de la suscripción mensual era de 40 pesos moneda nacional y el del número suelto, 3 pesos. Bilbao largó a la calle unos muchachos, claro antecedente de los canillitas, con la consigna de vocear el diario y venderlo a 1 peso. Los dueños de otros periódicos, en cambio, seguían sugiriendo a los lectores que los recibieran por suscripción o que fueran a retirarlos directamente en las imprentas, pero no eran partidarios de vocearlos porque consideraban que andar a los gritos por las calles era una costumbre más para vendedores de pastelitos que de papeles impresos.

Félix Luna señala un fenómeno de ese tiempo al que denomina "diarismo". Existía ya una Constitución que garantizaba el trabajo, la educación, la vida en libertad, la creación de industrias, y que abría las fronteras a todos los hombres y mujeres de buena voluntad. Todos eran temas para pensar, discutir, aprender, y los diarios, cuya lectura estaba favorecida por las modernas lámparas a gas, eran una manera práctica de enterarse. El progreso traía consigo modos más agradables de enfrentar la vida y la posibilidad de conocer asuntos como el lugar social de los indios, la instalación de los ferrocarriles o la polémica sobre la ubicación de la capital institucional de la República.

## *Aparece* La Capital

Es el futuro emplazamiento de la capital lo que impulsa a Ovidio Lagos el 15 de noviembre de 1867 a lanzar su diario vespertino de sugestivo nombre: *La Capital*, cuya idea central era promover a la ciudad de Rosario como capital del país. Lagos, rosarino por adopción, creía que la única forma de federalismo posible era establecer la sede institucional en una ciudad del interior, también como un modo de oponerse al centralismo del puerto de Buenos Aires. Apenas un mes antes, el político santafecino Mariano Cabal le había pedido a Justo José de Urquiza que le diera una mano al joven Lagos, al que recomendó como "pobre y honrado padre de familia". Esa ayuda de Urquiza resultó fundamental para que, finalmente, el 15 de noviembre de 1867 Ovidio Lagos sacara su diario. La frase que sintetizaba su filosofía ("Las columnas de *La Capital* pertenecen al pueblo") no le impidió abrazar diversas causas: el diario y su mentor fueron mitristas y antimitristas, antialsinistas y urquicistas. Pero hubo una lucha que jamás resignó: llamar la atención del país acerca de las ventajas de una solución federalista.

Lagos se había iniciado en 1846 como tipógrafo en una de las más prestigiosas imprentas porteñas, la de Pedro de Ángelis. Vivió la batalla de Caseros, fue amigo personal de Justo José de Urquiza y siguió con interés el final de la presidencia de Bartolomé Mitre, que en 1868 le dejaría el cargo a Domingo Faustino Sarmiento.

## *Antes de* La Gazeta

- A partir de una planta acuática los egipcios habían fabricado el papiro, antecedente del papel.
- Durante el Imperio romano se publicaban tablas enceradas, llamadas "Actas Senati", con el detalle de lo que sucedía en el Senado.
- Los chinos del siglo VII d. C. crearon las gacetas como órganos de difusión.
- En 1440, Johann Gutenberg inventó el primer sistema de impresión mecánica mediante tipos de letras móviles.
- En 1609 aparece el primer diario, el *Leipziger Zeitung*, de Leipzig, Alemania. En Estados Unidos el periodismo nace en 1690, casi cien años antes de que los Estados se establecieran como naciones. El *Publick Occurences, Both Foreign and Domestic* ("Sucesos Públicos tanto extranjeros como nacionales") fue cerrado porque publicaba lo que se le ocurría sin consultar con las autoridades.
- En 1700 entra en funcionamiento la primera imprenta en el Virreinato del Río de La Plata.

- *La Gazeta de México* (1722), *La Gazeta de Guatemala* (1729), *La Gazeta de Lima* (1743) y *La Gazeta de La Habana* (1764) fueron los primeros periódicos editados en el continente americano.
- El 21 de noviembre de 1778, el virrey Juan José de Vértiz y Salcedo decretó la instalación de la Real Imprenta de los Niños Expósitos, la primera que funcionó en Buenos Aires.
- El 8 de enero de 1781 apareció *Noticias recibidas de Europa por el Correo de España*, que algunos historiadores consideran el primer periódico impreso en el Río de la Plata.
- El miércoles 1º de abril de 1801 apareció el primer periódico de Buenos Aires: *El Telégrafo Mercantil, Rural, Político, Económico e historiográfico del Río de La Plata*, que a los pocos meses tenía 236 suscriptores: 159 en la ciudad capital y 77 en las provincias del Virreinato. Lo editó Francisco Antonio Cabello y Mesa, abogado nacido en Extremadura, España, en 1764.

## GAZETA DE BUENOS-AYRES.

### JUEVES 7 DE JUNIO DE 1810.

*===Rará temporum felicitate, ubi sentire quæ velis,*
*et quæ sentias, dicere licet.*
**Tacito lib. 1. Hist.**

#### ORDEN DE LA JUNTA.

Desde el momento en que un juramento solemne hizo responsable á esta Junta del delicado cargo que el Pueblo se ha dignado confiarle, ha sido incesante el desvelo de los individuos que la forman, para llenar las esperanzas de sus conciudadanos. Abandonados casi enteramente aquellos negocios á que tenian vinculada su subsistencia, contraidos al servicio del público con una asiduidad de que se han visto aqui pocos exemplos, diligentes en proporcionarse todos los medios que puedan asegurarles el acierto; vé la Junta con satisfaccion que la tranquilidad de todos los habitantes acredita la confianza con que reposan en el zelo y vigilancia del nuevo Gobierno.

Podria la Junta reposar igualmente en la gratitud con que publicamente se reciben sus tareas; pero la calidad provisoria de su instalacion redobla la necesidad de asegurar por todos los caminos el concepto debido á la pureza de sus intenciones. La destreza con que un mal contento disfrazase

Diarios como *La Gazeta*, impulsada por Moreno, resultaron fundamentales para difundir las ideas jurídicas y legales alrededor de la nueva organización de la Nación.

---

## TELEGRAFO

### MERCANTIL, RURAL, POLITICO=ECONOMICO,
### E HISTORIOGRAFO

## DEL RIO DE LA PLATA

POR

### EL CORONEL D. FRANCISCO ANTONIO CABELLO

y Mesa, Abogado de los Reales Consejos, primer Escritor
periódico de Buenos Ayres, y Luna.

## TOMO III.

QUE COMPREHENDE LOS MESES DE

## ENERO, FEBRERO, MARZO, Y ABRIL,

AÑO DE 1802.

### CON PRIVILEGIO EXCLUSIVO.

*En la Real Imprenta de los Niños Expósitos de*
*Buenos-Ayres.*

---

(57)　　　　Num. 3º　　　　Pág. 29

### GAZETA DE BUENOS-AYRES.

### JUEVES 21 DE JUNIO DE 1810.

*===Rará temporum felicitate, ubi sentire quæ velis,*
*et quæ sentias, dicere licet.*
**Tacito lib. 1. Hist.**

#### Sobre la libertad de escribir.

Si el hombre no hubiera sido constantemente combatido por las preocupaciones y los errores, y si un millon de causas que se han sucedido sin cesar, no hubiesen gravado en el una multitud de conocimientos y de absurdos, no veriamos, en lugar de aquella celeste y magestuosa simplicidad que el autor de la naturaleza le imprimió, el deforme contraste de la pasion que cree que razona quando el entendimiento está en delirio. Consultese la historia de todos los tiempos, y no se hallará en ella otra cosa mas que desórdenes de la razon, y preocupaciones vergonzosas. ¡Que de monstruosos errores no han adoptado las Naciones, como axiomas infalibles, quando se han dexado arrastrar del torrente de una preocupacion sin exâmen, y de una costumbre siempre ciega, partidaria de las mas erroneas maximas, si ha tenido por garantes la sancion de los tiempos, y el abrigo de la opinion comun! En todo tiempo ha sido el hombre el juguete y el ludibrio de los que han tenido interes en burlarse de su sencilla simplicidad. Horroroso qua-

"En algunas épocas la Argentina fue gobernada por periodistas: Moreno, Dorrego, Mitre, Sarmiento y otros como Alberdi y Hernández han plasmado buena parte de la fisonomía espiritual del país –escribió el periodista Osiris Troiani en 1984–. Hoy [...] cualquiera de ellos tendría dificultad para encontrar un lugar en la prensa comercial porque el jefe de publicidad les ordenaría que se callaran la boca." Desde los tipos de imprenta, Lagos se acercó al periodismo para interpretar los cambios de los tiempos. Casi cien años después un editorial que celebraba el aniversario de *La Capital* evocaba el momento de la fundación: "El telégrafo traía las informaciones con la rapidez del rayo y los lectores de *La Capital* recibían, en horas apenas, noticias de lugares tan alejados de la tierra que otrora demoraban meses en conocerse. El ferrocarril y otros medios de transporte habían proyectado al diario mucho más allá de los límites locales". En las ediciones iniciales de *La Capital* se observa que muchas eran las palabras que se escribían de otro modo: "vejetación", "expontáneo", la preposición "a" con acento. En 1867 se decía que la guerra del Paraguay era "tan inútil como impopular". Como dato curioso, leemos que ya por entonces había epidemias de cólera.

## El periodismo ocupa un lugar

En ese momento los diarios eran vehículos de ideas, instrumentos de militancia y hasta puestos de combate. Los pioneros del periodismo veían en la actividad una herramienta notable para, como decía Sarmiento, "educar al soberano". Cuando en 1868 Sarmiento llegó a la presidencia de la Nación no sólo era un periodista activo sino que reverenciaba a la comunicación escrita por numerosos motivos: sabía que el periodismo registraba la historia, posibilitaba una forma del ejercicio del poder, era idóneo para mostrar las necesidades de los ciudadanos y eficaz para vigilar y controlar a los poderes. "El diario –pensaba Sarmiento– es para los pueblos modernos lo que era el foro para los romanos. La prensa ha sustituido a la tribuna y al púlpito; la escritura, a la palabra y a la oración que el orador ateniense acompañaba con la magia de la gesticulación, para mover las pasiones de algunos millares de auditores que la miran escrita, ya que por las distancias no pueden escucharla."

Quien busque explicaciones acerca de nuestra forma de ser en la instalación, desarrollo y afianzamiento de nuestras instituciones (políticas, religiosas, culturales, militares, económicas) podrá recurrir a la historia del periodismo que, como si fuera poco, funciona como registro del cambio de ideas, vidas y costumbres. En un artículo publicado en 1992, Emilio J. Corbière sostiene: "Cuando se estudia y analiza nuestro pasado, la formación de la conciencia nacional y aun nuestro presente, no puede prescindirse del periodismo, actividad a la que recurrieron nuestros próceres, militares, políticos, jefes religiosos, intelectuales y científicos".

En 1867 se conocieron los datos del primer Censo Nacional de Población –una de las primeras iniciativas de Sarmiento como presidente–: 1.877.000 habitantes. Del censo se desprende que más de 60 mil habitantes del puerto de Buenos Aires (una tercera parte) saben leer y escribir. Dos años más tarde, entre octubre de 1869 y enero de 1870 aparecen *La Prensa* y *La Nación*.

A las 3 de la tarde del 18 de octubre de 1869, José Clemente Paz saca una hoja inmensa, de 50 por 56 centímetros, impresa en ambas caras por la imprenta Buenos Aires, de la calle Moreno 73. Tenía cinco columnas prácticamente sin ilustraciones. No era ésta la primera experiencia periodística de Paz, quien cuatro años antes había creado el diario *El Inválido Argentino*, órgano de la Sociedad Protectora de los Inválidos, institución que aglutinaba y amparaba a los lisiados de la guerra del Paraguay.

Una leyenda informaba que *La Prensa*, diario "noticioso, político y comercial", aparecería todos los días a las 3 de la tarde. Sin embargo, dos años después se convirtió en matutino. "Saludamos afectuosamente a toda la prensa argentina, de la que nosotros también entramos a formar parte. Les deseamos todo el bien y acierto que para nosotros ambicionamos. La independencia, el respeto al hombre privado, el ataque razonado al hombre público y no a la personalidad individual formarán nuestro credo. Pensando de este modo creemos llenar el fin santo que se propone el periodismo [...] Verdad, honradez: he aquí nuestro punto de partida. Libertad, progreso, civilización. He aquí el fin

El diario –pensaba Sarmiento– es para los pueblos modernos lo que era el foro para los romanos.

A las 3 de la tarde del 18 de octubre de 1869 José Clemente Paz saca una hoja inmensa, de 50 por 56 centímetros, impresa en ambas caras.

En 1867 Ovidio Lagos fundó su diario para afianzar la idea de que Rosario debía ser la capital de la Argentina.

Ovidio Lagos y la edición 37.169.

único que perseguimos", consignaba la edición inicial, que incluía unos pocos avisos comerciales.

## Cómo conseguir clientes

Las noticias del diario cuya redacción dirigía el doctor Cosme Mariño, amigo de Paz, eran escuetas aunque en algunos casos sobrecogedoras. "A 31 millones de pesos fuertes ascienden los gastos de la guerra del Paraguay, en cuatro años y cinco meses de duración", "la cifra última que arroja el censo en la ciudad de Buenos Aires asciende a 190 mil almas". A pesar de que sus detractores vieron a *La Prensa* como "periodiquín y diarejo sin importancia ni mérito", el escritor Arturo Capdevila acierta en 1939 cuando afirma que su aparición "es un jalón que divide en dos épocas la vida argentina".

Para el abogado Gerardo Ancarola, director del matutino en 1996, "el diario nace en 1869 con el propósito superador de evitar la fuerte politización que caracterizaba a los periódicos de entonces. Se mete en el panorama de los casi veinte diarios que aparecían tratando de diferenciarse de la prensa partidista o facciosa. En poco tiempo llega a los 25 mil ejemplares de venta y toma una tendencia ascendente que no se detiene durante décadas". Cuando el siglo XIX termina, el diario vende ya 77.000 ejemplares y en los primeros años del siglo XX supera los 100.000. Consciente de que había lectores interesados pero sin capacidad económica, el nuevo diario decidió tentarlos regalándoles los ejemplares de los primeros tiempos. No se equivocaron con la estrategia, porque si en la edición inaugural tenían apenas cinco avisos, en 1899, cuando inauguran sus nuevas rotativas, los reclames sumaban 1.581 en una edición.

### La competencia

Estos eran los títulos, que aparecían junto con *La Prensa* y sus respectivas ventas:

La República: 4.600 ejemplares.
El Río de la Plata: 4.000.
La Tribuna: 3.600.
The Standard: 2.500.
La Verdad: 1.500.
La España: 1.300.
La Nazione Italiana: 1.200.
Le Courrier de La Plata: 1.000.
La Discusión: 800.
El Nacional: 650.

En 1874, por ejemplo, el pionero Paz, sin dejar ni por un momento la dirección del diario, había participado de una asonada en contra del presidente Avellaneda, a cuyo servicio colocó el diario, que en esos tiempos apareció con una frase al lado de su logotipo: "*La Prensa* en campaña". Tan habitual era esa forma de intervención que aunque el movimiento terminó en derrota el diario siguió saliendo sin haber perdido nada de su influencia y prestigio.

"El periodismo argentino nace como expresión intelectual de las elites políticas, en los tiempos en que se luchaba por la emancipación nacional", opina en 1987 Félix Laiño, famoso periodista iniciado en *La Razón* en 1931 y que desde 1939 hasta casi cincuenta años después estuvo al frente de su redacción.

## *Nace* La Nación

El 4 de enero de 1870, el ex presidente, general y abogado Bartolomé Mitre sacó *La Nación* con una tirada de 1.000 ejemplares y un capital de 800.000 pesos de la época reunidos por él y nueve amigos (José María Gutiérrez, Rufino y Francisco de Elizalde, Juan Agustín García, Delfín B. Huergo, Cándido Galván, Anacarsis Lanús, Adriano Rossi y Ambrosio Lezica). Hacía 34 años que Mitre era un reconocido periodista de barricadas propias y ajenas y 8 que publicaba con el imprentero Gutiérrez *La Nación Argentina*. Mitre pensó en su nueva obra como otro aporte a la organización nacional iniciada por Urquiza y a la que él mismo contribuyera: "*La Nación Argentina* fue una lucha. *La Nación* será una propaganda", admitió, y cuando le solicitaron que explicara la frase añadió que se refería a la difusión de los principios de la nacionalidad y de las garantías institucionales.

Por esos tiempos, e publicaban también infinidad de hojas satíricas de tiradas insignificantes: *El Brujo, El Gringo, La Jeringa, La Viuda*..., y materiales partidarios herederos de un título antológico de mediados del siglo XIX: *El Despertador Teofilantrópico Misticopolítico*, un pasquín que editaba el padre Castañeda.

*La Nación* tuvo que hacerse un lugar entre *El Nacional*, de Dalmacio Vélez Sarsfield, y *La Tribuna*, y para ello fue fiel a un concepto: "*La Nación* será tribuna de doctrina".

Una toma en la redacción del diario *El Nacional* , de Dalmacio Vélez Sarsfield.

Juan Bautista Alberdi consiguió publicar
un adelanto de su libro *Las bases* en *El Nacional*.

Bartolomé Mitre (retratado por el dibujante Meyer), como si observara
las sorprendentes sábanas de *La Nación*.

Tanto *El Nacional*, fundado en 1852, antes de la caída de Rosas, como *La Tribuna*, luego de la batalla de Caseros, fueron baluartes en el enfrentamiento que la ilustración de la época (grandes cabezas como Bartolomé Mitre, Nicolás Avellaneda o Vicente López) descalificaba como la tiranía de Juan Manuel de Rosas, el rosismo y sus secuelas. En *El Nacional*, dirigido por Cayetano Casanova, Juan Bautista Alberdi consiguió publicar un adelanto de *Las bases* mientras que la pluma estelar de *La Tribuna*, dirigido por los hermanos Héctor y Mariano Varela y Juan Ramón Muñoz, era Domingo Faustino Sarmiento. Pero no sólo se destacaban por hacer política. *El Nacional*, por ejemplo, fue el primer medio en tener dos ediciones diarias, una al mediodía y otra a las dos de la tarde.

Un poco antes, *La Prensa* se había comprometido a "expresar y a representar a la verdadera opinión pública y no sujetarla a la nuestra, ni menos formarla o dirigirla". Sin embargo, más temprano que tarde, ambos diarios se convirtieron en voceros confiables y serios del pensamiento liberal y conservador, que hasta ese momento se había nutrido de diarios franceses o ingleses, que tardaban meses en llegar al Río de la Plata desde sus lugares de origen.

"Cuando funda *La Nación*, lo que Mitre pretende es tener un diario que contribuya a consolidar la organización nacional. Para cumplir en los papeles aquello que ya había expresado como jefe militar y como presidente. Y aunque no siempre dirigió el diario, su influencia fue considerable, en especial, acerca de los sentimientos e intereses bonaerenses", dice en 1996 el secretario general de redacción de *La Nación*, José Claudio Escribano, quien además asegura que son numerosos los vestigios de la doctrina del fundador que aún permanecen en la institución y en el periódico. "La presencia de Mitre perdura en lo que concierne al uso de la libertad, la defensa de las garantías individuales, la independencia de los poderes públicos y el ejercicio de un criterio pluralista en todos los órdenes. Si alguien nos dijera: 'Ustedes hacen un diario conservador y liberal', contestaríamos: 'Está bien; no hay nada que corregir en su afirmación'. Ahora, si en cambio, la expresión fuera: 'Ustedes hacen un diario elitista', nosotros diríamos: 'Qué mal nos ha entendido usted o qué mal hacemos nosotros las cosas para que usted nos entienda de ese modo'", opina Escribano. Acerca de la cuestión de si todavía en 1996 hay "mitrismo" en *La Nación*, Hugo Caligaris –en el diario desde 1978 y actual editor de la revista de los domingos– responde: "El espíritu de Mitre persiste, en especial en los editoriales, en donde siempre trató de mantener principios del liberalismo bien entendido, polifacético".

## En busca del futuro

Lentamente, esas impresionantes "sábanas", escritas a ocho o nueve columnas, que en el caso de La Nación llegaron a tener casi un metro de alto y medio de ancho, iban delineando el gusto de los lectores y evidenciando sus necesidades. Las actividades comerciales y de la Aduana, por su incidencia en la vida inmediata de la gente que dependía del puerto, se transformaron en la sección más esperada. Así como lo hacía La Prensa, cada día se especificaba sobre la salida y entrada de barcos, las actividades del culto católico y los valores de la Bolsa. Pero también ocupaban un lugar destacado las noticias referidas a la edición de libros liminares de la identidad argentina, como el Martín Fierro, de José Hernández, y el Santos Vega, de Hilario Ascasubi, aparecidos en 1872.

Cuando surgió La Prensa, la mayor parte de la información era de origen nacional: por ejemplo, sobre la recientemente concluida Guerra de la Triple Alianza. Pero sucesos de importancia mundial como la guerra franco-prusiana o el avance de la Revolución Industrial tardaban un mes y todavía más en llegar a este punto del mundo. Los paquetes de cables se juntaban en Londres o en Lisboa, y en barco arribaban al puerto de Buenos Aires.

Además, eran tiempos difíciles, porque no todos entendían la función de los diarios. Muy pocos años atrás, en 1864, una voz decisiva como la del papa Pío IX había sostenido que la prensa escrita ayudaba "a la corrupción de las costumbres y de las mentes".

Desde sus comienzos, La Nación apeló a los servicios de las agencias de noticias. A la parisina Havas se habían sumado Reuter en Londres y la Wolf en Alemania y, con muchas dificultades, el antecedente de lo que años después sería la norteamericana Associated Press. El camino de la noticia era incierto y definitivamente lento: La Nación comenzó a formar una red de corresponsales propios (aunque en su necesidad de asegurar la noticia no faltó el viejo y efectivo recurso de las palomas mensajeras). La guerra entre Francia y Prusia, por ejemplo, se insinuaba desde el 8 de julio de 1870, pero cuando el público argentino pudo enterarse de los aprestos, el mes de agosto estaba avanzado y la guerra tenía dos semanas de iniciada.

Los avisos, que también son noticias de una época y un lugar, fueron definidos así por Bartolomé Mitre, en 1870: "La sección de avisos de un diario equivale a un bazar o a una feria en la que todo se encuentra, cruzándose la oferta y la demanda". Ciento veinticuatro años después el periodista Hugo Caligaris afirma en una edición especial de *La Nación*: "A su modo [los avisos] informan tanto como la mejor crónica sobre las inquietudes, los intereses, la cultura y los deseos colectivos de la gente".

El crecimiento de las grandes ciudades del país, la construcción de caminos y el desarrollo de los sistemas de transporte, en especial el ferrocarril, contribuyeron a la difusión de los diarios. En setiembre de 1881 el educador Manuel Lainez fundó *El Diario*, otro gran vespertino porteño en el que con frecuencia colaboraba el escritor Paul Groussac y donde el novelista francés Emile Zola publicaba novelas en forma de folletín. En 1882 nació *Los Andes*, de Mendoza; en 1884 estuvo en la calle *El Día*, de La Plata; y en 1885 Carlos Pellegrini y Roque Sáenz Peña, dos futuros presidentes, asumieron la dirección del diario de Paul Groussac, *Sudamérica*. El caso de periodistas que llegaban a la cima del poder y de funcionarios que tras dejar su cargo regresaban a las redacciones fue frecuente en esa época: Joaquín V. González, por ejemplo, tras abandonar la Cancillería pasó a ser editorialista de *La Nación*. En un seminario realizado en 1977 decía Juan Valmaggia, hombre clave de *La Nación* durante años: "Había en esa época hombres públicos organizadores del país, que creían en la prensa, en su poder, sin cánones y sin tanques... Vemos una constante intercomunicación entre la prensa y el manejo de las cosas del Estado".

En 1894 nació el diario cordobés *Los Principios* y el legendario periódico socialista *La Vanguardia*, que dirigía Juan B. Justo. En esos días, Paul Groussac escribió que hasta entonces la prensa había sido "pasquinera, llena de injurias soeces, alusiones vergonzosas, sátiras de sal gruesa, en prosa y en verso, apodos insultantes y gracias de aldea". Y fue en 1896 cuando José Ingenieros y Leopoldo Lugones editaron *La Montaña*, un título famoso en la línea de la utopía y la revolución.

En 1896 José Ingenieros y Leopoldo Lugones editaron *La Montaña*.

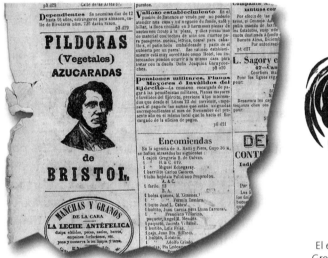

Publicidad en *La Nación*: "La sección de avisos de un diario equivale a un bazar".

El escritor y educador Paul Groussac, director del diario *Sudamérica*, satirizado como un gallito por su temperamento.

En 1894 nació el legendario periódico socialista *La Vanguardia*, que dirigía Juan B. Justo.

## El nuevo humor político

Con sus treinta años de existencia (1863-1893) y sus 1.580 ediciones, *El Mosquito* es la revista de humor argentina de más extensa duración. El 24 de mayo de 1863 salió por primera vez como periódico satírico burlesco de caricaturas en el que escribía habitualmente el escritor y político Eduardo Wilde, que en agosto de 1874 publicó un famoso artículo titulado "El chocolate Perón es el mejor chocolate", una metáfora de los efectos de la publicidad sobre un chocolate suizo, mucho antes de que ese apellido cobrara significación en la vida argentina. En las páginas de *El Mosquito* brillaba Meyer con sus caricaturas, y se destacaban en especial los bosquejos antimitristas del extraordinario dibujante francés Henri Stein, cuyo seudónimo era "Monet". Al fin del siglo ya había muchos temas de qué reírse: ferrocarriles que no siempre iban por la vía adecuada, políticos excesivamente ambiciosos, proyectos que fracasaban... Todo fue muy bien aprovechado por dibujantes como Giménez, Zavattaro, Redondo, Mono Taborda, Ramón Columba. "*El Mosquito* no es precisamente similar al *Punch*, de Londres, o al *Charivari*, de París, pero sus zumbidos se escuchan y sus aguijonazos levantan buenas ronchas... Stein no dejó nada por glosar con su lápiz insinuante, festivo y a veces severamente mordaz, aunque siempre con sencillez y altura", decía un comentario de época. Fue tan grande la influencia que alcanzó el dibujante que Sarmiento le exigía que no se olvidara de él, aunque fuera para denostarlo. Y Stein le daba el gusto al gran maestro.

En 1884 surge *Don Quijote*, del periodista y dibujante español Eduardo Sojo, que por su acidez "demolió al poder de su época", al decir de Ramón J. Columba. En esa revista trabajó el ex comisario y escritor José Sixto Álvarez, también conocido por su seudónimo "Fray Mocho", y el dibujante José María Cao. Desde esa publicación se plantea la idea del humor como "un arma poderosa". Hasta tal punto había llegado su influencia que el propio fundador del radicalismo, Leandro N. Alem, sostuvo que "la revolución de 1890 la hicieron las armas y las caricaturas". En *Don Quijote* se originaron los apodos a los principales políticos: "El Pavo", al presidente Roque Sáenz Peña; "El Zorro", a Julio

A. Roca; "El Burrito Cordobés", a Miguel Juárez Celman; "Cangrejo", al presidente José Félix Uriburu; y muchos otros. Su repercusión empieza a declinar cuando el 8 de octubre de 1898 aparece *Caras y Caretas*, que venía del Uruguay, en donde el español Eustaquio Pellicer la había iniciado en 1890 como semanario festivo, literario, artístico y de actualidades.

Pellicer comenzó a editar su revista asociado con Bartolomé Mitre y Vedia, un hijo del fundador de *La Nación*. Como el padre de éste consideró desmesurada la publicación y pensó que podía dañar su imagen, su nombre y el del diario, Bartolito, obediente, presentó la renuncia. Tomaron su lugar Fray Mocho y el dibujante español Manuel Mayol. *Caras y Caretas* representó la madurez del humorismo político y no sólo eso: para el ensayista y estudioso de los medios Jorge Rivera, aquella publicación merece ser considerada como "la primera revista argentina de concepción periodística moderna y masiva". Y lo hace, según Rivera, con un tono "ni demasiado serio ni demasiado chacotón".

"Llegó el Caricareta, llegó el Caricareta", gritaban los diarieros para ofertar esta revista, que llegó rápidamente a tiradas de 100.000 ejemplares. En 1899 caía durísimo sobre los políticos corruptos y criticaba a los *tranways* "que matan más gente que la fiebre amarilla". Viñetas de vida cotidiana, décimas intencionadas, gráficas costumbristas, notas que registraban el crecimiento y los cambios del país, y los deliciosos "reclames" de los primeros años del nuevo siglo eran parte de su contenido.Y, como si fuera poco, incomparables sátiras políticas.

## Las razones de un diario

Si en algo innova *La Razón* es en la idea del diario de noticias de interés general, alejado de tendencias partidistas, libre de caudillos o partidos que lo sostengan y apadrinen. En la redacción que Emilio B. Morales crea el 1º de marzo de 1905 late el espíritu de principios de siglo, el estimulante sentimiento de que todo está por hacerse, la exaltación del progreso que no omitía la lección espiritual, los nuevos caminos de un país en crecimiento que a los ojos del resto del mundo se veía como excepcional.

Esto es celo policial
Abrirle a un niño en canal.

En 1884 surge *Don Quijote*, del periodista y dibujante español Eduardo Sojo.

El 8 de octubre de 1898 aparece *Caras y Caretas*.

José S. Alvarez (Fray Mocho).

*El Mosquito* es la revista de humor argentina de más extensa duración.

En 1911, Morales decide alejarse y le vende el diario al profesor de letras y destacado periodista José A. Cortejarena, que desde 1907 integraba la redacción. Es el primer caso de un periodista profesional que llega a un puesto de conducción. Cortejarena heredó una "sábana" de siete columnas, de aspecto no demasiado diferente al de *La Nación* o *La Prensa*, y al poco tiempo la modernizó en los temas, le renovó la tipografía y cambió la técnica de producción, hasta ese momento excesivamente artesanal, por otra más industrial. Aunque en ese entonces no se hablaba de "bajada de línea", eso fue lo que el señor Cortejarena les hizo a sus redactores al hacerse cargo. Les dijo que no confundieran la moral con los sentimientos, ni mezclaran los principios con las instituciones, además de sugerirles que fueran parcos en el elogio y serenos en el ataque.

Aunque el dueño de *La Razón* era un político conservador, mantuvo férreamente la decisión de Morales de no convertir al diario en una hoja de tendencia. En sus escritos aconsejó abundantemente a los periodistas que escribieran pensando en la opinión pública y en el pueblo, y dejó para la historia todo aquello que creía que un diario no debía ser: enseña de un partido, eco de una voluntad, instrumento de dominación.

En un estudio publicado en 1987, Félix Laiño destaca la importancia del surgimiento de *La Razón* en la consolidación de un periodismo más profesional. "Los diarios se fundaron bajo la inspiración de las corrientes ideológicas [...] *La Nación* y *La Prensa* fueron ejemplos de identidad como *diarismo* político [...] Antes de llegar al Congreso, los grandes problemas nacionales se debatían en las columnas de los diarios. Consolidada la República, surge el periodismo comercial en el que [...] el hombre político va cediendo el paso al periodista profesional."

En diez años de gestión, Cortejarena hace de *La Razón* un diario más abierto, que mezcla con criterios más realistas la información nacional –predominante hasta el momento– con la internacional. Murió muy joven, a los 44 años, y su viuda convocó a la dirección a Ángel Sojo, Uladislao Padilla y Gaspar Cornille, que realizaron una buena gestión. Los sucedió un profesional prestigioso, Guillermo Salazar Altamira, quien ya en la década del 30 le confiere a *La Razón* su aspecto de vespertino de tapas vibrantes y vendedoras.

## Entre diarios y revistas

En el 1900 *La Prensa* adorna la cúpula de su edificio en Avenida de Mayo al 500 con la célebre escultura francesa "La Farola", que pesa 3.000 kilos y representa a una mujer con los brazos en alto: en uno lleva una antorcha y en el otro, un ejemplar del diario. También quedó instalada una sirena que sonaba cada vez que querían transmitirse informaciones trascendentes a la población. Los matutinos seguían presentando mucho más textos que grabados, y tendían a volverse más orientadores en temas como teatro, hipismo, "football", sociales y cultos religiosos.

"En 1909 la tercera generación periodística de los Mitre decidió distanciar al matutino de las luchas partidarias y convertirlo en expresión y educador de la clase dirigente, por encima de los fraccionamientos", escribe Ricardo Sidicaro en *La política mirada desde arriba*, un libro en el que investigó 80.000 editoriales aparecidos en *La Nación* a lo largo de ochenta años. Para responder a otros requerimientos de los lectores, los diarios comenzaban a arriar sus banderas de secta y a abrirse a todos los temas, no sólo a los que dictaba el interés partidario.

"Un periodista es un escritor cabal, que escribe para multitudes y es leído por multitudes", había dicho Fray Mocho como para evidenciar que ya a esa altura nadie era capaz de pensar que tantos lectores diarios pudieran ser algo desdeñable.

## Breves

- En sus títulos los diarios utilizaban una forma verbal ya en desuso: el "se" enclítico, que originaba expresiones como "hallóse", "realizóse", "cumpliose" o "informose" (a veces con acento, a veces sin él).
- Petrona Rosende de Sierra era uruguaya y en 1830, a los 43 años, publicó en Buenos Aires la revista *La Aljaba*, una hoja feminista combativa a la que se considera la primera tarea de una mujer en el periodismo del Río de la Plata. De la publicación de doña Petrona aparecieron 18 números.

- El primer diario en ser voceado por los canillitas en las calles de Buenos Aires fue *La República*, allá por 1867.
- En 1874 *La Nación* sufrió su primera clausura. Al reaparecer el 1º de marzo de 1875 vendió 10.700 ejemplares en Buenos Aires, una cifra importante para una ciudad de 180.000 habitantes.
- En 1877, por un conflicto con el gobierno central, los responsables de *La Capital*, de Rosario, decidieron dejar en blanco el espacio editorial consignando apenas tres palabras: "Estado de sitio".

En los primeros años del siglo, en la redacción de *La Nación* se encontraban personalidades tan distintas como el socialista Juan B. Justo, el anarquista Alberto Ghiraldo y el descendiente de la familia fundadora, Emilio Mitre, un hombre de ideas progresistas y renovadoras. Cuando Emilio Mitre murió, en 1909, el diario publicó un editorial en el que reafirmaba su propósito de abandonar su posición de diario de bandería para convertirse en una expresión periodística de interés general. José Claudio Escribano refrenda la historia y afirma que el ingeniero Mitre "era un dirigente político de primer orden y, de no haber muerto, tal vez habría sido el candidato presidencial para el cambio político en la República en lugar de Sáenz Peña".

"Tenemos que hacer revistas parecidas a la vida", soñaba Alberto Haynes, hasta que en 1904, sin experiencia periodística, se convirtió en el editor de *El Hogar Argentino*, una publicación exitosa que fue el origen de una formidable editorial y que, con el tiempo, se convertiría en uno de los primeros multimedios, agrupando diarios, revistas y una cadena de radios. Haynes era un inglés que, como tantos otros, había llegado a la Argentina en 1887 como empleado del Ferrocarril Gran Oeste Argentino. En principio, además de su propia actividad, se dedicó a la exportación de ganado, se asoció con una agencia de publicidad inglesa y sólo a partir de entonces se dedicó al periodismo. *El Hogar Argentino* se ocupaba de revelar los gustos y costumbres de la época, aconsejaba a las familias, les enseñaba a las mujeres lo que se usaba y a los hombres, los libros y autores que merecían conocerse. Y, fundamentalmente, le abría a la clase media en ascenso y en extensión una ventana para conocer cómo eran las formas de placer y diversión de las clases adineradas. Es en esta revista donde Arturo Lanteri inicia su famosa historieta "Don Pancho Talero".

Mercedes Moreno, apodada "La Dama Duende", desde *Caras y Caretas*, y Josué Quesada, desde *El Hogar Argentino*, se metían, con o sin invitación, en las casas más selectas de la clase alta en las que jamás podrían entrar los habitantes de la clase media y se convertían en cronistas del género social, relatándoles a los simples mortales lo que pasaba detrás de esas puertas y ventanas. Afirma el sociólogo Juan José Sebreli en uno de sus libros más conocidos –*Buenos Aires, vida cotidiana y alienación*– que esta forma de periodismo fue importante hasta que en la década del 30 resultó desplazada por las ascendentes crónicas dedicadas a los espectáculos: "La pequeña burguesía argentina aprendía detalladamente los nombres de los miembros de la alta burguesía [...] con el mismo interés con que, más tarde, se dedicaría a las estrellas de cine y radio", acota Sebreli.

## Originalidades

Con la originalidad de su formato pequeño (13 por 23 centímetros), pero también por la potencia y singularidad de sus caricaturas, se impone a partir de 1904 otra creación del español Eustaquio Pellicer: *PBT*. Por su contenido de crítica política y de actualidad llegó a superar en un momento a su eslogan, "Semanario infantil ilustrado para niños de 6 a 80 años". Sus fotos e ilustraciones, con sus respectivos epígrafes en verso, retrataron toda una época describiendo tendencias y costumbres de la ciudad y el país.

En 1903 muere Fray Mocho, pero ni siquiera la muerte de su director inmuta a *Caras y Caretas*. Lo reemplaza Carlos Correa Luna y la publicidad se ufana: "¡Siempre a 20 centavos de costo!". Tampoco se resiente la estructura cuando un dibujante excepcional como José María Cao se aleja para crear la nueva revista *Don Quijote*, porque quien llega para sustituirlo es otro caricaturista que marcaría época: Ramón Columba.

*Caras y Caretas* registró el crecimiento del país y difundió sus pasiones: desde el fútbol hasta el teatro; desde los viajeros que llegaban a estos puertos, hasta la política. Cuando los fastos del Centenario estuvieron listos, no había por aquí revista más prestigiosa: 200 páginas impresas en delicado papel, con gracia y fino sentido de la observación. Como dijo una de sus estrellas literarias, el escritor Juan José de Soiza Reilly: "Fue la cabal intérprete periodística de la Buenos Aires de la Gran Aldea, de la Argentina de los inmigrantes y del proyecto político del 80". Otros grandes de la escritura y del dibujo pasaron por la redacción de *Caras y Caretas*: Horacio Quiroga, Manuel Gálvez, Pedro Juan Vignale, Leopoldo Lugones, Alejandro Sirio, Federico Leal, Roberto Payró y el abuelo de Hermenegildo Sábat, un mallorquí llamado del mismo modo, también dibujante y caricaturista.

En 1904 Alberto Haynes
lanzó *El Hogar Argentino,*
origen de una poderosa
editorial.

Lanteri inicia su famosa historieta
"Don Pancho Talero".

*PBT* pretendía ser un semanario ilustrado
para niños de 6 a 80 años.

En las redacciones se juntaban poetas y atorrantes, reos y exiliados que capeaban como podían la inestabilidad o la enorme exigencia de las desmesuradas jornadas laborales. En los meses que parecían no terminar nunca, los timberos, bohemios, divertidos periodistas de entonces apelaban a los vales.

El 1º de noviembre de 1908, Antonio Martín Giménez funda el matutino *El Cronista Comercial*, concebido como "diario de negocios para informar y orientar acerca de la industria, la banca y el comercio", que durante muchos años se vendería únicamente por el sistema de suscripciones. "Deben darse cuenta los comerciantes y todos los que están obligados a regirse por el Código de Comercio, que la teneduría de libros redunda en beneficio del comerciante de buena fe pues a la par que le sirve de amparo, le evita los mil litigios y trapisondas que a cada paso se ven tramados por aquellos que, poco escrupulosos e ignorantes, no observan lo que la ley prescribe." Así decía uno de los textos de la edición inicial de un diario que además destacaba la importancia de la información, como puesta al día y como un valor en sí.

A principios de siglo las familias de clase media solían comprar dos matutinos y dos vespertinos, y revistas como *Tit Bits*, de aventuras, que apareció en 1909, y *Mundo Argentino*, con la que el inglés Haynes volvía a plantear su estrategia de revistas dirigidas a áreas específicas de interés.

Faltaba poco para que estallara la Primera Guerra Mundial y conseguir papel era difícil y caro, porque la base de su materia prima, la celulosa, también se utilizaba en la fabricación de explosivos, actividad a la que el mundo estaba febrilmente abocado. Pero no todas las noticias que llegaban desde Europa eran malas para el negocio periodístico: en 1911 los alemanes inician la era de la impresión en el sistema de rotograbado.

## Breves

- Las linotipos que por primera vez incorporó *La Nación* a su sistema de composición representaban en diciembre de 1898 el trabajo de cinco obreros.
- En 1913 aparece el primer gran personaje dibujado del humor nacional. Se llamaba "Don Goyo de Sarrasqueta" y fue publicado por Redondo en *Caras y Caretas*. "Don Goyo" era un inmigrante europeo, falto de dinero y trabajo continuo, pero al que le sobraban ingenio y ansias de figuración.

## Dichoso Centenario

En *El Centenario*, su libro sobre las fiestas de 1910, el periodista Horacio Salas señala que buena parte de los visitantes extranjeros fueron recibidos en las redacciones de *La Prensa*, *El Diario* y *La Nación*, lo que ratificó en los huéspedes la idea de la fama internacional del periodismo, un prestigio basado en las altas tiradas, el sofisticado nivel de la información y la cultura de la sociedad lectora. Afirma Salas que el político francés Georges Clemenceau (a quien el periodista Joaquín de Vedia, de *La Nación*, fue a buscar a Montevideo para hacerle una entrevista exclusiva) ironizó sobre el lujo de la residencia del hombre de *La Prensa*, Ezequiel Paz (en la casa funciona ahora el Círculo Militar), en tanto que del edificio del diario dijo que era tan lujoso que los periodistas que allí trabajaban harían comparaciones "poco ventajosas con su modesto hogar".

## El inolvidable Crítica

Natalio Félix Botana Millares, un teniente de infantería del ejército uruguayo, militante del Partido Blanco en su país, llegó exiliado a Buenos Aires y en 1913 dio comienzo a la que sería su obra máxima: el diario *Crítica*.

El 15 de setiembre de 1913, a los 25 años y con capitales prestados (algunos dicen que de un doctor Berro, otros afirman que fueron 5.000 pesos de la época provenientes de Marcelino Ugarte, que desvió fondos previstos para la revista *PBT*), Botana publica el primer número de *Crítica*. Inicialmente planeado como diario del mediodía, es el único que llega a tener cinco ediciones diarias: la llamada "tercera" –aunque era la primera–, a las 12; la "cuarta", a las 14.30 (incluía algunos textos traducidos al inglés y al francés); la "quinta", a las 17; la "sexta", a las 21 y la "séptima" edición, a las 23.30. En su socrático eslogan invocaba al Señor que está en el cielo: "Dios me puso sobre vuestra ciudad como un tábano sobre un noble caballo para picarlo y tenerlo despierto".

Su intención era ser popular desde el lenguaje, evitar la solemnidad y hacer un diario para todos. Incluía no sólo una página permanente para el mundo obrero sino que organizaba campañas de distribución gratuita de máquinas de coser. Botana era un personaje: para algunos, un santo; para otros, un hampón. El periodista Francisco Llano lo sitúa entre Joseph Pulitzer y William Randolph Hearst, y agrega: "Botana tenía la misma profundidad que Ortega y Gasset en la interpretación de los sucesos humanos e idéntico poder de captación con respecto a la inquietud de las masas".

"Con *Crítica*, Botana revolucionó el periodismo en la Argentina –dice el periodista Andrés Bufali–. Estrenó títulos de tapa que eran verdaderos punchs al hígado, fotos enormes para las costumbres de la época y epígrafes más elocuentes [...] Con su estilo ágil y conciso [...] una mezcla de denuncia seria con el sensacionalismo más extremo [...] relatos de Borges y Arlt con los crímenes más sabrosos, artículos de cráneos extranjeros con el lunfardo más soez, de loas a gobiernos con campañas despiadadas en su contra. Era lo que anhelaba un país pacato, falaz y lleno de inmigrantes."

También el escritor y periodista Pedro Orgambide reflexiona sobre el fenómeno de *Crítica* y sostiene que Natalio Botana "impuso una visión periodística muy moderna que rompió con el modelo de los diarios tradicionales. Tenía un nuevo público, más popular, que se mezclaba con la clase media. El diario tenía de todo: fútbol y cables del exterior, política y policiales. Otra de sus características era la gran cantidad de escritores y poetas que poblaban su redacción". Orgambide conoció de cerca vida y milagros de ese ambiente cuando muchos años después pasó por la redacción de *Noticias Gráficas*, historias que en 1996 volcó literariamente en su novela *El escriba*.

## Expansiones

- Después de la muerte de José C. Paz en 1912, ingresó en el diario *La Prensa* su hijo Ezequiel Paz, quien hasta 1943 fue el responsable del mayor apogeo del periódico. Ya en 1914 había alcanzado los 180.000 ejemplares, una cifra que fue en aumento hasta llegar a los 745.894 en el Año Nuevo de 1935.
- El 20 de julio de 1919 *La Nación* es el primer diario latinoamericano que publica unas fotografías de la firma del Tratado de Versalles. Entre el momento en que las fotos se hicieron y el momento en que el diario dispuso de ellas para publicarlas pasaron 21 días. El corresponsal del diario las había tomado en el lugar de los hechos, y luego viajó con las placas sucesivamente a París, a Madrid –en tren– y por último a Cádiz –en motocicleta–. Allí puso los materiales en un barco que llegó a Montevideo el 19 de julio. De la orilla de enfrente, un enviado las acercó a Buenos Aires en avión.

*El Cronista Comercial*, concebido
como "diario de negocios".

Otro acierto de Haynes: *Mundo Argentino*.

Botana en una redacción llena de talento y bohemia.

Hombre de habano y polainas, el uruguayo
Natalio Botana revolucionó el periodismo argentino.

## Un diario increíble

El investigador Jorge B. Rivera califica a *Crítica* como un diario "increíble por lo imaginativo", sensacionalista y demagógico, informado y ameno, aborrecible para muchos, indispensable como el pan para otros tantos. Estableció poderosas relaciones con los temas más populares de la sociedad –cine, deportes, radio– y, con su tirada de 300.000 ejemplares, confería alcance masivo a escritores cuyos libros no vendían más de mil copias. En su suplemento reunía ensayos de Lugones, Groussac, Hernández o Lucio V. Mansilla, y para la sección de entretenimientos le pedía a Sixto Pondal Ríos que coordinara un concurso de mentiras criollas o a César Tiempo que se encargara de un suplemento de gimnasia, dietas, modas y grafología. En *Crítica* se publicaron críticas de cine de alto nivel y se lanzaron concursos popularísimos, como el de las mujeres más feas (cuyo premio era facilitarles lo necesario para embellecerse) o el del mejor payador. El credo periodístico de Botana era tan amplio que admitía tanto un suplemento literario con el propósito de que Edgar A. Poe y el Conde de Lautréamont llegaran, en colores, al gran público, como informaciones sobre tango y radioteatro capaces de cautivar a los intelectuales. El fundador de *Crítica* trató con los poetas más refinados y con los reos más notorios, como los de la reventa, a quienes se ganó otorgándoles el 50 por ciento de la venta de cada ejemplar (lo habitual era el 30 por ciento), favor que los muchachos le devolvieron con creces. Al principio, cuando el diario no estaba impuesto todavía, Eduardo "El Diente" Drughera le escondía a Botana los paquetes de la devolución, que eran muchos, y le anticipaba el dinero que en realidad todavía no había recaudado. Años más tarde, Drughera explicó que lo había hecho porque creía en el producto y sabía que, tarde o temprano, se iba a imponer. Y no se equivocó: durante años se afirmó que las ganancias de Botana y de su diario *Crítica* llegaron a ser de 200.000 pesos por día.

*Crítica* salió en 1913 y Helvio "Poroto" Botana, uno de los cuatro hijos del director fundador del diario, nació en 1915, según afirma "gracias a una partera que trajeron a la imprenta [...] En *Crítica* empecé a amar a la gente, *Crítica* era algo sensacional, una especie de embudo, concentrador de inteligencias. El alma de ese diario estaba en su restaurante, una peña permanente, con mesas de juego, levantadores de apuestas, intelectuales y reos, ordenanzas y directivos. Allí, la única jerarquía respetada era el ingenio".

Durante los primeros, largos años, *Crítica* fue mirado por las publicaciones con las que competía como un ejemplar extraño en el mercado.

## Almas cantoras

*El alma que canta* apareció en 1916 y al poco (muy poco) tiempo, como prueba irrefutable de su popularidad, la gente empezó a decir: "Te espero con un clavel en el ojal y un *Alma que canta* en la mano". Fue a Vicente Bachieri a qüien se le ocurrió hacer una revista que reprodujera las letras de las canciones más conocidas y cantadas. Antes de la definitiva popularización del tango cantado (consagrado por Carlos Gardel y otros), *El alma que canta* incluyó cuplés y pasodobles y hasta versos que eran musicalizados por compositores para transformarlos en canciones. Actores de drama o de comedia enviaban a la publicación textos teatrales para que fueran leídos por primera vez en sus páginas y poetas notables como Vicente Barbieri estrenaron en la revista una serie de obras en lunfardo. La sección "Versos de la Prisión" no alcanzaba para albergar la gran cantidad de creaciones originadas tras las rejas por presos de Villa Devoto, Caseros, Las Heras o Ushuaia. En sus páginas, poetas como Pascual Contursi y Samuel Castriota pudieron presentar "Mi noche triste"; José González Castillo y su hijo Cátulo hicieron lo propio con "Organito de la tarde".

"Es la revista que leen desde el presidente hasta el último peón de estancia, debido al calor de pueblo que transmite desde sus páginas. Además, es la revista madre de todas las hoy poderosas publicaciones del espectáculo en el Río de la Plata", explica el famoso autor Alberto Vaccarezza. El editor Bachieri también les ofreció espacio a autores como Francisco Rímoli (Dante Linyera), Belisario Roldán, Celedonio Flores, Pedro B. Palacios (Almafuerte) o Alfonsina Storni, entre otros. Las letras del tango cantado renovaron el aire y le pusieron música a la ciudad. Desde el alma. Desde el canto.

## El erial de Vigil

"Cada hombre nace delante de un erial y cosechará lo que siembre", sostiene uno de los apotegmas más difundidos de quien el 7 de marzo de 1918 fundó la editorial Atlántida, el uruguayo Constancio Valentín Vigil. Su padre, uruguayo, de nombre Constancio y periodista como él, recibió y atesoró iniciales inquietudes más cercanas a los valores religiosos y morales pero que no excluían una mística libertaria y un fuerte amor por el periodismo. En el Uruguay presidido por el dictador Latorre, Constancio padre había fundado el combativo diario *La Ley*. El joven cruzó el charco y luego de haber trabajado unos cuantos años en varias revistas (llegó a ser director de publicaciones en la editorial Haynes) instaló la que con el tiempo se convertiría en una importante editorial de familia. Lo primero que hizo fue sacar una publicación que compitió con el semanario *Mundo Argentino*, publicado por Haynes. Su título era *Atlántida* y a las dos semanas de salir ya vendía 60.000 ejemplares. Durante sus primeros dos o tres años esta publicación fue considerada como un modelo del pensamiento liberal, en especial porque en sus páginas alternaban los mejores escritores, pensadores y periodistas del momento, presentados en un clima de gran apertura y respeto intelectual, tal como sucedió con Leopoldo Lugones, Juana de Ibarbourou, Alberto Gerchunoff, Juan Torrendel, María Luisa Vargas y Horacio Quiroga, entre muchos, muchos otros. En 1919 Vigil saca su segundo título, *El Gráfico,* que durante más de 300 números fue una revista gráfica de interés general y no el magazine deportivo que es hoy.

## Billiken *a la historia*

El 17 de noviembre de 1919, cuando apenas se conocía un modelo en el género –la publicación italiana el *Corriere dei Piccoli,* cuya salida se suspendió al iniciarse la Primera Guerra Mundial en 1914–, Constancio Vigil lanza la revista *Billiken*. Pero ¿cuál es el origen de este extraño nombre? A principios de siglo el inglés Billy Kent había introducido como amuleto en Occidente un muñeco inspirado en un pequeño dios de la India a quien se le reconocían posibilidades de transmitir bondad, salud y voluntad. En el primer número del semanario se consignaba, como si lo dijera *Billiken*: "Aquí, en este bello país, he encontrado niños de todas las razas... Este es el lugar en donde *Billiken* debe quedarse".

Pero fue a partir de 1925, cuando el descendiente del fundador de editorial Atlántida, Carlos Vigil, perfeccionó la idea de seguir semana a semana desde una revista los programas educativos. En 1932 Carlos Vigil declaraba: "No existía el material escolar, ni los libros de texto. Por 20 centavos ofrecíamos láminas de próceres (dibujadas por Manteola, otro prócer del plumín y la tinta china) que en las librerías costaban tres o cuatro pesos". A partir de la fórmula de entretenimiento con instrucción sana y útil, *Billiken* se convirtió en un éxito notable en toda Hispanoamérica. Llegaron a enviar a España 30.000 ejemplares semanales y el doble de esa cantidad a Perú, Colombia, Venezuela y México. Millones de chicos de la primera mitad del siglo, de la Argentina (en donde la revista llegó a vender 500.000 ejemplares cada siete días) y otros países, pueden acreditar que aprendieron a leer con *Billiken*. Los españoles que llegaron como inmigrantes en esos años conocían pocas cosas del país, pero una de ellas era la revista de Vigil.

Todavía resultan memorables los objetos para armar que la revista traía: la Pirámide de Mayo, la Casa de Tucumán, el pesebre de Navidad o alguna batalla funcionaban en los hogares más humildes como los juguetes más sofisticados. Una vez al año los mejores trabajos que llegaban a la redacción se exponían en una galería de arte porteña.

## Colaboradores de lujo

En treinta años de colaboraciones continuas, Lino Palacio (Flax) hizo más de mil tapas para *Billiken*, cuyos originales fue regalando a escuelas del interior. Los cándidos motivos de las portadas se convertían en temas de composiciones escolares, en tanto que las maestras solicitaban a la publicación secretas ayudas para redactar sus discursos de las fiestas escolares. Escritores como Gabriela Mistral, Horacio Quiroga, Arturo Capdevila,

Leopoldo Lugones, Enrique Banchs, Juana de Ibarbourou o Jacinto Benavente escribieron, las más de las veces sin firma, para *Billiken*. Además de Palacio, también dibujaban Dante Quinterno, Alberto Breccia y José Luis Salinas. Ellos difundían vidas ilustres como las de Luis Agote, Rosario Vera Peñaloza o Jesucristo, y síntesis de obras maestras como *El Quijote* o la Biblia. En la década del 20 se hicieron famosas historietas como "El Pibe", el personaje que secundaba a Chaplin en sus filmes, y sagas como "El hijo adoptivo", que hicieron llorar a medio país. En los 30 alcanzaron repercusión "La Familia Conejín" y "Comeuñas"; en la del 40, las aventuras de "Ocalito y Tumbita" y "Pelopincho y Cachirula", así como en los 50 nadie superó a "El Mono Relojero", uno de los grandes personajes de Constancio Vigil.

## Orgullosos lectores

En los primeros años del siglo una fuerte alfabetización colaboró con el desarrollo de la prensa escrita. Como directa y concreta influencia de la Ley de Educación Común –la famosa 1420 de 1884–, entre 1870 y 1915 el analfabetismo en el país descendió más del 40 por ciento. Por esto, por ser la Argentina el tercer país del mundo que gozó de una ley de alfabetización y por el ascenso de la clase media como fuerte compradora de material impreso, creció en el país la adquisición de diarios y revistas. En 1926 la Argentina consume el 66 por ciento del papel de diario que circula por toda América latina.

### Para aprender a leer

Vigil no sólo fue un pionero en la edición de revistas con la idea de desarrollar publicaciones para todos los intereses familiares. También fue un pensador, un ideólogo y un escritor de libros para adultos como *El erial* y de numerosos libros infantiles. Durante décadas, millares de niños argentinos y del resto del continente aprendieron a leer con el libro *Upa*. Los cuentos que las madres de esa época contaban a sus hijos eran las aventuras de "El Mono Relojero", la cotorra "Misia Pepa", "El Manchado" y el más famoso de todos, "La Hormiguita Viajera". En esos tiempos millares de argentinitos fueron bautizados por sus padres como Marta y Jorge, otro de los títulos exitosos de Vigil, en realidad un secreto homenaje del autor a dos de sus hijos.

El primer número de
*Billiken* y el muñequito
de Billy Kent que dio
nombre a la revista
infantil de Vigil.

Constancio Vigil fue también autor de numerosos
libros infantiles y escolares

Horacio Quiroga.

A partir de 1920, tanto la radio como el cine se disputan el espacio cultural e informativo que estaba en manos de la gráfica. "Si algo caracteriza al mundo editorial de esas décadas es la consolidación de empresas multimedia, fenómeno derivado del desarrollo de la radio [...] Las editoriales más poderosas –Haynes, Crítica, La Nación y Atlántida– adquieren emisoras de radio y otros medios gráficos y, a veces, como Botana, también se dedican al cine", señala en un ensayo Sergio Pujol. En 1926 Natalio Botana estableció un convenio con el noticiero cinematográfico de Federico Valle por el que cronistas de *Crítica* y del semanario fílmico compartirían notas, medios de movilidad e incluso las primicias, como una manera de racionalizar gastos y esfuerzos. También en ese momento los medios escritos reformularon su lugar y ajustaron sus contenidos gráficos, volviéndolos más expresivos y sintéticos.

En una entrevista concedida a Jorge Gietz en 1973, Raúl González Tuñón llama a la década del 20 "los años locos". En pleno auge del teatro nacional y el tango, el notable poeta explica que florecen otras músicas como el jazz y el folklore en tanto se reproducen los talleres literarios, y los cafetines y bodegones porteños se convierten en grandes e involuntarios centros de enseñanza. Nombres como los de Homero Manzi, Ernesto Palacio, Conrado Nalé Roxlo o Pascual Contursi, Cayetano Córdova Iturburu, Sixto Pondal Ríos, Nicolás Olivari, Jacobo Fijman o Enrique González Tuñón brillaban con sus ficciones y se ganaban la vida en los

## La Nación *en aquellos años*

Cada vez que un suceso lo justificaba, la sirena de *La Nación* se ponía en marcha para comunicar malas o buenas nuevas. Cuando jugaba la selección de fútbol, dos pitazos significaban un gol del rival; tres, un gol argentino. En 1928 el diario de la familia Mitre vendía 300.000 ejemplares y en su redacción trabajaban 184 personas fijas y 550 colaboradores nacionales y extranjeros. Entre los de aquí la mención de algunos revela la pluralidad: Roberto Arlt y Carlos Ibarguren, Leónidas Barletta y Ernesto Palacio, Victoria Ocampo y Alfonsina Storni, Hugo Wast y Raúl Scalabrini Ortiz. Escritor y colaborador habitual del diario, Roberto Giusti intervenía en una polémica desatada porque las jerarquías católicas habían influido en la exoneración de un redactor luego de un artículo crítico sobre ellas: "Antes [...] podíase escribir a derecha e izquierda, como saliera, hasta los editoriales. Hoy digo esto, mañana aquello, aquí pego, aquí no pego. Pero en el futuro habrá que pensarlo dos veces, porque si un redactor puede caer en desgracia aun en la libre condición de colaborador literario y firmando, ¿qué será de los que comprometan al diario sin firmar?".

diarios. Raúl González Tuñón le acababa de dedicar un extenso poema a la flamante rotativa Hoe de *Crítica*, que despachaba 100.000 ejemplares cada sesenta minutos. Epoca de incomparable bohemia periodística en la que los muchachos de las redacciones bebían en abundancia, dormían y comían salteado, trabajaban dos y tres turnos y cuando no podían más volvían a la vida dándose un "narigazo" de un gramo de la pura cocaína marca Merck.

## El Gráfico *y* Para tí

El periodista Eduardo Rafael rescata la función formadora que *El Gráfico*, y la prensa escrita en general, tuvieron en aquellos tiempos. Las hazañas deportivas de Luis Ángel Firpo en 1923 o la participación de la selección argentina en los juegos olímpicos del 24 le permitieron a Constancio Vigil darse cuenta de que el deporte podía ser un tema de interés masivo (el 15 de setiembre *La Nación*, interpretando el entusiasmo popular que había despertado la pelea de Firpo cerca de Nueva York, sacó tres ediciones, entre la medianoche y las 3 de la madrugada). "*El Gráfico* había nacido en 1919 como semanario ilustrado de interés general. A partir de 1923 incorpora a Ricardo Lorenzo –que traía del Uruguay natal el seudónimo de 'Borocotó'–, a Félix Daniel Frascara y a Alfredo Rossi –'Chantecler'–, que con muchos conocimientos de cultura general empezaron a hacer análisis de fútbol y de otros deportes", explica Rafael.

La editorial de *El Gráfico* seguía en expansión. El 16 de mayo de 1922 abre *Para Ti*, dedicada al público femenino, con una mujer pintada en la tapa. "La mujer, por fin, se siente acompañada y reflejada todas las semanas en un medio dedicado solamente a ella", afirmaba la publicidad del número inicial. "¿A quién no le agrada esta atrevida forma de terciopelo negro?", se preguntaba otra de las notas de moda. En otra página la publicación recomendaba a señoras y señoritas: "Con bondad y alegría, tendréis brillo en los ojos y en las mejillas, tersura en el cutis y un atractivo inmenso e invencible". Información sobre bodas, brindis, actividades deportivas y la ruta posible de la dicha y de los ideales de belleza y de inteligencia eran las herramientas con que *Para Ti* iniciaba un camino que todavía transita.

Los estancieros y la gente del interior contaron con la ayuda y los informes de *La Chacra* a partir de 1925, también de Editorial Atlántida.

## Todos cantan

"Cante, cante, compañero / que la vida no es eterna / ¿Quiere ser como el jilguero? / Lea *La Canción Moderna*", decía la seductora cuarteta publicitaria de una nueva revista en marzo de 1926. Precursora de una forma del periodismo de entretenimiento y evasión, *La Canción Moderna* recopilaba las letras de las canciones de moda, las mezclaba con historias de sus autores y cantantes, y hasta interpretaba hechos de la actualidad a través de las rimas de Dante Linyera. Este le había vendido la publicación al editor Julio Korn, un joven de sólo 20 años que desde muy chico había estado cerca del mundo de los papeles impresos y de la música.

A los 9 años, Korn entró a trabajar en una imprenta como aprendiz de tipógrafo, a los 13 ya tenía imprenta propia y poco después, gracias a sus incursiones noctámbulas en las que se hizo amigo de poetas, bohemios y trasnochadores, comenzó a comprar por moneditas los derechos de infinidad de piezas musicales. El tango era casi todo en la época, la radio amplificaba la tarea de centenares de orquestas típicas e intérpretes y Korn editaba las partituras. Esa fue la base de *La Canción Moderna* y el antecedente de lo que en 1935 se convertiría en la primera gran revista de periodismo del espectáculo: *Radiolandia*.

### Breves

- La limitación de la existencia de papel durante la Primera Guerra Mundial –la tendencia se repetiría en la Segunda– obligó a diarios y revistas a replantearse el tamaño de sus ediciones y, dentro de ellas, el espacio dedicado a cada nota. Por otro lado, durante la guerra aumenta el número de lectores por ejemplar –más adelante conocido como *reader ship*– en un mismo barrio o cuadra.

- El 12 de noviembre de 1920 *La Nación* publicó unas fotografías tomadas el día anterior. Esto sucedía por primera vez con un acontecimiento ocurrido a más de 500 kilómetros de la Capital. Los retratos del acto de inauguración del monumento a Urquiza, en Paraná, fueron transportados en un avión, piloteado por Charles Willmot, que varias veces en el trayecto estuvo a punto de venirse abajo.

*El Gráfico,* para los hombres; *Para Ti,* para las mujeres:
dos ideas de una editorial con productos para todos los gustos.

En febrero de 1924 aparece
la revista *Martín Fierro.* Aunque cerró
3 años más tarde, generó
un movimiento: el martinfierrismo.

Aguafuerte de Arlt en *El Mundo.*

# El Mundo *en sus manos*

El 14 de mayo de 1928 la ya poderosa editorial del inglés Alberto Haynes saca *El Mundo*, diario ilustrado de la mañana, que sería, en rigor, el primer tabloide porteño. El tabloide era un tamaño menor que el habitual hasta entonces; había surgido con el *Daily News* en los Estados Unidos, en 1908, con el propósito de que los lectores pudieran leer con comodidad en trenes y ómnibus. Constituía una arrasadora novedad y una alternativa al tamaño "sábana" impuesto por los principales diarios europeos a fines del siglo anterior. Lo cierto es que la sábana también tenía su razón de ser: los impuestos que los diarios anglosajones pagaban se fijaban de acuerdo con su cantidad de hojas; para pagar menos, trataban de aprovechar al máximo el espacio imprimiendo en páginas enormes.

El escritor Alberto Gerchunoff sólo alcanzó a ocupar por un breve tiempo el puesto de director de *El Mundo*, pero fue el suficiente para imprimirle al diario un sello de inteligencia. Su reemplazante, Carlos Muzio Sáenz Peña, fue el que le otorgó el

## En primera persona

- Raimundo Calcagno (Calki): Cuando entré a trabajar en la redacción de *El Mundo*, creí hallarme, literalmente, en el Olimpo, junto a dioses que admiraba desde lejos. En ese recinto alternaban Conrado Nalé Roxlo, Horacio Rega Molina, Pedro Vignale, Roberto Ledesma, Amado Villar y Roberto Arlt, que sabía tanto de música como de astrología y que un día creyó haber inventado la media eterna con refuerzos de caucho en puntera y talón. Entré, como muchos, en la sección "Carreras", sin entender un pepino del deporte de los reyes. Tenía un jefe que era un poeta, que invariablemente iniciaba sus crónicas con un cuarteto versificado original y mediocre. Ahí estaba, haciendo carreras. Después de todo peor sería haber tenido que

entrar a secciones como "Culto católico" o "Informes meteorológicos". Al final, como es lógico, me hice burrero, y muchos de mis compañeros venían a mí en busca de la "fija" salvadora. El gran sueño de cualquiera de los periodistas de *El Mundo* era llegar a la página 6, a la que se consideraba la joya intelectual del diario. La gema de esa joya eran los textos de Arlt, pero allí también colaboraban Ramón Gómez de la Serna con sus deliciosas "Greguerías", Nicolás Olivari, el poeta Casal Castel, Rivas Rooney o alguno de los hermanos González Tuñón, los dos exiliados: Raúl, por izquierdista, en Chile, y Enrique, por tuberculoso, en Cosquín. En todos esos años *El Mundo* era una fiesta, y el mundo también.

formato definitivo, "moderno, cómodo, sintético, serio, noticio-so" y el que desde su eslogan –el dicho del filósofo Gracián: "Lo bueno, si breve, dos veces bueno"– daba razones a su estilo de notas cortas, con títulos intencionados e incisivos. En 1929, cuando murió Alberto Haynes, *El Mundo* ya había renovado el periodismo. Muzio Sáenz Peña integró su redacción con gente formada en *Crítica*, entre ellos Roberto Arlt, que en este diario empezó a escribir sus famosas "Aguafuertes porteñas".

## El Mundo: *dos veces bueno*

- Ofrecía una alternativa al estilo de *La Prensa*, *La Razón* y *La Nación* apostando al impacto periodístico y desafiando la solemnidad..
- Por su formato práctico era el diario chico que se podía leer y extender en los medios de transporte.
- Se vendía a 5 centavos, la mitad del precio de los otros.
- Desde el principio incluyó en lugares preponderantes histo-rietas que llegaron a ser muy populares, como "Quique, el niño pirata".

## Esto también ocurrió

**1900**

- El 31 de marzo Emilio Saporiti fundó en la Argentina la primera agencia de noticias de América y la sexta del mundo. Se trató de la Agencia Saporiti.
- El 1º de abril irrumpió el diario religioso *El Pueblo*, dirigido por José Sanguinetti.
- Este año el diplomático y político Carlos Pellegrini fundó el diario *El País*.

**1901**

- Ese año se conoció el diario *La Argentina*.

**1902**

- El 14 de setiembre se fundó *La Voz del Pueblo* de Tres Arroyos, provincia de Buenos Aires.

**1903**

- En mayo apareció la revista *Ideas*, creada y dirigida por Manuel Gálvez. Colaboraron allí José León Pagano, Roberto J. Payró, Alberto Gerchunoff, Julián Aguirre, Ricardo Rojas y José Ingenieros. Salió a lo largo de menos de dos años.

**1904**

- El 15 de marzo se leyó por primera vez, en Córdoba, el diario *La Voz del Interior*, que aún sigue en circulación.

**1905**

- En marzo comenzó su tirada el diario *La Verdad*, de la localidad bonaerense de Ayacucho, que aún permanece en el mercado.
- El 25 de mayo, Tomás Stegagnini creó el diario *La Capital* de Mar del Plata.

**1907**

- Ese año, Alfredo Bianchi y Roberto F. Giusti fundaron la revista *Nosotros*, de la que editaron más de cuatrocientos números a lo largo de 36 años. Fue una expresión de la gente de letras que se basó en un "pensamiento universal en el que sobresalieron la línea democrática, ecléctica y americanista".

## 1908

- El 26 de julio se conoció el diario porteño *La Voz Argentina*.

## 1909

- El 3 de julio se conoció la revista infantil *Tit Bits*.
- El 4 de marzo Gustavo Ageret fundó el diario *El Liberal*, de Corrientes.

## 1910

- El 16 de mayo inició sus servicios la agencia de noticias Los Diarios, que distribuyó a sus clientes material recortado y clasificado de otros medios gráficos.
- El 16 de noviembre apareció, por primera vez, el diario *La Razón* de Chivilcoy.

## 1911

- El 6 de febrero se distribuyó *El Argentino* de Gualeguaychú, provincia de Entre Ríos.

## 1912

- En enero salió la revista referida al transporte *El Auto Argentino*.
- El 1º de mayo se imprimió el diario *Río Negro*, de General Roca, provincia de Río Negro, todavía en circulación.
- El 4 de agosto Alberto García Hamilton creó el diario *La Gaceta* de Tucumán, que primero salió como semanario.
- En setiembre salió *Revista Telegráfica*, dedicada a la especialidad, y que fue dirigida por Domingo Arbó.
- El 2 de diciembre en Misiones apareció el diario *La Tarde*.

## 1913

- Este año se editó, por primera vez, la *Revista de Ciencias Económicas* y Ángel Enrique Raffo publicó en Tucumán *Noticias*.

## 1914

- El 15 de mayo Aníbal Vázquez redactó por primera vez *El Diario* de Paraná, Entre Ríos.

## 1915

- El 1º de enero nació *El Heraldo* de Concordia, provincia de Entre Ríos, y ese mismo día pero en el pueblo de San Francisco, Córdoba, se creó *La Voz de San Justo*. Ambos están todavía en actividad.

## 1916

- El 25 de noviembre sale *La Tribuna Odontológica*, fundada por el doctor Baltasar G. Branca.
- Salió también la *Revista de Cultura Sexual y Física*, editada por la Editorial Claridad.

## 1917

- El 13 de febrero salió a la venta el diario *La Opinión* de Pergamino, todavía en circulación.
- El 24 de noviembre, el pueblo bonaerense de Junín leyó por primera vez el diario *La Verdad*, que aún circula.

## 1918

- El 7 de agosto se difundió *El Litoral*, de la provincia de Santa Fe, diario que todavía está en actividad.
- Salió la *Revista Técnica S.K.F*, órgano bimensual de la compañía de ese nombre.

## 1919

- El 1º de octubre salieron el diario *Nueva Era* de Tandil y el diario porteño filonazi *La Fronda*.
- El 1º de noviembre se inició el diario *La Opinión* de Trenque Lauquen.

## 1920

- El 17 de abril David Michel Torino sacó el periódico *El Intransigente* de Salta.
- El 18 de octubre *La Nación* presentó "Pequeñas Delicias de la Vida Conyugal", de George McManus, como la primera tira cómica diaria.

## 1921

- El 13 de marzo se lanzó el diario *El Chubut*, editado en la ciudad de Comodoro Rivadavia.
- El 9 de junio en Necochea, surgió *Ecos Diarios*, que permanece activo hasta hoy.
- El 8 de octubre circuló por Balcarce el diario *El Liberal*, aún hoy en la calle.
- El 24 de octubre apareció *La Opinión* de Rafaela, provincia de Santa Fe, diario que sigue imprimiéndose hoy.

## 1922

- En enero salió la revista técnica *El Electrónico*.
- El 20 de febrero se editó por primera vez la revista *Claridad*, dirigida por Antonio Zamora. Colaboraron en ella figuras paradigmáticas del Grupo de Boedo: Álvaro Yunque, Leónidas Barletta, Elías Castelnuovo, César Tiempo, Roberto Mariani y otros representantes de lo que fue entre el veinte y el treinta el singular socialismo argentino, lectores y seguidores de Tolstoi e Ingenieros, de Marx y Alberdi.
- El 2 de junio se imprimió *La Reforma*, diario de General Pico, La Pampa.
- En junio se conoció la revista de humor político *Página de Columba*.

## 1925

- El 2 de junio los habitantes de la ciudad misionera de Posadas leyeron el primer ejemplar del diario *El Territorio*, que sigue activo.

## 1926

- El 1º de enero la ciudad bonaerense de San Nicolás recibió el diario *El Norte*, aún en campaña.
- El 25 de mayo se tiró el diario *El Tribuno* de Dolores en Buenos Aires.
- También salieron *La Construcción Moderna*, revista referida a construcciones; *Cacya*, órgano del Centro de Arquitectos, Constructores y otros anexos, de aparición mensual, y *La Ingeniería*, órgano del Centro de Ingenieros que en 1941 publicó un número especial de más de mil páginas con artículos científicos e información en su ramo.

## 1927

- El 26 de marzo Julio Korn puso en circulación la revista *Radiolandia*, que informó sobre la agitada vida de la radio, que estaba en pleno auge.
- El 1º de noviembre despuntó *El Sol*, del partido bonaerense de Quilmes, fundado por Antonio Blanco y que aún permanece activo.

## 1928

- El 1º de marzo asomó la revista *Criterio*, representativa del pensamiento nacionalista y de la doctrina católica.
- El 30 de agosto apareció el diario *La Unión* de Catamarca, todavía en los quioscos.
- El 24 de setiembre, Ramón Columba dio a conocer la revista de historietas *El Tony*.
- En octubre comienza a aparecer en *Crítica* el personaje del indio Curugua-Curiguagüigua –un superhéroe que Dante Quinterno creó

diez años antes de la aparición de Superman en los Estados Unidos–. En la década del 30 ese indio se convertiría en Patoruzú.

- En esos meses fueron distribuidas también la revista *El Día Médico* y el *Boletín Matemático*, dedicado al estudio de la matemática.

## 1929

- En agosto apareció la revista *Nuestra Arquitectura*.
- Se fundaron la *Revista de Derecho y Administración Municipal* y la revista porteña *Mater Dolorosa* y la publicación rosarina *Los Municipios*, entre otras.

# Noticias
# de la década infame

Según cuenta Roberto Tálice en *Cien mil ejemplares por hora* –su libro sobre el diario *Crítica*–, desde una semana antes del 6 de setiembre de 1930 muchos sectores en todo el país reclamaban la renuncia del presidente Hipólito Yrigoyen. Una de las tareas que Tálice cumplía en el diario en esos días era una entrevista cotidiana con el general Agustín P. Justo, que le pasaba valiosa y exclusiva información. Ningún diario estuvo tan actualizado como *Crítica*. Ningún diario estuvo, tampoco, tan cerca del primer golpe de Estado militar en el siglo. El radicalismo jamás olvidó la acción del diario de Botana en aquellos años: fue el dibujante y caricaturista Diógenes "El Mono" Taborda el que un tiempo antes le inventó el mote de "El Peludo" a Yrigoyen, y fueron los vitriólicos editoriales de Santiago Ganduglia los que con su crítica sistemática y despiadada crearon el clima propicio para el derrocamiento del presidente constitucional. No son pocos los que coinciden en que éste es uno de los escasos lunares que afean la trayectoria de Botana y, efectivamente, se trata de una decisión difícil de entender. Militares golpistas planearon en las instalaciones del diario los detalles de la asonada, y el mismo 6 de setiembre una comitiva de civiles notables (entre los que se encontraban varios periodistas) partió de *Crítica* hacia Campo de Mayo, proclamando a cada paso su apoyo al golpe en marcha con gritos como "¡Viva la Patria!, ¡Viva la Revolución!".

En su biografía sobre Yrigoyen, Félix Luna hace un estremecedor relato del episodio. En esa jornada final, mientras Natalio Botana estaba en el Colegio Militar, en Campo de Mayo, al frente de una columna de civiles que azuzaba a las tropas a salir a la calle, la sirena de *Crítica* comenzó a sonar como lo hacía únicamente cuando algo extraordinario o grave acontecía. Mientras tanto, funcionarios o allegados al gobierno, desesperados en busca de noticias, llamaban al diario antes que a las áreas de defensa o de seguridad. Desde su casa, tan deprimido como enfermo, el presidente de la nación le sugirió al habitual editorialista del diario partidista *La Época* que ese día escribiera sobre "San Juan y Mendoza redimidos". (Con el tiempo creció la versión, jamás confirmada, de que cada tarde el presidente Yrigoyen recibía una edición de *La Época* pletórica de buenas noticias, impresa únicamente para él.) Acaso el editorialista no haya terminado de cumplir el encargo, porque manifestaciones de opositores violentos saquearon la residencia particular de Yrigoyen, en la calle Brasil, así como las redacciones de los diarios adeptos *La Época* y *La Calle*. Gastón Barnard, director de *La Época*, huyó a Montevideo.

"Botana se puso contra Yrigoyen porque en ese momento hacer antiyrigoyenismo se había transformado en una causa popular. Aunque don Hipólito había llegado a su segundo gobierno apoyado por una lluvia de votos, ya estaba viejo, algo caduco y desprestigiado en muchos sectores, en especial los que manejaban los conservadores resentidos desde que en 1916 habían perdido el poder", explica el periodista Jorge Chinetti, y agrega: "La estrategia de una buena parte de la prensa para desprestigiar a Yrigoyen e ir creando un clima de golpe de Estado y conspirativo consistía en acusar reiteradamente al gobierno de cometer actos de corrupción".

## El golpe estaba escrito

El 5 de setiembre *Crítica* titula "Carecemos prácticamente de gobierno", mientras que en su editorial Botana se solivianta: "Esto se acabó", afirma, mientras que su frase final referida al presidente es "Que renuncie".

El presidente Hipólito Yrigoyen, caricaturizado como un peludo.

El dibujante Diógenes "El Mono" Taborda, visto por Ramón Columba, otro famoso caricaturista.

*Crítica* ayudó a crear un clima de excesiva hostilidad contra Yrigoyen.

*Crítica* había dicho que el segundo gobierno de Yrigoyen era "de oprobio y perjuicio para el país" y presumía que "la revolución devolverá la paz y la tranquilidad a la Argentina. El día anterior, Yrigoyen, con la salud muy deteriorada, delega en el vicepresidente Enrique Martínez, cuyo primer acto de gobierno consiste en instaurar el estado de sitio en la Capital. Amparado en ese recurso, el 6 de setiembre intenta impedir la aparición de la sexta edición de *Crítica*. Se producen severos forcejeos, pero el diario llega a la calle; la policía secuestra ejemplares y los rompe. "Desde los balcones que dan a la Avenida de Mayo –recuerda Tálice– se arrojaban paquetes de diarios que los lectores recogían."

La manera en que el diario y su propietario se asociaron a la asonada del 6 de setiembre deja al desnudo la forma en que el periodismo se involucró en la política, hasta el límite de llegar a desestabilizar a un gobierno democrático. Sin duda, *Crítica* había ayudado a crear en la sociedad civil un clima excesivamente adverso a Yrigoyen. El resto lo hicieron los militares cuando creyeron que, efectivamente, había llegado la hora de la espada y salieron de los cuarteles a "salvar a la Patria".

A partir de este episodio inaugural, el primero de la centena de planteos y golpes militares que sufrió el país hasta 1990, cada uno de ellos gozaría de la asistencia civil de empresas periodísticas y de periodistas que tenían excelente información, incluso anticipada, porque eran, sencillamente, cómplices del fragote. En *Secretos del periodismo*, Félix Laíño afirma que se estableció de inmediato la censura previa: delegados del nuevo gobierno militar se instalaron en los diarios, algunos de los cuales llegaron a salir con espacios en blanco. "Esta censura –añade Laíño– refuerza la importancia de la prensa clandestina."

Félix Luna considera que *Crítica* no era el único diario que decía "cosas terribles" del presidente, y pone como ejemplo a *La*

## Breves de la década

- El primer diario en superar en la Argentina una venta de un millón de ejemplares en un día fue *Crítica*, en la década del 30.
- En 1931 *Crítica* publica el primer suplemento infantil en colores. Una de las principales atracciones era la tira del marinero "Popeye", cuya denominación latinoamericana, "Spaguetti", fue inventada por el traductor argentino Federico Ramírez.

*Razón.* Por su parte, *La Nación* calificó al movimiento que derrocó a Yrigoyen como "verdadera apoteosis cívica", aunque –como señala Carlos Pareja Núñez– ubica el caso en la página 3 en la edición siguiente al 6 de setiembre y lo incluye, sin consideraciones extraordinarias, en la sección "Los Sucesos de Ayer". En su libro ya mencionado, Ricardo Sidicaro sostiene que *La Nación* fue un diario opositor al gobierno radical y que en esa asonada desempeñó un papel de "agitador intelectual".

## El director y el general

El día de la caída de Yrigoyen la tirada de *Crítica* rozó el millón de ejemplares. Nada haría sospechar que poco tiempo después el presidente del gobierno de facto, José Félix Uriburu, encarcelaría a su director. "Muy rápidamente el gobierno mostró su verdadera condición de fascista y represor. *Crítica* comenzó a denunciar sus atropellos y otra vez se convirtió en virulento opositor, hasta que lo clausuraron", evoca Chinetti.

Todo empezó cuando el diario inició una serie de vituperios en contra del ministro del Interior del gobierno militar, Matías Sánchez Sorondo, construyéndole una indeseable fama de *gettatore* basada en las habladurías de sus enemigos políticos y plasmada por los humoristas de *Crítica*, que lo dibujaban como un sepulturero, siempre vestido de oscuro y con anteojos negros.

Botana fue a la cárcel. Aunque en prisión lo atendían carceleros de guante blanco y estaba al tanto de todo lo que ocurría en su empresa, no la pasó bien. Antes de cumplir su primer año de gobierno, Uriburu había ordenado por decreto la suspensión y clausura de más de cien diarios, entre ellos *Crítica*. No en vano se decía que, entre fraudes patrióticos y violencias del más rancio cuño conservador, el país vivía la década infame.

Finalmente, Botana quedó libre y partió exiliado a Montevideo. Mientras duró el cierre, el medio que había creado pagó, sin olvidar ninguno, cada peso a sus trabajadores. Al poco tiempo, el general Agustín P. Justo, con la ayuda de Salvadora Medina Onrubia de Botana, se hizo cargo de la empresa y sacó, como sustituto, el diario *Jornada*, que tuvo bastante repercusión. Siete meses después del golpe de 1930, el gobierno convoca a elecciones y el 8 de noviembre, con el radicalismo proscripto, Justo se transforma en el nuevo presidente de la Nación. *Crítica* se saca de encima la clausura y vuelve a circular.

En 1932, alejado de la escena política argentina, el golpista Uriburu muere en París. *Crítica* dio cuenta del fallecimiento con un gigantesco titular, luego de lo cual venía un texto que Botana había dictado personalmente a su jefe de cierre: "Hoy en París murió el ex dictador de Argentina José Félix Uriburu. *Crítica*, sin odios y sin perdón hace el silencio que merece la muerte". Durante los meses siguientes, *Crítica* dedicó un espacio a exponer denuncias de torturas realizadas por la policía brava de Leopoldo Lugones (hijo), mientras Uriburu estaba en el gobierno, y los crímenes y atropellos parapoliciales de la temible fuerza de choque "Legión Cívica", que concurría a los actos públicos con camisas negras y atacaba a cachiporrazos a socialistas y anarquistas.

## *Aprender sin darse cuenta*

La década arrancó con una página oscura, el golpe de Estado, y terminará con la ominosa sombra de la Segunda Guerra Mundial. En los años 30 la opinión pública recibió el impacto de tres suicidios: el de Leopoldo Lugones, el de Alfonsina Storni y el de Lisandro de la Torre. En 1933 es asesinado Ruggierito, un personaje típico, artífice del juego clandestino y adláter del puntero conservador de Avellaneda Alberto Barceló. Ese mismo año murió Hipólito Yrigoyen, en pleno y agraviante olvido, y en 1935 tuvo lugar el accidente de aviación que terminó con la vida de Carlos Gardel. En cada caso la gente apeló a los diarios para informarse.

En esos años se conocieron tres libros fundamentales en la búsqueda del ser nacional. En 1931 Raúl Scalabrini Ortiz publica *El hombre que está solo y espera*; dos años después Ezequiel Martínez Estrada escribe su *Radiografía de la pampa* y Eduardo Mallea, en 1937, *Historia de una pasión argentina*.

Al comenzar la década, en sólo un par de cuadras ubicadas sobre la Avenida de Mayo o cercanas a ella se ubicaban las redacciones de *La Razón*, *La Prensa*, *El Diario*, *El Diario del Plata*, *La*

*Nación, La Fronda* (fundado por Francisco Uriburu después del Centenario), *La República* y *Última Hora*, un diario vespertino que el periodista Adolfo Rothkoff lanzó en 1917 para competir con el vespertino de Botana. *Crítica*, que había estado al 1300 de la avenida, acababa de mudarse a Sarmiento entre Paraná y Montevideo. Pero lo importante no eran los edificios sino la vida y las personas que trajinaban en ellos.

En un artículo publicado por *La Opinión* en 1974, Osiris Troiani afirma que las redacciones estaban colmadas de poetas y escritores y menciona una lista tan impresionante como incompleta de intelectuales que, en un momento, se ganaron la vida como periodistas: Jorge Luis Borges, Leopoldo Marechal, Francisco Luis Bernárdez, Alberto Gerchunoff, Carlos Alberto Leumann, Navarro Monzó, Sáenz Hayes, Eduardo Mallea, Nicolás Olivari, Homero Manzi, Roberto Arlt, Roberto Ledesma, Amado Villar, José González Carbalho, Cayetano Córdova Iturburu, Samuel Eichelbaum, los hermanos Raúl y Enrique González Tuñón, Ulyses Petit de Murat, José Portogalo, Héctor P. Agosti, Rodolfo Puiggrós y muchos otros. Según Troiani, "no eran buenos periodistas. El único notable fue César Tiempo. A la mayoría de ellos les importaba poco el acontecer diario y eran perezosos a la hora de salir a la calle. No estudiaban. Para ellos, el sueldo era una beca. Los jóvenes teníamos que cubrirlos. Pero aun así, valía la pena, por el placer de escucharlos y por el orgullo de ser sus compañeros. Cuando Gerchunoff disertaba, de sobremesa, en un pequeño restaurante frente a *La Nación*, uno aprendía castellano sin darse cuenta".

Todos aquellos que se cruzaron con Roberto Arlt en la redacción de *Crítica* y de *El Mundo* coinciden en que era un privilegio tenerlo cerca. Silvia Saitta estudió la voluminosa obra periodística de Arlt, compuesta por casi 1.800 textos, entre los que hay centenares de "Aguafuertes". Arlt, un bohemio enjundioso e inteligente, veía en el periodismo una manera no sólo de contar la actualidad y los distintos mundos y submundos de la marginalidad que le fascinaban, sino de encontrar respuestas a los vaivenes de la vida cultural y política. Las que siguen son frases de Arlt extraídas de diversos textos sobre el periodismo y los periodistas, en las que campea una mirada a la que le sobra originalidad, crítica y buen humor y que prácticamente en nada coincide con la visión de Troiani:

## LA NACION

BUENOS AIRES, VIERNES 7 DE JULIO DE 1933

### TUVO CARACTER DE EXCEPCIONAL DEMOSTRACION DE DUELO PUBLICO EL SEPELIO DE D. HIPOLITO YRIGOYEN

EL CORTEJO DIRIGIENDOSE AL CEMENTERIO

El pueblo que le había dado la espalda
a Yrigoyen volvió a reunirse conmovido
por la muerte del ex presidente.

José Félix Uriburu se incorpora en la historia argentina como un militar golpista. Rápidamente
atacó a los diarios que lo habían ayudado a llegar al poder.

- "Condiciones para improvisarse un mal periodista: 1) ser un perfecto desvergonzado; 2) saber apenas leer y escribir; 3) tener una audacia a toda prueba y una incompetencia asombrosa."
- "El gran porcentaje de la gente empleada en los diarios está en ellos por la necesidad de ganarse unos pesos. Nada más. Así llegan al periodismo infinidad de individuos que no tienen cabida en otra parte ni sirven para nada."
- "El periodismo así entendido es un oficio para vagos y para audaces."
- "El buen periodista es un elemento escaso en nuestro país, porque para ser buen periodista es necesario ser buen escritor."

El escritor y periodista Tomás Eloy Martínez toma el guante e interviene en el debate: "Tanto en la Argentina como en toda América latina hay una actitud peyorativa que viene de arrastre y que tiene su origen en la carga de bohemia y sensación de fracaso que arrastraba el periodismo de los años 30 y 40. En aquel momento, los periodistas eran personas pésimamente retribuidas, especie de parias de la sociedad. Aun periodistas brillantísimos como Roberto Arlt, que con sus 'Aguafuertes' hizo vender más de medio millón de ejemplares a *El Mundo*, eran personas muy menoscabadas. Los primeros que tratan de superar esa subestimación son los periodistas que además hacían literatura en el suplemento de *La Nación*, como Eduardo Mallea, Manuel Mujica Lainez o Adolfo Mitre. En este país recién a partir de 1960 el periodismo empezó a vivirse como una profesión más digna".

## "Policiales", la gran sección

Aquel Roberto Arlt tan poco afecto a las formalidades reconocía como maestro a un periodista que brilló en las secciones policiales: "Lo admiro porque a veces parece un bandido más y especialmente porque la policía se entera por él de muchos de los robos o crímenes que se cometen", dijo alguna vez sobre Gustavo Germán González, también conocido como "El Negro" o "GGG". "La crónica policial –pensaba el notable escritor– tenía un parentesco familiar directo con el folletín [...] Los protagonistas pasaban a ser más literarios y la muerte, el crimen, eran trasladados de alguna manera a la ficción [...] Las muertes que GGG ha novelado gozaron de mejor salud que los cadáveres actuales."

González era el prototipo del periodista formado en las calles, en los cafés, en los lugares de mala vida, y durante años le dio brillo a la sección policial de *Crítica* que manejaba José Antonio Saldías y por la que también pasó Arlt. En este diario la sección tenía un nombre muy especial: "Crónica del Bajo Fondo. Amantes y ladrones. Maritornes y Apaches. Cancioneros y Suicidas". Se publicaban los populares clasificados de la mala vida (imaginados por las grandes plumas de la redacción) y Saldías presentaba en forma de verso la noticia de la jornada. Como por ejemplo cuando un tal Ghigliani le quiso hacer el cuento del tío al inmigrante Cascallares: "Recién llegado de ajuera / con plata en el tirador / halló como si lo viera / enseguida un protector. / Y estaban en las gestiones / de la entrega del legado / cuando el de investigaciones / le fue a escupir el asado. / Se salvó los dos millones / el gil Félix Cascallares. / Y se morfará la cana / el cuentero Juan Ghigliani".

Periodistas de varias generaciones están agradecidos por el tipo de formación que les dio haber trabajado en "Policiales" al lado de personajes que a veces eran el policía y otras veces eran el ladrón, y que se las sabían todas. Este era el caso de González, cuya modalidad de trabajo incluía superar con ardides diversos las barreras oficiales para obtener información, pasar invariablemente por sobre el secreto del sumario y, en muchas oportunidades, anticiparse a la acción de la policía. Los malvivientes y

## *Opiniones sobre* Crítica

- ULYSES PETIT DE MURAT: "*La Revista Multicolor de los Sábados*, de *Crítica*, era el producto de una generación de humoristas y de poetas que metían al ultraísmo y a las metáforas hasta en los titulares".
- JORGE CHINETTI: "Un día, Botana descubrió que el diario acumulaba demasiado material sin publicar. Entonces, sacó una revista semanal que se llamaba *Pan*, que tenía una riqueza temática y una calidad literaria notables".
- DARDO CÚNEO: "En el fondo, y aunque no lo supiera (yo creo que sí) Botana era un viejo anarquista con ansias expropiatorias. Fíjese a quién apretaba desde el diario: a la Compañía General de Fósforos".

sospechosos de la época preferían revelar primero sus fechorías ante el "Negro" González que ante la autoridad.

Con tal de tener la noticia, González no se detenía ante nada. En 1925, previo razonable soborno al empleado de una cochería y disfrazado de plomero, se convirtió en único testigo periodístico de la autopsia de un concejal muerto a quien algunos sospechaban asesinado con veneno. Ojos y oídos al servicio de la primicia, GGG volvió a la redacción e ignoró una vez más el secreto del sumario, lo cual le permitió a *Crítica* florearse al día siguiente con un titular que sorprendió a todos y subió mucho las ventas: "No hay cianuro". Y tenía razón: no había.

## Periodismo y fotografía

"La prensa gráfica, impuesta en el mundo a fines del siglo XIX, nació con enorme popularidad en la Argentina y en 1898 tuvo su baluarte con la aparición de la revista *Caras y Caretas*", dice la fotógrafa Sara Facio en un ensayo dedicado a la evolución de la fotografía nacional. En referencia a la década del 30, Facio la encuentra particularmente rica en innovaciones y con un avance del periodismo gráfico a partir de la influencia de publicaciones extranjeras como *Life* y *O'Cruzeiro*, y de la labor de creadores como Juan Di Sandro (que brilló con sus tomas en *La Nación*), Eduardo Colombo, Ricardo Alfieri, Antonio Legarreta, Lisl Steiner y Emilio J. Abras. Para Facio los dos diarios que más posibilidades le dan al periodismo fotográfico de la época son *Crítica* y *El Mundo*, y menciona algunos hechos que, a su entender, fueron impecablemente registrados por las cámaras: el Congreso Eucarístico Internacional, la inauguración del Obelisco, la llegada del dirigible *Graf Zeppelin*, los suicidios de Alfonsina Storni y Leopoldo Lugones y la visita a la Argentina del presidente norteamericano Franklin Roosevelt.

## Esplendores

Recuperados de la clausura y de la prisión respectivamente, *Crítica* y Botana volvieron a ocupar un lugar central en el periodismo argentino. En su momento de mayor esplendor en los años

César Tiempo.

Gustavo Germán
González, también
conocido como
"El Negro" o "GGG".

Arlt, un bohemio
enjundioso
e inteligente.

La inauguración del Obelisco, fotografiada por Juan Di Sandro
(que brilló con sus tomas en *La Nación*).

30, *Crítica* vendía un millón de ejemplares diarios y desde diversos puntos del mundo Botana era visto como una versión local de William Randolph Hearst, el editor norteamericano que inspiró a Orson Welles el personaje "Kane", del filme *El ciudadano*.

Es que Botana vivía como un príncipe, andaba en Rolls Royce y lograba lo que se le ocurría. Una vez consiguió traer a Buenos Aires al famoso muralista mexicano David Alfaro Siqueiros, a quien le encargó la realización para su quinta en Don Torcuato de un friso de casi siete metros de extensión. Siqueiros pasó meses en un subsuelo hasta terminar la obra.

## Por las noticias y por las fotos

El 10 de junio de 1931 un integrante de la familia Mitre, dueña de *La Nación*, sacó un vespertino tabloide para competir con *Crítica*. Jorge Mitre siempre negó que *Noticias* (que al poco tiempo adoptó el nombre de su doble página central, totalmente ilustrada, *Noticias Gráficas*) y el diario de su familia tuvieran alguna vinculación, pero era un secreto a voces que el nuevo medio había sido impulsado por *La Nación* en el entendido de que la clausura de *Crítica* había dejado necesitados a miles de lectores. De todos modos, en aspecto, formato, ideas, lenguaje, tirada y calidad de lectores estaba tan lejos de *Crítica* como de *La Nación* y hasta de *Jornada*, el vespertino sustituto del órgano de Botana. Sus textos abundaban en títulos intencionados, directos y populares, y ofrecía una fuerte proporción de material gráfico. Fue el primero en hacer encuestas de opinión, antes de las elecciones que llevaron a Agustín P. Justo a la presidencia, y por su redacción pasaron grandes periodistas como Carlos Alberto Donatti, Guillermo Zalazar Altamira, Alberto Cordone, Emilio Solari Parravicini, Alejandro Llanos, los hermanos Gregorio y Bernardo Verbitsky y un hombre que representó toda una época del diario: José "Pepe" Barcia, uno de los más importantes investigadores del lunfardo. En un momento, abrumado por la mala situación económica, Jorge Mitre le vendió el diario a José W. Agusti, que había comenzado su carrera en el comercio exterior y que en 1927 fundó *Córdoba*, el mítico diario mediterráneo. A partir de la mitad de la década del 30, ya con Agusti a la cabeza, *Noticias Gráficas* tuvo su mejor etapa.

## El mundo del espectáculo

Cuando el 29 de abril de 1933 apareció el primer número de *Sintonía* (financiada por editorial Haynes, a 20 centavos el ejemplar y con la joven actriz Eva Franco en la foto de tapa) ya hacía dos años que Orts y Bordenave editaban *Antena* ("No hay sábado sin sol ni sábado sin *Antena*" era su eslogan ) y faltaban otros dos para que se inaugurara *Radio El Mundo*. La mayor parte de los actores y las actrices trabajaban en teatros, el cine sonoro llegaba para quedarse con dos películas simbólicas como *Tango* y *Los tres berretines*, y había centenares de orquestas e intérpretes de tangos tan metidos en la vida de la gente como los ídolos. En 1934 Julio Korn, atento al explosivo crecimiento de la radio, incluye en las ediciones de *La Canción Moderna* el suplemento *Radiolandia*, que poco a poco desplaza al título madre. En uno de sus números iniciales, *Sintonía* se responsabiliza de que las emisoras de radio comiencen a cumplir con los horarios de programación porque no querían quedar en falta frente a los oyentes que cada semana seguían los horarios publicados en la revista.

## Claves de un periodismo

- El periodismo de espectáculos era conocido como "rosa" o "blanco". Se caracterizaba por su vasto contacto con las ramas más populares del espectáculo y de sus personajes, a quienes mostraba sin cuestionamientos y sin agresividad.
- Rumores, trascendidos e información más o menos secreta del ambiente artístico; chismes livianos y romances, siempre con una base de veracidad, se publicaban en tanto y en cuanto no resultasen lesivos para la persona y beneficiaran la promoción del artista.
- Los títulos eran "gancheros"; las fotografías, posadas (buscando invariablemente el mejor perfil del galán o la actriz) y la diagramación, tradicional.
- El perfil de lector: público hogareño, respetuoso de sus ídolos y aficionado al cine, al teatro y a la radio. Revistas muy leídas tanto por mujeres como hombres aunque en muchos casos vergonzantemente reconocidas como las revistas que llegaban a los hogares de clase media "a través de las mucamas".
- Por este tipo de periodismo, con frecuencia subestimado por críticos e intelectuales, pasaron en aquel tiempo inaugural figuras como Borocotó o Chas de Cruz, y fotógrafos de la dimensión de Sivul Wilensky y Annemarie Heinrich.

## Personajes

Emilio J. Karstulovic, el director de *Sintonía*, era un chileno a quien apasionaba la velocidad; era tan seductor como emprendedor y supo granjearse importantes amistades en el ambiente artístico, como la de la entonces actriz Eva Duarte. Había llegado a la Argentina en 1917 como promotor de la nueva marca de autos Studebaker. Antes de convencer a la editorial Haynes de que le facilitara los pesitos necesarios para sacar *Sintonía*, y a la par de que corrió en numerosas carreras de autos, Karstulovic hacía crítica de radio –firmando "EKA"– en *El Mundo*, fue guionista y productor de cine y teatro y estuvo al frente de *LS9 La Voz del Aire*.

En 1935 *Radiolandia* asume la posta dejada por *La Canción Moderna*. Poco antes había muerto Carlos Gardel en un accidente aéreo, y la nueva revista publica la despedida escrita por Homero Manzi. En la publicación dirigida por Julio Korn tuvieron un lugar –anónimo, porque no se firmaba–, además de Manzi, grandes cultores del género popular como Manuel Ferradás Campos, Mariano Perla y Eliseo Montaigne. En 1937, Korn, que ya tenía *Radiolandia*, se adelanta a los tiempos del marketing: compra *Antena* con el propósito de hacerse la competencia a sí mismo. Esa arrasadora dupla de publicaciones terminó por restarle espacio a *Sintonía*, que desaparece por primera vez en 1941. En una edición de *Sintonía* de 1939 había hecho su debut en tapa la actriz Eva Duarte. Ya en el poder, la señora de Perón jamás olvidó aquel espaldarazo fundamental en su corta carrera, y ofreció a Karstulovic los medios necesarios para el salvataje de su revista.

## Mirando al sur

La revista cultural *Sur* fue producto de la iniciativa compartida de todo un equipo de importantes intelectuales. La idea original surgió en discusiones febriles entre el profesor norteamericano Waldo Frank, uno de los tantos viajeros a la Argentina de las primeras décadas del siglo, y Eduardo Mallea. El título de la publicación vino desde el norte telegrafiado por José Ortega y Gasset. Y el dinero que hizo posible la salida era de Victoria Ocampo, que creía en la cultura y en su divulgación y era íntima amiga de

Aparece por primera vez la historieta
"Don Julián de Montepío", que luego
sería "Isidoro Cañones"

El periodismo de espectáculos ocupa
un lugar significativo en la década

Staff y colaboradores de *Sur*, una valiosa revista literaria, difusora de libros y autores
fundamentales. En la parte superior: Francisco Romero, Eduardo Bullrich, Guillermo de Torre,
Pedro Henríquez Ureña, Eduardo Mallea, Norah Borges y Victoria Ocampo. En la escalera:
Enrique Bullrich, Jorge Luis Borges, Oliverio Girondo, Carola Padilla, Ramón Gómez de la Serna.
Detrás de la escalera: Ernest Ansermet y María Rosa Oliver.

Frank, de Mallea y de Ortega y Gasset. El primer número salió en enero de 1931.

Se advertía en *Sur* la herencia de pensadores como Sarmiento y Alberdi, y la decisión de intelectuales modernos de provocar la discusión acerca de los debates estéticos (antes que de los políticos) de la época, de entender los cambios y tomar posición sobre grandes temas como la guerra y la paz, la libertad y el autoritarismo. Así como en la década del 20 la aparición del bolchevismo había sido un motivo de división de los intelectuales de todo el mundo, la Segunda Guerra, el fascismo, la Guerra Civil Española, el nazismo y las posiciones aliadas apoyadas por los Estados Unidos eran los temas de ruptura del momento.

Más allá de cualquier consideración política es necesario rescatar a *Sur* como una valiosa revista literaria, difusora de libros y autores fundamentales y culturalmente significativa en la década del 30. Sus críticos la consideraron excesivamente apegada a la literatura europea y la vieron como promotora de una cultura de elite, que sólo atendía las realizaciones de un grupo ideológico y respondía casi únicamente a los gustos y predilecciones de su directora, Victoria Ocampo.

## El otro diario

Hacia 1935 entra en escena, desde *La Razón,* Ricardo Peralta Ramos, casado con una hija de Cortejarena, que desarrolla inicialmente una brillante carrera administrativa y se empeña en una renovación tecnológica total. El 1° de junio de 1939 el diario anuncia en tapa que "utiliza máquinas capaces de exprimirle al tiempo todas sus ventajas". Allí se inicia la carrera imparable de Peralta Ramos. En pocas décadas más, prácticamente nadie recordará a Cortejarena, y *La Razón* pasará a ser identificado, entre otras maneras, como "el diario de Peralta Ramos".

## ¡Maestros!

Alberto Rudni (nacido en 1916), Jorge Chinetti (1920) y Santiago Senén González (que por coquetería nunca reveló el año de su nacimiento) fueron testigos privilegiados de la evolución y cambios del periodismo argentino en este siglo. Conocieron por dentro los grandes diarios (pasaron entre otros por *Crítica, La Nación, La Prensa, Noticias Gráficas, El Mundo, Democracia*) cuando los periodistas, pese a su estilo bohemio –que no excluía el alcohol ni las apuestas–, producían sin descanso en las redacciones. Tuvieron ocupaciones rutilantes y trabajaron a pulmón, como militantes de la máquina de escribir Underwood. Atravesaron los escalafones, se pelearon, se amigaron, triunfaron y perdieron. Lucharon. Están.

En el principio, fueron sus padres. Leo Rudni nació en la Rusia zarista y en 1905, antes de partir del terruño, había conocido de cerca y admirado las ideas de Lenin y Trotsky. Al poco tiempo de llegar se convirtió en periodista estrella de *Crítica*, como columnista de temas financieros. A esa redacción (a cuyos periodistas el viejo Leo cautivaba con historias de pogroms lejanos y promisorios soviets) el joven Alberto iba de visita con pantalones cortos. Por su parte, el viejo Chinetti era rebelde, anarco, protestón y en la década del 20 llevaba a escondidas a Jorge a mitines políticos. Los actos en los que se reclamaba por la vida de Sacco y Vanzetti quedaron para siempre en el corazón de su hijo. Finalmente, el padre de Santiago Senén González fue uno de los creadores del Estatuto del Periodista Profesional, la ley 12.908, que todavía rige la actividad.

Cuando Rudni se inició en la redación de *La Nación* los periodistas iban de galera y bastón. En *Noticias Gráficas*, Manuel Sofovich le enseñó a armar su primer vale de gastos. Afiliado N° 1 de la entidad gremial periodística, Chinetti dice que se inició en el periodismo a los 8 años, vendiendo diarios en Sarmiento y Paraná. Empezaba muy temprano a la mañana, interrumpía para ir a la escuela y, al volver, remataba los diarios que le quedaban a mitad de precio. Senén González fue uno de los primeros en

## Breves de la década

- El dibujante Dante Quinterno crea la historieta "Don Julián de Montepío", que más adelante se convertirá en "Isidoro Cañones". Con Quinterno se formaron dibujantes como Ferro, Blotta (padre), Cao y Divito.

- Entre 1933 y 1934 se publican en el suplemento cultural de *Crítica* buena parte de los textos que luego integrarán el libro *Historia universal de la infamia*, de Jorge Luis Borges.

desarrollar la especialidad del periodismo gremial y fue también delegado en muchas de las redacciones que integró. Se formaron y crecieron entre los rigores del compromiso y el afán de la buena vida. Entre analfabetos y doctores, entre reos y sabios. Rudni evoca a Juan Carlos Petrone, a los hermanos Cordone –creadores del diario *Pregón*–, a Ángel Bohígas, César Tiempo, Martiniano Paso, Octavio Palazzolo y Cholo Aguirre. Chinetti piensa en Clemente Cimorra –un español que fue toda una institución entre los periodistas exiliados en el país–, sus compañeros del diario socialista, Enrique Delfino y al dibujante Caribé. González repasa momentos vividos con Moisés Schebor Jacoby, Salustiano González, Mario Monteverde, Héctor Cuperman, Victorio Sánchez Junoy y, perplejo, todavía se pregunta por la suerte corrida por Edgardo Sajón.

## Laiño al poder

Pertenece a la escuela y a los tiempos en que los periodistas no eran noticia: Félix Hipólito Laiño estuvo al frente de *La Razón* desde el 1º de setiembre de 1937. A partir de ese momento, durante casi cinco décadas, raramente salió fotografiado, nunca firmó una nota y jamás figuró en los créditos de dirección. El currículum oficial señala que, antes de hacer toda una escuela de periodismo en ese diario, era un joven escritor, ganador incluso de un premio en un concurso de *La Prensa*. En 1931, a los 23 años, ingresó como reportero a *La Razón*, en donde trabajaban periodistas consagrados como Pablo Suero, Alejandro Unsain y los hermanos Mariano, Leónidas y Joaquín de Vedia. Fue sucesivamente ascendido a cronista en 1932 y a redactor un año después. Es en 1933 cuando lo consagran la precisa pluma y la variedad informativa de la necrológica del ex presidente Yrigoyen.

En 1934 es ascendido a editorialista, a prosecretario de redacción al año siguiente y posteriormente a secretario general de redacción –puesto equivalente al de director–. En ese cargo permaneció, como dueño y señor, hasta 1984.

Una observación de puro sentido común formulada por Laiño en ese momento cautivó a Ricardo Peralta Ramos: "¿Cómo puede pretenderse serio un diario que tiene errores hasta en la cartelera cinematográfica?". Este hombre tímido y de pocas palabras había sido estudiante de derecho, profesor de materias humanísticas en escuelas secundarias, crítico teatral del diario *Última Hora* y violinista aficionado que se llegó a soñar director de orquesta en el Colón. Sin embargo, lo que dirigió, con mano tan rígida que muchos la consideraron despótica, fue la redacción de uno de los diarios más vendidos del país durante décadas. Los tramos esenciales de su partitura periodística fueron:

- La gente debe sentir la invencible necesidad de comprar *La Razón*, casi como un vicio.
- Hacer un diario popular, sin los sensacionalismos de la prensa amarilla. Títulos claros, pero lenguaje depurado. Debajo de los títulos, una síntesis de la noticia como forma de introducir a la lectura y tornarla más atractiva.
- Evitar las estridencias de *Crítica* y *Noticias Gráficas*, pero soslayar el acartonamiento de *La Nación* y *La Prensa*.
- Tres temas acaparan el interés del público: salud, dinero y amor.

## Una nueva etapa

El 1º de junio de 1939 *La Razón* apareció con cambios sustanciales en su diagramación y en su impresión. Sin copiarse de modelos extranjeros y con la única ayuda de un tipógrafo, en soledad, en las horas libres que le dejaba la edición del diario y en absoluto secreto, Laiño varía detalles esenciales del formato y la disposición de los títulos, decide agrandar las fotos y hace más ágil la diagramación. Pero no todos aceptaron de entrada las propuestas e innovaciones de la "era Laiño". A los viejos redactores que acostumbraban a cubrir las mangas de sus camisas blancas con lustrines negros les caía pésimo ver noticias policiales en la primera página. Ya como secretario general del diario, Laiño se encontró con no pocos desplantes y renuncias: "Está bien que ahora quieran hacer un diario menos doctoral, más popular, pero yo me retiro", dijeron varios.

Una toma de algunos periodistas de *La Nación*.

*La Razón* renueva su diagramación y se ajusta al cambio de épocas.

El diario se hizo menos solemne, apeló a las notas curiosas e insólitas (agrupadas en los famosos recuadritos titulados "¡Oh!") y se pobló de entretelones, de noticias menos oficiales y de "dialoguitos". Laiño ganó más de lo que perdió y *La Razón* aumentaría sus ventas incesantemente en las siguientes tres décadas.

No solo en la conducción de su diario era audaz Laiño: en 1939 muchísimos ciudadanos se preguntaban si el presidente Roberto Ortiz estaba ciego o no. Laiño consiguió descubrir la respuesta: pidió una entrevista y, fingiendo un tropezón, alteró mínimamente el recorrido dispuesto por el protocolo presidencial y verificó que el mandatario no veía. Cuando publicó en *La Razón* que ese hombre no estaba en condiciones de ejercer el poder –piensa Laiño– desató primero una polémica, luego una crisis y enseguida la renuncia presidencial.

## Periodistas de la década

**D**ardo Cúneo piensa que Joaquín de Vedia, el crítico y editorialista de *La Nación* y *La Razón*, fue "la medida exacta del periodista". Pero todavía hoy, con más de 80 años cumplidos, cada vez que nombra a Carlos Muzio Sáenz Peña (que había nacido con el apellido de origen napolitano y a quien José Ingenieros, un gran bromista, lo convenció de que se agregara los otros dos, que eran los del presidente) se pone de pie. Acaso porque, en *El Mundo* de Haynes, Muzio lo guió por los vericuetos del oficio y fundamentalmente le pulió la escritura. Fue también maestro de muchos otros periodistas, y de Roberto Arlt, que no por nada lo llamaba (con unción, con respeto) "Papi". Muzio le reveló los secretos de los editoriales: "Deben tener una escritura fluida, nada solemne, contadas palabras ordenadas en tres parágrafos: el primero, planteo documentado; el segundo, desarrollo en esquemático orden; tercero: el rigor de soluciones concretas".

Cúneo llegó al periodismo en 1933 en los tramos finales de *Última Hora*, trabajó en la década del 30 en *La Razón* y en el *Crítica* de la Belle Époque, cuando venía de la juventud socialista: "Era muy irrespetuoso y no me gustaba ningún diario". Se acuerda mejor de los periodistas (anarquistas, poetas, bohemios, locos lindos por sobre cualquier otra cosa) que de los diarios. Inolvidables son para él Héctor P. Agosti, Manuel Alba, Federico Gutiérrez, el gordo Petrone, Baltasar Jaramillo, Roberto Payró, Rogelio Frigerio y el anarquista Alberto Ghiraldo, todos protagonistas de ese tiempo.

## Esto también ocurrió

### 1930

- El 4 de noviembre, Editorial Atlántida sacó *Chacra & Campo Moderno*, dedicado a temas agrícolas y cuya aparición continúa hasta nuestros días.
- Se suman en ese año publicaciones como la *Revista del Colegio de Abogados*, la *Revista del Notariado* y *Boletín del Colegio de Doctores en Ciencias Económicas*.

### 1931

- El 1° de mayo, San Juan tuvo un nuevo diario: *Tribuna*, dirigido por Francisco Bustello.
- El 23 de mayo se conoció *Antena*, revista semanal destinada a la información sobre radiotelefonía.
- El 10 de junio comenzó *Noticias Gráficas*, que fue uno de los más importantes diarios de la tarde.
- En julio salió la revista cultural *Nervio*, de izquierda. Con un estilo de denuncia al fraude, al caudillismo y a las maniobras gubernamentales conservadoras. En ella colaboraron José Portogalo, Alvaro Yunque, Elías Castelnuovo y Rodolfo Puiggrós, entre otros.
- En octubre se imprimió la revista de carácter informativo *Rosalinda*.

### 1932

- El 25 de octubre salió la revista *Maribel*.
- También se conoció la revista *La Silurante Musicale*, dedicada sólo a temas musicales.

### 1933

- El 1° de febrero se edita otro diario nazi: *Crisol*.
- El 1° de mayo salió el diario *El Noticioso*, de información jurídica e interés general.
- El 9 de julio se conoció, en la localidad bonaerense de Azul, el diario *El Tiempo*.
- El 21 de agosto apareció el primer número del diario *La Arena* de Santa Rosa, La Pampa, que todavía circula.
- Además se conocieron publicaciones como la *Revista Argentina de Cardiología*, la *Revista Geográfica Americana*; *Camuatí*, órgano de la Asociación de Artistas que lleva ese nombre, y *La Máscara*, órgano de la Asociación Argentina de Actores.

## 1934

- Se imprimió *La Gaceta Judicial*, periódico jurídico noticioso.
- El 1° de octubre salió *Viva Cien Años*, revista dedicada a popularizar conocimientos médicos.
- El 7 de noviembre el público leyó por primera vez la revista *Leoplán*.
- Ese año aparecieron también: *Argentores*, boletín de la Sociedad de Autores de la Argentina; *Radio Magazine*, revista técnica bimensual; *Natura*, revista de cultura integral, ciencia, filosofía y arte; *Radio Técnica*, el primer semanario latinoamericano en su género, además del *Boletín de la Asociación de Abogados de Buenos Aires* y *La Gaceta del Foro*, jurídica.

## 1935

- El 9 de octubre llegó a los quioscos la revista *Vosotras*, que Julio Korn dedicó a las mujeres.
- El 2 de diciembre María Luisa de Robledo publicó la revista femenina *Chabela*.
- Ese año apareció la revista jurídica *La Ley*.

## 1936

- En marzo salió la revista científica *Mundo Médico*.
- El 6 de abril Ramón Sopena fundó la revista *Aquí está*.
- Apareció la revista *Motor* de automovilismo, aviación y mecánica.
- En agosto Jorge Luis Lenain bautizó la revista de la Liga Naval Argentina *Marina y Navegación*.
- El abogado Marcos Satanowsky fundó *El Diario*, un periódico progresista que el fascismo vernáculo estigmatizó como "pasquín comunista".
- El 10 de noviembre aparecieron las aventuras del legendario cacique *Patoruzú*, de Dante Quinterno.

## 1937

- En enero los amantes de los libros pudieron leer también la *Revista de la Biblioteca Nacional*, publicación bimensual de carácter histórico.
- En junio salió *Columna*, revista cultural dirigida por César Tiempo. Planteada como una publicación de grandes formas, es fuerte y original en la inclusión de críticas de arte y espectáculos.
- Ese año la Unión Obrera Marítima botó *El Marino*.
- También se publicó *La Casa*, revista referida a la construcción.

## 1938

- El 2 de febrero en Mar del Plata se voceó por la rambla el diario *El Atlántico*, que hoy todavía existe.

- En agosto se publica *Conducta*, revista cultural. En ella aparecen colaboraciones de Pedro Henríquez Ureña, Bernardo Canal Feijóo, Conrado Nalé Roxlo y Raúl Larra, entre otros.
- El 29 de agosto, Luis Balanzat sacó el primer número de la revista *Estampa*.
- El 10 de noviembre Mario Amadeo y Juan C. Goyeneche sacaron la revista cultural de extracción nacionalista y católica *Sol y Luna*, donde colaboraron desde el primer número Octavio Devisi y Leopoldo Marechal, entre otros. De esa redacción se nutrió el golpe de 1943 para cubrir puestos en el área de la educación y la universidad.
- Ese año se realizó el primer congreso de periodistas del país. Así se creó la Federación Argentina de Periodistas y se instauró el 7 de junio como el día del periodista, en conmemoración de la aparición de *La Gazeta de Buenos Ayres*. Por su parte, la Sociedad Interamericana de Prensa (SIP) designó esa fecha como el día de la Libertad de Prensa.
- Se conoció *Asociación Folklórica Argentina*, órgano de la asociación que lleva ese nombre.

## 1939

- Se fundó la Asociación de Periodistas de Buenos Aires, que no integró la Federación Argentina de Periodistas. Luego apareció el Sindicato Argentino de Prensa, de carácter nacional. Más tarde se constituye la Federación Argentina de Trabajadores de Prensa.
- En julio apareció la *Revista Oral de Ciencias Odontológicas*, dirigida por Manuel Galea.
- El 24 de julio aparece, como quincenario, la revista de noticias *Vea y Lea*. Su fundador y editor era Emilio Ramírez, un fotógrafo que hizo de su editorial una típica empresa personal y que sacó otros títulos igualmente exitosos.
- El 5 de setiembre Juan Torrendell fundó la revista infantil *Pif-Paf*.
- El 2 de octubre salió, en Córdoba, la publicación *Comercio y Justicia*, que todavía circula.
- El 4 de noviembre apareció *El Pampero* que, según datos de la Comisión Parlamentaria encargada de investigar la infiltración nazi en el país, fue costeado por la Embajada de Alemania.
- Emilio Ramírez fundó la editorial que llevó su nombre y editó, a lo largo de varios años, las revistas femeninas *Damas y Damitas*, *Destinos*, *Rosicler* y *Maniquí* y *Vea y Lea* de carácter general.
- También se editaron los primeros números del diario *Libre Palabra*; los semanarios *Argentina Libre* y *Argentina Acción*, así como las revistas *Fotocámara* y *Cinecámara*, *Técnicoquimica* y *Revista Electrónica*.

# La prensa deportiva

A comienzos del siglo, periódicos como *La Nación* y *El Diario* la consideraban una sección insólita y romántica. Los "Sports", tal como se los denominaba, no tenían un lugar extenso ni protagonistas estelares aunque ya existía una demanda de información sobre hípica, tenis y fútbol. Desde su nacimiento, en mayo de 1919, como revista de interés general con muchas ilustraciones, *El Gráfico*, creación de Constancio Vigil, se convirtió en un símbolo del periodismo deportivo. En sus primeros años, el semanario publicó portadas de información general y educación, que alternaban con tapas sobre ciclismo, atletismo, natación, remo, aviación y por supuesto los que siempre fueron los deportes más populares: fútbol, automovilismo y boxeo. A partir del número 300, *El Gráfico* pasó a ser de temática exclusivamente deportiva.

En su historia, Diego Armando Maradona es el ídolo futbolístico que mayor presencia tuvo en *El Gráfico*, con 112 apariciones en tapa. Entre los ases del volante el que más veces salió fue Carlos Reuteman, con 49 inclusiones, y en boxeo nadie ocupó más portadas que Carlos Monzón: 27 veces.

## Los antes y después en el periodismo deportivo

La historia del periodismo deportivo escrito tiene varios *antes y después*. Por ejemplo, los de la influencia que tuvieron en los últimos años la radio primero y la televisión después, presencias a las que el periodismo gráfico tuvo que sobreponerse y de las que tuvo que diferenciarse.

En 1903 *La Nación* cubrió por primera vez con un enviado especial el partido entre Alumni y un equipo uruguayo. En medio de un fuerte conflicto interno en el Uruguay, el periodista Ángel Bohígas viajó en el lentísimo *Vapor de la Carrera* y regresó a Buenos Aires en el día, con la nota redactada. La crónica apareció con un título a cinco columnas, inusual para la época. No era para menos: había ganado Alumni.

En los años 30, chicas en pantaloncitos se paseaban dentro de la vieja cancha de River para publicitar las notas del periodista Last Reason en *El Gráfico*. El diario *Crítica* comenzó a enviar a sus mejores plumas, como Roberto Arlt, a cubrir acontecimientos deportivos, como también lo hacían las estrellas periodísticas de entonces: Borocotó, Chantecler y Frascara. Ellos representan el momento estelar de una rica y culta bohemia del periodismo deportivo.

Más adelante, en los años 40 y 50, la popularidad de la sexta edición de los vespertinos porteños fue enorme, porque en ella figuraban los resultados de los partidos. Eran tiempos en que los lectores tenían que hacer largas colas para conseguir un ejemplar con los finales de las carreras y del fútbol. No había televisión, y la radio no estaba en todos los estadios. Las crónicas de los partidos estaban estructuradas en base a fórmulas, sobre todo cuando periodistas especialmente destacados en las canchas no las pasaban por teléfono o la información no se podía levantar de la radio. Entonces los redactores de turno inventaban a suerte y verdad, pero con una sola restricción: no podían equivocarse en el resultado final del partido.

En mayo de 1932 –en un domingo en que jugaban River y Racing, y en plena fama del ídolo Bernabé Ferreira– sale una de las revistas deportivas más insólitas de la historia. Se llamaba *Alumni* y su propósito era informar en las canchas sobre los resultados de los otros partidos, en una época en que todavía no existían las radios portátiles. Los equipos eran identificados mediante una letra clave en un enorme cartelón ubicado a un costado del campo, código que se reproducía en la revista. En cada estadio un periodista informaba las variantes del tanteador y

Maradona y Monzón: dos ídolos máximos en *El Gráfico*.

La insólita revista *Alumni* con la "clave": suceso en las canchas antes de las radios portátiles.

del juego, y desde una oficina central los datos se distribuían en las canchas en el momento oportuno. Al poco tiempo los hinchas sabían que si se movía la chapa de la izquierda era gol local, cuando el anuncio mostraba chapa roja y blanca anunciaba una expulsión; la amarilla, la ejecución de un penal, y la chapa blanca sobre azul indicaba penal atajado.

*Alumni* salió con éxito hasta que a fines de los años 50 aparecieron las radios portátiles a transistores, velozmente adoptadas por los aficionados para escuchar lo que ocurría en otras canchas. Pablo Ramírez recuerda en una nota que el 3 de mayo de 1964 fue la última vez en la historia que *Alumni* batió un record de ventas. Es que ese día hubo justamente una huelga de relatores radiales, movimiento que provocó un doble efecto: aumentó el número de espectadores en las canchas y se agotó la revista.

Francisco Llano evoca la sección deportiva de *Crítica* con los hermanos Edmundo y Alberto Campagnale, Adolfo Haimovitz, José Ramón Luna, Amílcar Mercader y en especial Hugo Marini, autor de aciertos todavía perdurables: "El fue quien bautizó 'El Ciclón' a San Lorenzo, 'El Fortín' a la cancha de Vélez, 'Los Millonarios' a River, que empezaba con su carrera de grandes cifras en los pases; a los de Platense los bautizó 'Los Calamares' y a Bernabé Ferreyra, temible por su tremendo tiro, 'El Mortero de Rufino'".

## El Mundial de la transición

A partir del Campeonato Mundial de Fútbol disputado en 1966 en Inglaterra, el periodismo escrito comenzaría a tener un nuevo espacio acosado por los medios electrónicos. En una interesante crónica del semanario *Confirmado*, publicada luego de aquel torneo a fines del mes de julio, decía Osvaldo Ciézar: "Habían pasado cuatro días desde el primer partido del Campeonato Mundial de Fútbol, y al edificio de Riobamba 280, en Buenos Aires, no llegaba una sola línea de información, una sola fotografía. Héctor Ricardo García, furioso, con la barba crecida, se sentó frente a una de las máquinas de télex instaladas en su despacho, y escribió, simplemente: 'Están despedidos'. El lapidario mensaje tembló poco después en Birmingham, Inglaterra. Pasó de las manos de Dante Panzeri a las de José Sacco y José María Bonafina y fue leído con estupor por Tolentino Alegre Reyes, los cuatro enviados especiales de uno de los mayores emporios periodísticos del país, los diarios *Crónica* y *Última Hora*, la revista sensacionalista *Así* y la deportiva *Así es Boca*. Ellos no podían aceptar el rapto de ira de su jefe máximo, porque habían despachado normalmente sus comentarios y notas gráficas. Cuando García comprendió que el material había quedado detenido en la portería de su editorial, perdonó a los periodistas pero despidió a los porteros".

Finalmente, los porteros también gozaron de la indulgencia del ex fotógrafo García, un hombre que siempre recuerda sus orígenes humildes. Pero la anécdota había servido para destacar la magnitud de un esfuerzo que supera todos los antecedentes conocidos en la historia del periodismo argentino: nunca antes de este campeonato mundial diarios y revistas habían concentrado sobre un acontecimiento tal cantidad de medios técnicos y humanos.

Entre los diarios se destacó netamente la información de *Clarín* y de *La Razón*. Cinco de los mejores redactores de *Clarín* y el jefe de sus fotógrafos enviaron un riquísimo material que los lectores recibían cada día en un suplemento especial. *La Razón*, en cambio, sólo envió a dos redactores, a quienes Félix Laiño hizo regresar antes porque "se trata de un torneo de pillerías". Ambos diarios reforzaron los servicios de agencias internacionales. En *Clarín* debe destacarse el trabajo de Luis Sciutto, un uruguayo que escuda sus crónicas lunfardas tras el seudónimo de "Diego Lucero". Su nota posterior a la eliminación argentina se tituló "Un afano científicamente organizado". En Londres la presencia de los hermanos gemelos Carlos y Jorge Rodríguez Duval, representantes respectivamente de *La Prensa* y de *El Mundo*, produjo graciosas confusiones. *El Mundo* presentó dos columnistas novedosos: el técnico argentino Adolfo Mogilevsky y el ex futbolista Alfredo Di Stéfano. *El Gráfico* envió a su director Carlos Fontanarrosa, a dos redactores y a un fotógrafo. Osvaldo Ardizzone, de *El Gráfico*, escribió un artículo de 20.000 palabras, cifradas en siete metros de cinta perforada y que insumió cinco horas continuas de transmisión vía télex. *Goles* –aparecida en la década del 50 para competir con *Mundo Deportivo*– envió a

En setiembre de 1955 *Mundo Deportivo* competía con *El Gráfico* y *Goles*.

DE
**GI**

*Ilustrac*

**DANTE PANZERI**

Mire, yo soy un tipo sin currículum. Porque desdeño todas las palabrejas de esa laya, que han puesto de moda los realizados, y porque me parece que es de bobos mostrar currículum en esta vida donde el currículum de todos se reduce al día en que nacemos y al día en que morimos. Lo que hacemos o dejamos de hacer entre esas dos fechas, es absolutamente intrascen-

Dante Panzeri se presenta en sociedad.

*Así es Boca*, modelo de revista partidaria.

su director, Enzo Ardigó, a un redactor y a un fotógrafo. La inversión fue cuantiosa pero cada semanario aumentó por lo menos en 50.000 ejemplares su tirada semanal. La editorial Atlántida ordenó el viaje de los enviados de *Gente* y éstos, además de lo futbolístico, registraron los cambios de costumbres de la juventud en la capital inglesa. En una de sus tapas *El Gráfico* incluye un título de exaltado fervor localista: "Bravo, argentinos... ganadores aun vencidos... señores del coraje".

## El periodismo deportivo desde dentro

Jorge Búsico era un adolescente hincha de River que soñaba con el fútbol. A fines de la década del 60 y comienzos de la del 70 *El Gráfico* salía los martes y él se plantaba al lado del kiosco desde un buen rato antes de la llegada, para esperarlo. A los 11 años recortaba las fotos de sus ídolos y las pegaba en un cuaderno con evidente criterio de diagramación y edición. Guillermo Blanco nació en la ciudad de 9 de Julio y se crió esperando cada semana la llegada al pueblo de *El Gráfico* –a la que consideraba una biblia de conocimientos– y de la revista del club San Lorenzo. Antes de ser periodista, Juan José Panno se regocijaba con la línea de Dante Panzeri en *El Gráfico* de los años 60, llena de sensacionales investigaciones, aunque también conocía a anteriores maestros como Borocotó y Félix Daniel Frascara y posteriores referentes como Carlos Juvenal, Juan de Biase, Justo Piernes y Horacio Pagani, que trabajaban en distintos medios. Néstor Straimel también leyó en *El Gráfico* textos que nunca olvidó, firmados por Borocotó, Frascara, Ardizzone y el especialista en automovilismo Miguel Ángel Merlo. Osvaldo Pepe advirtió en el estilo crítico de Dante Panzeri algo tan nuevo como atractivo: desdeñar la exaltación del triunfo cuando únicamente estuviera al servicio de vender más.

Búsico, Blanco, Panno, Straimel y Pepe tienen algo en común: son periodistas deportivos, protagonistas de una de las pocas actividades gráficas en expansión que cambió mucho desde que los refinados cronistas de *La Nación* y *La Prensa* seguían la marcha de los aficionados y amateurs hasta la última, gran novedad aparecida en 1996, el diario *Olé*, que acepta en su hechura una innegable influencia de la televisión. Para ellos, los grandes hitos en el periodismo deportivo de las últimas décadas fueron los siguientes:

- *El Gráfico*, revista discutida y discutible pero de innegable importancia en cada una de sus épocas. Los cinco periodistas consultados coinciden en destacar la relevancia de la etapa en la que Dante Panzeri fue su director y propició en el análisis de todos los deportes, no sólo el fútbol, una filosofía alternativa al "ganar o morir". También reconocen las condiciones visionarias del reemplazante de Panzeri, Carlos Fontanarrosa, constructor de la actual imagen de la revista que dirige Aldo Proietto.
- La revista *Goles,* cuando era dirigida por Horacio García Blanco. En un momento llegó a vender tanto como *El Gráfico.*
- La revista *Goles Match,* por su manera de vincular el acontecimiento deportivo con la realidad circundante. Por ejemplo, la nota a Adolfo Pérez Esquivel –titulada "El gran gol argentino"– fue en 1980 la primera publicada al premio Nobel argentino en un medio local. En un clima político todavía impregnado en la euforia del Mundial del '78, irritó al poder militar que consideró que ése no era un tema a tratar y menos por una publicación deportiva.
- *La Hoja del Lunes,* una experiencia original aunque breve. Era una revista que salía los lunes con toda la actividad deportiva del domingo, a la misma hora en que aparecían los matutinos con sus suplementos.
- La sección deportiva del diario *Noticias* en 1974 y la de *El Cronista Comercial;* el suplemento deportivo de *La Voz;* el *Sportivo Sur,* suplemento del diario del mismo nombre; y *El Clásico,* intento realizado por varios despedidos del diario, *Sur.*
- Estos son los periodistas de distintas generaciones que fueron mencionados por su aporte creativo y profesional: Mario Stilman, Enzo Ardigó, Juan de Biase, Diego Lucero, Carlos Ares, Jorge Azcárate, Horacio del Prado, Justo Piernes, Beto Devoto, Néstor Ruiz, Eduardo Durruty, El Veco, Jorge Ruprecht, Jorge Llistosella, Carlos Ferreira, Ernesto Cherquis Bialo, Gustavo Veiga, Alejandro Fabri, Daniel Lagares,

Alfredo Leuco (en sus inicios, periodista deportivo)
entrevistando a Diego Armando Maradona.

Adolfo Pérez Esquivel, Premio Nobel de la Paz, entrevistado por periodistas deportivos.

Una famosa redacción de *El Gráfico* en los años 70. Entre otros, Eduardo Rafael, Julio
Pasquato (Juvenal), Héctor Onesime y Ernesto Cherquis Bialo.

Juan Carlos Camaño, Carlos Bonelli, Ariel Scher, Pedro Durrells, Juan Trasmonte, Daniel Aler, Carlos Juvenal, Juan Zuanich, Osvaldo Orcasitas, Estanislao Villanueva (Villita), Alfredo Parga, Carlos Marcelo Thiery, Diego Bonadeo, Horacio Pagani, Ezequiel Fernández Moore, Roberto Fernández y Osvaldo Pepe entre otros.

Desde *La Cancha* hasta *Todofútbol*, desde la humilde y bien informada *Campeón* hasta *Supercampeón* –un gran éxito de 100.000 ejemplares de venta que hicieron Enzo Ardigó, José María Otero, Ulises Barrera, Villita, Aldo Proietto y Juan Carlos Pérez Loizeau–; de la inefable *Alumni* –y su clave– a los fascículos de Pablo A. Ramírez sobre la historia del fútbol en *La Nación*, son muchas las publicaciones especializadas que fueron quedando en el camino hasta hoy, en que la TV condiciona prácticamente todo, desde la extensión de los comentarios hasta la discusión táctica y técnica de un partido.

## El deporte de la dignidad

Fue en agosto de 1962. River y Boca jugaban el superclásico en el Monumental de Núñez. Lleno total. El entonces ministro de Economía, Álvaro Alsogaray, lanzó al término del partido una reflexión fácil: "A juzgar por la cantidad de público, no se advierte la pobreza del país". La editorial Atlántida ordenó que esa intervención extradeportiva del ministro fuera consignada en un recuadro del próximo número de *El Gráfico*, pero Dante Panzeri, el director, se negó por considerarla demagógica. Ese episodio fue el principio del fin de su vinculación con Atlántida.

Un tiempo después Panzeri aceptó una oferta de Héctor Ricardo García para escribir en el semanario *Así*, que vendía un promedio de 700.000 ejemplares cada vez que salía. Un grupo de sus seguidores se sintió defraudado y le pidió explicaciones. Su respuesta es toda una lección de periodismo práctico, seguramente involuntario: "...Siempre defendí mis ideas por medios ajenos...*Vea y Lea* y *Primera Plana*, en la misma época, me habían ofrecido trabajo pero desistieron porque, según dijeron, las notas de Panzeri traen problemas. Mi familia no podía seguir esperando a que la *prensa seria*, de páginas más dignas para mí, me ofreciera un trabajo. ¿Cuál es la prensa seria? ¿*La Nación* y su tibio-tibio? ¿*El Gráfico* y la chabacanería que ustedes le reprochan? ¿*Así* y sus crímenes? ¿*Primera Plana* y su objetividad? En lugar de prensa seria sería más exacto hablar de periodistas serios y periodistas poco serios. Acepté, primero porque García me aclaró que disentía con mi manera de escribir y de pensar pero las consideraba *comerciales* para su revista, pero asimismo me aseguró la más absoluta libertad para escribir lo que yo quisiera. Él pensaba que me seguirían los que estaban de acuerdo conmigo y fundamentalmente los que estaban en mi contra. Y también acepté porque me pagaba muy bien, paga que mejoró cuando extendí mis colaboraciones al diario *Crónica*".

En la sección "Deportes" del diario de García, que dirigían Hugo Marini y el Negro Villita, Dante Panzeri escribía largas notas despachándose contra la Copa Libertadores, a la que denominaba "Copa Corruptores de América". Cuando en las semifinales de ese torneo Estudiantes eliminó a Racing, Panzeri tituló de este modo: "Si esto es el fútbol, que se muera el fútbol". Cerca de su escritorio trabajaba Eduardo Rafael, que se asombraba de lo fuerte que Panzeri le pegaba a la máquina de escribir y cómo, a la manera de un león a punto de atrapar a su presa, se movía, fumando, alrededor del escritorio hasta alcanzar el concepto deseado, la palabra justa, el título provocador.

Son numerosos los casos de periodistas destacados en distintos rubros que se iniciaron como cronistas de deportes. Aquí van unos pocos nombres: Eduardo Vander Kooy, Julio Blank, Alfredo Leuco, Germán Sopeña, Nelson Castro y Raúl Delgado, Bernardo Neustadt, Héctor Ricardo García, Pepe Eliaschev, Juan José Panno, Carlos Ferreira, Carlos Ares, Alberto Ferrari, Marcelo Manuele, Ricardo Roa, Mario Stilman, Horacio Speratti, Osvaldo Soriano, Jorge Ruprecht, Edgardo Rittaco, Raúl Burzaco, entre otros.

# Noticias
# de los años 40

En un artículo publicado en el diario *Convicción* en 1981, el periodista Pedro Larralde describió el clima que en los años 40 se vivía alrededor de la Facultad de Filosofía y Letras, ámbito porteño que era reflejo de muchas inquietudes intelectuales y en el que se formarían, para la discusión, para el vagabundeo y para el periodismo, centenares de muchachas y muchachos: "Estábamos en la isla de la calle Viamonte y en su archipiélago: el bar Florida, el Jockey Club, el Paulista, el Coto, según los tiempos y los bolsillos, hasta los límites del Moderno, donde gobernaban los plásticos. Discutíamos, y hasta nos enojábamos, por ser adictos a Rilke o a García Lorca; empezaba a soplar por aquí Sartre, pero ¿y la entereza de Camus? Y Mallea, Roberto Arlt, Güiraldes releído, Borges, los huéspedes de la ciudad, Roger Caillois, Gombrowicz también nos salían al encontronazo. Y la brava directora de *Sur* –*Sur* o *Nosotros* también era una pelea que pasaba por ahí embistiendo el atardecer por la cuadra del convento–. Adentro, en aquellos pasillos que olían a humedad, en aquel sótano del Centro de Estudiantes donde se pergeñaban números de la revista *Verbum* que salían a las cansadas, estaba la presencia de aquellos maestros... Afuera estaba Buenos Aires, adentro un milagro de hallazgos: vislumbrar las aventuras de la inteligencia".

## Accidente y muerte de Botana

Dicen que ni en los peores momentos abandonó su cigarro. Dicen que aunque estaba grave animaba con chistes de humor negro a los médicos que lo asistían. Dicen que, un segundo antes de morirse, hizo la V de la victoria. El 7 de agosto de 1941, a los 52 años, murió Natalio Botana, el Randolph Hearst argentino, fundador de *Crítica* y protagonista de una época dorada del periodismo local. Dos días antes, viajando con su Rolls Royce por Jujuy (en donde acababa de concretar un negocio de tierras y procuraba una breve temporada de descanso en las termas del lugar), tuvo un accidente automovilístico que no dejaba prever semejante desenlace, pero una de sus costillas rotas le hizo presión sobre un pulmón y le provocó severas hemorragias antes de la muerte.

Se iba con él un personaje fascinante, lleno de imaginación y de contradicciones extraordinarias, las que lo llevaron a jugarse a favor de grandes reivindicaciones humanas y causas políticas, pero que también colocó su diario al servicio de los militares que golpearon a Yrigoyen en 1930. Las opiniones siguen divididas hasta hoy. Para muchos Botana, había sido un genio de lo popular, dotado de una intuición desbordante; para otros no fue otra cosa que "un pirata detestable, un aventurero del periodismo". Y aunque nadie olvidará su posición ante Yrigoyen (que él trató vanamente de explicar y justificar desde sus posiciones antipersonalistas e independientes), también cabe el reconocimiento para quien encabezó una muy lograda aventura periodística y desarrolló con sello personal campañas y acciones como éstas:

- Ayudó con trabajo a anarquistas perseguidos, a numerosos exiliados europeos y a parientes de los fusilados Severino Di Giovanni y Paulino Scarfó.
- Colaboró siempre con juguetes para los niños pobres de la ciudad.
- Durante la Guerra Civil Española volcó el diario abiertamente en favor de la causa republicana. Se opuso permanentemente a Hitler y a Mussolini, fue un enemigo de las posiciones nazis y fascistas, aquí y en el extranjero. Apoyó las luchas de liberación de Augusto César Sandino en Nicaragua.

- Encabezó campañas internacionales desde *Crítica* exigiendo la anulación de la pena de muerte a Sacco y Vanzetti, y solicitó la libertad del anarquista Simón Radowitski.
- Realizó numerosas campañas públicas de presión sobre conocidas empresas a las que les exigía muestras de lealtad comercial y control de calidad de sus productos (por ejemplo, a la Compañía General de Fósforos le demostró que no envasaba la cantidad de unidades que decían sus envases) o por motivos tarifarios, como cuando embistió contra la Unión Telefónica porque "le hace pagar al abonado argentino hasta el impuesto de sus accionistas en Londres". El hecho de que inmediatamente bajaran las tarifas significó un gran triunfo para Crítica. No fueron pocos los que censuraron acciones como éstas, que provocaron calificativos como "delincuente extorsionador". El periodista Francisco Llano, que integró la redacción de Crítica, señala que aunque "Botana no dejó un solo libro escrito por él, desde el punto de vista intelectual su personalidad admite un paralelo sin desmedro con Ortega y Gasset por la profundidad en la interpretación de los sucesos humanos y, poder de captación con respecto a la inquietud de las masas". Llano rescata un diálogo que Botana habría tenido con un secretario de redacción:

"—Señor Botana, este artículo no le va a gustar al público.

—Al público le tenemos que enseñar nosotros lo que le debe gustar —respondió Botana."

## Pensando en los lectores

Félix Laiño vivía en Lanús y, cada mañana, el trayecto en tren desde esa localidad a la Capital le servía para ir revisando y leyendo todos los matutinos. Cortaba con una hojita de afeitar aquello que le interesaba e iba desechando el resto. De ese modo organizaba una embrionaria edición del diario La Razón que saldría a la tarde: cada recorte era entregado después a un redactor casi como una orden de trabajo.

En sus largos buenos tiempos *La Razón* dispuso de una información política imposible de soslayar aun para quienes no acordaran con su línea, pero también era leído por su sección "Policiales", extensa pero no sensacionalista, y por la sección "Deportes", en donde sobresalía la parte dedicada al fútbol. Sin embargo, en esa época la mayoría de los diarios acostumbraban abrir sus ediciones con noticias internacionales. "Se podía morir el presidente de la Nación, que los diarios ponían en tapa el estornudo de Churchill o el último discurso de De Gaulle", ilustra Julia Constenla. En 1990 Susana Viau, de *Página/12*, le preguntó a Félix Laiño sobre su mayor logro periodístico y el hombre de *La Razón* se remitió a algo sucedido en los albores de la década del

## Hombres y nombres de Crítica

**R**oberto Arlt con las solapas cubiertas por la ceniza del cigarrillo que mantenía permanentemente encendido y colgado de su boca; Raúl González Tuñón parado sobre una silla en plena redacción, anticipando a sus compañeros su nuevo poema "Eche veinte centavos en la ranura" y Homero Manzi y Samuel Eichelbaum discutiendo para entender mejor la polémica Florida-Boedo son apenas tres de las infinitas fotografías posibles para ilustrar un pasado tan esplendoroso como el de *Crítica*.

Ulyses Petit de Murat reemplazó en la sección "Música" a Enrique González Tuñón e hizo con Borges la *Revista Multicolor de los Sábados*. Borges solía cautivarlo con la solidez de sus textos, pero también lo sacaba de quicio porque "a veces se pasaba una semana buscando el adjetivo justo. Un día tuve que decirle que no estaba hecho para el afiebrado ritmo de las redacciones", recuerda Petit de Murat. Carlos de la Púa (nacido Carlos Raúl Muñoz y Pérez, pero apreciado en el Río de la Plata como "El Malevo Muñoz") escribía sus notas en lunfardo canero igual que las "crónicas cotidianas en lenguaje malandra" que firmaba Luis Soler Cañás.

Los escritorios de la redacción eran metálicos y cuando se cerraban, las máquinas de escribir, que estaban pegadas a la tapa, quedaban embutidas en el interior. Sobre esas mesas cantaron desengaños, describieron injusticias y firmaron sus verdades y mentiras cronistas inmensos como Florencio Escardó y Nicolás Olivari, Máximo Sáenz ("Last Reason") y Pablo Rojas Paz ("El Negro de la Tribuna"). A Francisco Loiácono le decían "Barquina" (o "Barquinazo") y desde entonces nunca dejó de haber en una redacción alguien con ese apelativo o el de "Manzana" o "Manzanita". Fue allí donde, al lado de Diógenes "El Mono" Taborda, insuperable en sus caricaturas, Federico Ramírez le puso "Spaghetti" a "Popeye", y ese hallazgo de la traducción argentina recorrió el mundo.

En una estupenda nota evocativa sobre *Crítica* y el periodismo de los años 40 publicada en *La Opinión* en 1973, Aníbal Vinelli señala que en cada mesa había un personaje que irradiaba su inteligencia: Horacio Rega Molina, Roberto Noble (antes de hacer *Clarín*), Conrado Nalé Roxlo, Edmundo Guibourg, el vizconde de Lazcano Tegui, Sixto Pondal Ríos, Jacobo Fijman, Luis Cané y Raúl González Tuñón, que desde allí, disfrazado de ciruja, salió a investigar la vida de los desheredados en la zona del puerto.

40: "Hasta 1940 la gente compraba o vendía casas y los departamentos únicamente se alquilaban. Un día leyendo *Le Monde* me enteré de que en Francia había una ley de propiedad horizontal. Entonces hice desde el diario una gran campaña hasta que los legisladores elaboraron y sancionaron una ley de propiedad horizontal. Estaba seguro de que eso le iba a cambiar la vida a la gente, y no me equivoqué".

Junto a joyas del género del periodismo de historietas y de entretenimiento como *Tit Bits* y *Pif Paf*, en 1944 salía *Intervalo*, que adaptaba clásicos de la literatura y los convertía en cuadritos de historieta. "Era una forma de leer a Shakespeare sin asustarse, porque todavía se pensaba que la lectura incidía en la formación de los jóvenes", apuntó Eduardo Romano en una conferencia en 1996. "Salía la revista *Leoplán*, que acostumbraba a ofrecer a sus lectores una novela completa por edición, y *Vea y Lea*, que también traía literatura y que competía y convivía con *Sur*", agrega Romano. En los años 40 uno de los grandes aficionados a *Leoplán*, de editorial Sopena, era Gregorio Selser, con el tiempo un formidable investigador periodístico, que encontró en los variados textos de aquella publicación un modo de formación.

## El modelo Leoplán

Muchos evocan hoy la influencia que tuvo *Leoplán* sobre varias generaciones. Según evoca Pedro Orgambide, se la podía encontrar en la sala de espera de un médico, o en las peluquerías, tanto como en las bibliotecas populares. "Lo principal, de donde había tomado su nombre, era que proponía un plan para la lectura: leer con un plan. Recuerdo haber leído en *Leoplán* a autores rusos como Andreiev, Dostoievski, Tolstoi, Chejov, o franceses como Zola, Balzac o Maupassant. Pero la revista no terminaba en la literatura de divulgación o en el anticipo de libros. Recuerdo los aportes periodísticos de Carlos Selva Andrade o de Ernesto L. Castro y las entrevistas de Sergio Leonardo, que con precoz estilo hemingweyano narraba historias de vida de personajes famosos o desconocidos de la ciudad o del interior", recuerda, conmovido, Orgambide. Aunque alcanzó a conocer sólo la etapa final de la publicación, Sergio Sinay coincide en que *Leoplán* hizo una gran obra de divulgación cultural ofreciendo, sin cortes y con un criterio de edición muy avanzado, lecturas calificadas. En su casa familiar en Santiago del Estero se recibía la revista, de la que aprendió a fijarse en cómo combinaban fotos y noticias o para qué servían títulos y epígrafes. "*Leoplán* me metió en la cabeza una idea que todavía tengo: que las revistas también pueden servir para educar a la gente y que encima se pueden vender muy bien", dice Sinay.

## Cañones y periodismo

Media década es atravesada por un drama que implica profundamente al periodismo: la Segunda Guerra. El 4 de setiembre de 1939, Inglaterra y Francia rechazan un ultimátum de Berlín y le declaran la guerra a Alemania. Desde los cuarteles germanos se informaba que las fuerzas del Reich seguían su avance para completar la toma de Varsovia. Debajo de una fotografía en la que se ve la ciudad de Danzig cañoneada desde el mar, el corresponsal de *La Nación* en París, Fernando Ortiz Echagüe, despachaba desde la sede europea del diario ubicada en la avenida de los Campos Elíseos una crónica en la que transmitía el contraste entre la placidez de los que se reunían en el café de L'Alsace a tomar una cerveza y lo que calificaba como "la horrorosa pesadilla de la guerra". Ortiz Echagüe señalaba la actitud de paseo de la gente en una tarde de domingo tranquila y soleada "donde todos caminan serenamente pero llevando a un costado la mascarilla antigases".

Mientras duró la guerra, entre 1939 y 1945, se agudizaron las dificultades para conseguir papel y casi todos los diarios se vieron obligados a disminuir la cantidad de páginas y a reducir sus tiradas. Es en ese momento cuando en los barrios se difunde entre los vecinos la costumbre de prestarse los diarios, trámite en el que, incluso, intervienen los canillitas.

Los medios presionaron para que la Argentina se apartara de una neutralidad demasiado parecida a una ambigüedad intolerable. El tema estaba en discusión. El 16 de diciembre de 1941 el presidente Ramón S. Castillo –que asumió el cargo por enferme-

*Vea y Lea* y *Leoplán* traían literatura y tentaban a cautivarse con la lectura.

Ejemplar de *La Gaceta*, de Tucumán: otra vez la guerra.

dad de Roberto M. Ortiz– estableció el estado de sitio, y todas las garantías constitucionales, incluida la libertad de prensa, quedaron en vía muerta. Hasta ese momento los diarios no registraban debidamente una dramática realidad: la sociedad, que era mayoritariamente neutral, estaba dividida y enfrentada entre aliadófilos y pro nazis. En el país granero del mundo esas cosas se hablaban en voz baja. O no se hablaban.

Desde que los Estados Unidos le habían exigido al presidente Castillo el cese de la neutralidad, no fue sencillo para nadie observar, y demostrar, una posición equidistante. Muchos de los que no estaban cerca de ninguna de las dos fuerzas en pugna fueron acusados de nazis. Los nacionalistas nativos, cuyo ideario antiimperialista los hacía rechazar tanto lo inglés como los avances de Hitler, fueron automáticamente estigmatizados co-

## Breves de la década

- Según se desprende de su autobiografía, a los 14 años se inicia como periodista en el diario *El Mundo* Bernardo Neustadt, introducido por uno de los secretarios de redacción del diario, Octavio Palazzolo. Debuta el 6 de octubre de 1940, en la sección deportes, haciendo la crónica de un partido del ascenso.

- En aquellos años se estrena en el mundo El gran dictador: "Mala es la posición adoptada por el Poder Ejecutivo en lo que se refiere a la censura cinematográfica. Su insistencia en mantener la decisión de que no sea exhibida *El gran dictador* (película de Charles Chaplin que sí se exhibió en Montevideo y en Colonia, por lo cual cada fin de semana centenares de personas cruzaban el río para verla) carece de fundamento legal y choca, además, contra los sentimientos públicos", señala el diario *La Prensa*.

- En aquellos años el Círculo de la Prensa organizó un concurso nacional sobre la histo-

ria del periodismo argentino. Los tres textos seleccionados, firmados por Oscar Beltrán, Juan R. Fernández y C. Galván Moreno, siguen siendo muy apreciados por todo aquel que busque información sobre la trayectoria de la prensa escrita en el país.

- Se inaugura la modalidad de calificar la actuación de los jugadores de fútbol, iniciada por el cronista Chantecler, en *El Gráfico*.

- La primera revista que sacó una hoja desplegable, a la manera de un póster, fue la humorística *Cascabel* en 1941. Se trataba de fotografías color de actrices extranjeras cedidas en ese entonces por las distribuidoras de cine.

- Comienza a circular como boletín de información económica, con venta exclusiva por suscripción, el *Economic Survey*, dirigido por Rodolfo Katz, un alemán naturalizado argentino, llegado al país en 1936. Al poco tiempo se le reconocía su excelente información, su influencia y una venta de 6.500 ejemplares semanales.

mo pro germanos. En el periódico *La Maroma* se reseñaban irónicamente algunos modos de ganarse el sambenito de germanófilo: "Si usted afirma que los frigoríficos son cuevas de ladrones que están robando a los ganaderos argentinos; si usted afirma que la CHADE (empresa de electricidad) cobra el kilovatio hora cinco veces el valor de lo que le cuesta producirla; si usted afirma que la Patagonia está íntegramente en manos de ingleses; si usted afirma que los ferrocarriles cobran fletes abusivos...". Quien años más tarde sería el fundador de *Clarín*, Roberto Noble, también recibió acusaciones de pro nazi (desmentidas por sus biógrafos, con la excepción de Francisco Llano) por haber sido ministro del conservador Fresco, motivo por el que estuvo incluso distanciado de su hermano, el político demócrata progresista Julio Noble, pro inglés durante la guerra y en otros momentos.

Los grandes diarios fueron, en general, aliadófilos (*Crítica* llegó a rechazar publicidad de empresas vinculadas a Roma y a Berlín), pero en los kioscos era posible conseguir numerosas publicaciones que se referían abundantemente a "la cuestión judía" –*Clarinada, Choque, Momento Argentino, Cabildo, Nueva Política*– y cuyas probables fuentes de financiación pasaban cerca de un organismo vinculado a la embajada germana, el Gauleiter Bohle. Del mismo modo, una vasta cantidad de literatura clandestina cercana a las posiciones aliadas también aparecía y desaparecía de los kioscos.

Cuando Mussolini cae en Italia, el presidente de facto Ramírez entrega precisas instrucciones sobre el tratamiento de la información. Finalmente, el 31 de diciembre de 1943 reglamenta por decreto la actividad periodística. Los editores debían presentarse a una oficina de publicaciones para aclarar no sólo lo que podían o no podían publicar, sino el origen de sus fondos y hasta copias de la memoria y balance de los últimos años. Las empresas periodísticas tomaron esto como una clara señal de hostigamiento, lucharon contra las medidas y lograron que a los tres meses el reglamento se derogara.

El 26 de enero de 1944 Ramírez rompió relaciones con las potencias del eje Alemania-Italia-Japón, pero recién el 27 de marzo de 1945, cuando faltaban menos de dos meses para que terminara el conflicto, el entonces presidente Edelmiro J. Farrell declaró la guerra.

El 26 de abril de ese mismo año, por primera vez desde su aparición en 1869, el diario *La Prensa* no llegó a la calle: se lo impidió un decreto del Poder Ejecutivo que lo sancionaba por el elevado tono que tenían sus críticas hacia el poder. La justificación que se esgrimió era tan insólita como débil: "Nosotros respetamos la libertad de prensa. Lo que no toleramos es la realización de campañas que desorientan a la opinión pública". Muchos de los sectores nacionalistas que habían soñado con la salida militar dura ahora clavaban su mirada en una figura que ascendía de un modo imparable desde 1943.

## En primera persona

- PEDRO ORGAMBIDE: "La gente iba como en procesión a leer en los tableros de *La Prensa*, en la Avenida de Mayo, o en los de *La Nación*, sobre la calle Florida, las noticias de la Segunda Guerra. Me acuerdo un día en que yo, que iba dejando atrás la adolescencia, huía de los gases lacrimógenos de la policía que había reprimido una manifestación en el centro. Me refugié en una lechería en donde por casualidad también estaba el poeta José Portogalo, mayor que yo y amigo de mi familia. Portogalo estaba en una mesa con otro señor que resultó ser nada menos que Raúl González Tuñón. Yo sabía de memoria muchos poemas de Tuñón, pero esa tarde le recité uno mío, lo cual se convirtió en contraseña para que yo pudiera ingresar en el periódico *Orientación*, que era político pero tenía un suplemento literario excelente. En el camino yo había perdido a un muchacho grandote y delgado, que era un poeta incipiente: se llamaba Jacobo Timerman. Los dos admirábamos y difundíamos a un joven poeta mendocino desconocido en Buenos Aires llamado Jorge Enrique Ramponi."

- JACOBO TIMERMAN (1987): "En 1943 yo tenía 20 años. Ahí empieza en la Argentina un proceso totalitario que hizo muy difícil el ejercicio del periodismo. Hasta ese momento, gobiernos radicales y conservadores habían asegurado un periodismo para todos los gustos. En 1943 la embajada alemana financiaba la salida del diario *El Pampero*. Y eso se agravó cuando vino Perón: empezaron a circular listas negras y todo se hizo bajo la presión de una enorme irracionalidad. Necesitaba trabajar desesperadamente y gracias a unos amigos entré a la sección 'Carreras' de *Noticias Gráficas*. Nunca había pisado un hipódromo, pero, bueno, de alguna manera me las arreglé."

- JULIA CONSTENLA: "Los estudiantes socialistas y comunistas salimos a festejar la conclusión de la Segunda Guerra y la liberación de París con la bandera de los aliados. Cuando pasamos frente al edificio de *Crítica*, desde el diario nos acercaron una bandera que a los manifestantes nos faltaba: la roja con la hoz y el martillo. En esa manifestación fui testigo de la muerte del estudiante Aarón José Salmún Feijóo y a los pocos días, un muy joven Rogelio García Lupo, de quien con los años me haría gran amiga, estaba a metros de donde cayera Darwin Passaponti, en un mitin de estudiantes nacionalistas que se habían reunido para repudiar el fin de las acciones bélicas."

El coronel Juan Domingo Perón había prestigiado el significado político del Departamento de Trabajo y lo había hecho crecer hasta convertirlo en Secretaría. Ya durante la presidencia de
Edelmiro J. Farrell, Perón había sido nombrado ministro de Guerra y, desde el 7 de julio de 1944, vicepresidente de la Nación.
Les gustara o no, los grandes diarios debían aceptar que este
nombre y este hombre se había metido para siempre en sus destinos. Para bien y para mal.

## Entre El Pampero y La Vanguardia

Para muchos era una publicación inequívocamente fascista. Y
nazi. Pero había quienes consideraban que era "la otra" versión
periodística de la guerra, el diario donde se publicaban informaciones que los grandes diarios ignoraban. Se llamaba *El Pampero* y salió durante la Segunda Guerra Mundial.

El 4 de junio de 1943 *La Vanguardia* ya tenía más de medio siglo como orgulloso órgano del Partido Socialista de Juan B.
Justo y se había destacado, durante décadas, por hacer un periodismo militante, sin dobleces, al servicio de grandes causas
nacionales. En la Argentina de la época de la guerra, *El Pampero*
y *La Vanguardia* fueron dos expresiones periodísticas opuestas,
ambas con fuerte contenido político.

Pedro Orgambide evoca a *El Pampero*: "Era urticante para la
época, y a veces se ponía muy estúpido, como le pasa a cualquier diario sectario. Y era fascista en un momento en que cierto nacionalismo de derecha se teñía inevitablemente de antisemitismo. En mi barrio sólo lo compraba el zapatero italiano, que
era muy buena persona pero admiraba a Mussolini". Desde
1943 *El Pampero* apoyaba las tendencias golpistas de las Fuerzas
Armadas y desde una ideología de extrema derecha nacionalista (a la que no era ajeno cierto antisemitismo de la época) ostentaba una posición abiertamente germanófila. En un estudio sobre el periodismo argentino, C. Galván Moreno afirma que el
vespertino era costeado por la embajada alemana. "Este diario
–agrega– no mide el tono de sus artículos y, so pretexto de decir
la verdad, cae muchas veces en excesos y violencias. *El Pampero*
es la expresión genuina de la prensa que en una hora gris para

nuestra patria, encabezó Dorrego hacia 1828 y nos dio como fruto la falaz tiranía que agotó al país por más de veinte años."

## Al mal tiempo, buena cara

En 1942 en la revista satírica *Cascabel* el escritor Carlos Warnes hace por primera vez el personaje "César Bruto". En 1943, Lino Palacio crea –inspirado en la empleada de su abuela, una de cuyas máximas hazañas era pretender barrer las escaleras de abajo hacia arriba– a "Ramona", doméstica gallega e ignorante. El 16 de noviembre de 1944 un dibujante que acababa de pegar el portazo en *Patoruzú*, llamado José Antonio Guillermo Lares Divito sacó una publicación que convocó con éxito a todo el humor costumbrista argentino: *Rico Tipo*.

Afirma Adriana Isabel Aboy, en un premiado trabajo sobre *Rico Tipo* y la trayectoria de Divito, que con su tira "El Otro Yo del Doctor Merengue" el dibujante se adelantó por lo menos 25 años al auge del psicoanálisis en Buenos Aires. Pero con muchas otras cosas Divito hizo sociología involuntariamente y practicó un registro del costumbrismo porteño y de la cultura barrial como pocos lo hicieron.

Las chicas que Divito creaba sobre papel –y que Dante Quinterno le censuró por considerar que desafiaban la moral media de la época–, de caderas portentosas y cintura pequeñísima, con la cola y los pechos apretados y la melena suelta, craron un prototipo femenino para siempre, así como en los tiempos de los

## Breves de la década

- La composición en caliente, sobre plomo, comienza a ser reemplazada por la composición en frío, también denominada "fotocomposición". Los textos se convierten en películas, con éstas se hacen planchas y se imprime. El proceso se mejora a partir de 1946.
- Aparece la revista *Mucho Gusto*, un muy completo intento para la época, editada por el legendario Jacobo Muchnick y dirigida por Mercedes Miranda Clemens, Sergio Gurevich y, más adelante, por Vera Pichel. El 80 por ciento de su contenido consistía en recetas de cocina, lo que evidencia que estaba dirigida a la mujer que se quedaba en el hogar. Antes de cumplir el primer año comenzó a publicar tests: "¿Es usted una buena esposa?", "¿Es usted un buen esposo?".

petiteros impuso una apariencia masculina particular: "Saco cruzado de un solo botón, larguísimo, con solapa larga y ancha y pantalones anchos y de talle alto". Los personajes de sus tiras cómicas, "Pochita Morfoni", "Fúlmine", "Falluteli" y "Bómbolo", así como los de otros realizadores –"Afanancio", "Fiaquini" o "Piantadino", de Mazzone; "Amarroto", de Oski o "Juan Mondiola", de Seguí y Bavio Esquiú–, fueron inmediatamente adoptados por el pueblo para denominar humorísticamente a personas con esas características.

Oscar Conti (Oski) y Carlos Warnes (César Bruto) hacían el famoso diario *Versos & Noticias*, y también pasaron por *Rico Tipo* otros genios del humor escrito y dibujado como Ferro, Mariano Juliá, Battaglia, Horacio S. Meyrialle, Toño Gallo, Pedro Seguí, Abel Ianiro, Rodolfo M. Taboada, Conrado Nalé Roxlo, Fantasio, Billy Kerosene, Manuel A. Meaños, y ya en el peronismo, la presencia de Alejandro del Prado –"Calé"–, cuyas páginas costumbristas parecían tangos. En poco tiempo, *Rico Tipo* trepó a los 300.000 ejemplares de venta semanal.

En 1945 el estudiante de derecho Juan Carlos Colombres acababa de interrumpir por motivos políticos una larga carrera en Tribunales. En aquel entonces, quien había elegido como seudónimo el nombre de un famoso criminal francés ("Landrú") no se sentía del todo comprendido. Los lectores no decodificaban ese humor entre sutil y absurdo, y hasta los avisadores de *Don Fulgencio,* donde publicaba, se quejaban de él, porque era excesivamente novedoso y hasta surrealista.

En su primer chiste, publicado en 1945 en *Don Fulgencio*, Landrú dibujó a un hombre y una mujer: "Matilde, te amo", le confesaba él. "Yo también", respondía la mujer. "Caramba, las cosas empiezan a complicarse", remataba el enamorado. "Estoy deseando que nazca mi hijo para saber cómo se llama", decía una mujer embarazada en otro chiste de Landrú. A pesar de no alcanzar a todos con el mismo impacto, el humorista llegó a figurar en 13 publicaciones distintas de la época. Por ejemplo, en la revista *Vea y Lea* escribía la sección "Las Grandes Encuestas", donde los políticos aparecían con el nombre deformado. Al dirigente radical Arturo Frondizi, Landrú lo rebautizó "Artizi Fronduro", a partir de lo cual mucha gente pasó a nombrarlo así.

El Pampero. Para muchos
era inequívocamente fascista.

Las impactantes chicas de Divito.

Una de las primeras tapas
de la legendaria publicación.

# Y el Clarín *estridente sonó...*

El 28 de agosto de 1945, con la escena informativa claramente dominada por la posguerra ("Todavía arde Nagasaki por efectos de la bomba atómica", advertía la primera tapa), el periodista Roberto Jorge Noble, ex disidente del socialismo en la década del 20, fundador del socialismo independiente, ex ministro de Interior del gobierno conservador de Manuel Fresco en la provincia de Buenos Aires de los años 30 y estanciero, sacó *Clarín*.

"*Clarín* no tiene vinculaciones ni compromisos con ninguna de las agrupaciones políticas tradicionales. Desde que es y será un diario informativo e independiente, no podría tenerlas. El único y exclusivo compromiso que contrae es con la nación y consiste en reflejar exacta y objetivamente los hechos de la vida colectiva, analizarlos, juzgarlos a la luz de la verdad y de las conveniencias nacionales", afirma su primer editorial.

Con muy pocas personas, en un departamento de dimensiones reducidas de la calle Moreno, cerca de Once, sin imprentas propias, *Clarín* salió a la calle con la idea de apoyar los cambios de un país tradicionalmente agrícola-ganadero que ahora aspiraba a hacerse fuerte en grandes, medianas y pequeñas industrias y a desarrollarse más dentro de fábricas que en el campo. Del lanzamiento participó el primo de Noble, Enrique Viacava, y el diagramador Andrés Guevara, que ya había intervenido en el diseño de *Crítica* y que en octubre de 1947 colaboraría en la elección y elaboración del isotipo definitivo, el célebre muñequito que todavía hoy preside la tapa del diario.

Armando Lena se ocupaba de la administración y Horacio Maldonado, de la publicidad. Antonio Rey era el gerente y los primeros grandes nombres de la redacción fueron Norberto Ezeiza, que figuraba como director; el gordo Juan Carlos Petrone, afamado periodista de *Crítica*; el poeta Lizardo Zía, que desde el primer día arrancó con "Clarín Porteño (Notas del Amanecer)"; Isidoro de la Calle, formado en *La Vanguardia* y que venía de ser jefe de prensa del ministerio de Noble en la provincia de Buenos Aires; el extraordinario escritor y traductor León Mirlás; Horacio Estol; el poeta José Portogalo; Luis Cané y Roberto Caminos, entre otros. La única gran decisión era sacar el diario y que fuera un matutino cuya opinión se mantuviera vigente durante toda la jornada. El resto era una enorme incertidumbre. Como escribió Diego Lucero en un artículo, *Clarín* "se escribirá en las mesas de café; se compondrá donde se pueda, se imprimirá donde haya una rotativa ociosa; se distribuirá si es que hay canillitas capaces de responder a aquella divisa que enmarca el título: 'Un toque de atención para la solución argentina de los problemas argentinos'".

Según indica Francisco Llano, integrante de la redacción inicial, con unos pocos pesos Noble mandó a comprar dos docenas de mesas de madera de poca calidad y ocho máquinas de escribir. Al poco tiempo, como no alcanzaban, hubo necesidad de alquilar otras ocho. "Era cosa de reír o de llorar, en los primeros tiempos, ver a la gente de redacción invadir las dependencias administrativas alrededor de las 19 horas para lograr una máquina para escribir la nota", recuerda Llano. Con el dueño de *Noticias Gráficas*, José W. Agusti, Noble negoció imprimir el nuevo diario en sus talleres. Sólo hubo que agregar dos cosas: un nuevo juego de tipografía para cada rotativa y un tintero especial del que salía la tinta roja con que se identificaba la marca del diario.

Para financiar el proyecto, Noble había vendido una costosa estancia en terrenos pampeanos y con el dinero obtenido invirtió en bobinas de papel que, en ese momento, al finalizar la Se-

---

## *Ficha técnica:* **Clarín**

**M**arca: "Clarín" era una pequeña revista gremial de viajantes de comercio que comenzó solicitando 10.000 pesos de la época por ceder el título, pero finalmente aceptó la mitad de esa cifra.

Tirada inicial: 150.000 ejemplares, que ese día fueron entregados sin cargo a los recorridos.

Precio: 5 centavos, la mitad del precio de los otros diarios.

Formato: Tabloide (inspirado en el londinense *The Mirror*). Se editaba en las rotativas de *Noticias Gráficas*.

Gráfica: Color rojo en el logotipo de tapa y en los títulos de algunas secciones. Redujo los espacios e hizo más clara la diagramación. En contratapa, una selección de fotografías de agencias internacionales y alguna nacional, pequeños comentarios y la historieta "Fúlmine", de Divito.

Cantidad de páginas: 20, incluidas una página de deportes y dos de espectáculos.

Inversión inicial: 1.600.000 dólares. El periodista Julio Ramos estima que sacar el diario en 1945 costó aproximadamente 1.250.000 dólares, lo que en 1993 equivaldría a 9.500.000 dólares.

gunda Guerra, era tan valioso como un metal precioso. Todos los que se enteraban de su decisión le insinuaban que se trataba de una verdadera locura. "Si yo fuera propietario de un diario, lo vendería para comprar una estancia, ¡y usted vende una estancia para fundar un diario!", le señaló alguien cercano. Noble siguió adelante y el primer día vendió 60.000 ejemplares. Como concepto periodístico, inculcó a su equipo la necesidad de recoger las pulsaciones y vibraciones de la gente, según decía, en el mismo estilo en que cada tarde el presidente doctor Roberto M. Ortiz, en los años iniciales de la década del 40, preguntaba a sus colaboradores: "¿Qué dice la calle?". Tal fue, en efecto, el título de una famosa sección del diario. También lo alentaba a Noble otra meta: "Tenemos que llegar a tener tantos avisos clasificados como *La Prensa*, porque en este país nadie está oficialmente muerto si su aviso no aparece en *La Prensa*". El director sabía de qué hablaba. En 1947 *La Prensa* vendía 288.000 centímetros por mes en avisos clasificados, lo que significaba el 80 por ciento de su recaudación publicitaria. Durante largo tiempo, Noble hizo publicar en páginas preponderantes un aviso de 10 centímetros que en pocas líneas y con humor contaba insólitos casos de permuta: por ejemplo, un hombre que había canjeado un viejo violín por dos neumáticos de automóvil.

## ¿Por qué Clarín se transforma en un éxito?

Entre 1945 y 1950 las acciones e influencia del diario subieron tanto como sus ventas y su popularidad. Veamos algunos de los elementos que lo diferenciaron de los otros medios en esos años:

- Cada madrugada llegaba a los lugares de venta de Capital Federal antes que los otros matutinos. En los primeros años renunció a pelear la plaza del interior del país.
- Apeló básicamente a los temas locales, y comenzó a darles fuerte importancia a secciones como "Deportes" y "Espectáculos", que otros desechaban por considerarlas banales o populacheras.
- Sumó fama de independiente durante el primer gobierno de Perón. En 1948 lo clausuraron por unos días por una fútil

infracción de los reglamentos laborales. Tuvo que luchar con las mezquinas cuotas de papel que desde 1948 impuso el gobierno peronista.

- En un principio, el peronismo no controló excesivamente al diario porque no se le reconocía poder, pese a su circulación y ventas, permanentemente en alza.

## Los muchachos de la reventa

Los llamaron "canillitas" porque usaban unos pantalones cortos que les dejaban al descubierto las "canillas" (pantorrillas). En su sainete *Canillita* estrenado en 1902, Florencio Sánchez les había conferido entidad desde la literatura y el teatro. Allí le hacía decir a un pibe de piernas flacuchas al desnudo: "Soy canillita, gran personaje, con poca guita y muy mal traje, pregonando los diarios cruzo la calle, y en cafés y bares le encajo a los marchantes diarios a mares".

### Perfil: Roberto J. Noble

Nació antes de que terminara el siglo XIX y desde chico su corazón estuvo cerca del socialismo. Antes de recibirse de abogado en 1928, junto a otros políticos como Federico Pinedo o Antonio de Tomaso protagonizó una escisión del Partido Socialista de Juan B. Justo, en cuyo diario *La Vanguardia* había dado sus iniciales pasos periodísticos. Fundador del socialismo independiente y del periódico militante *Libertad*, representa a esta fracción al llegar a diputado en 1928. El golpe de Estado del 30 lo deja sin escaño. En 1936 se convierte en ministro de gobierno cuando la provincia de Buenos Aires queda a cargo del conservador Manuel Fresco. Durante su mandato realiza una tarea interesante en el campo de la educación y en la edificación de escuelas. También contribuyó a la edificación del Hotel Provincial y el Casino de Mar del Plata, y a la puesta en marcha de *LS11 Radio Provincia*. Otra iniciativa suya que cada año se recuerda es haber ayudado a la sanción de la ley 11.723, de derechos de autor, que protege la propiedad intelectual.

En 1939 abandona la actividad política partidaria y se refugia en unos campos de su propiedad. Allí, el hombre que había pasado por *La Nación* y por *Crítica* comienza a delinear el proyecto del diario propio que concretará en 1945. El periodista Francisco Llano lo pinta como un hombre tan generoso como arbitrario: regaló decenas de departamentos y autos a sus colaboradores, se hizo cargo sin que se supiera de infinidad de velorios e internaciones de su personal y de sus familiares, pero, según afirma Llano, se molestaba cuando sus subordinados no se vestían de acuerdo con sus propios cánones de elegancia.

"El tango y el canillita tienen un alma común: ambos se hicieron de la calle y en la esquina".

Primer editorial y tapa inaugural del diario de Roberto Noble.

El diario *La República*, fundado en 1873 por el chileno exiliado Manuel Bilbao, es el que inicia el sistema de distribución rompiendo la costumbre de que los ciudadanos tuvieran que llegar hasta los talleres o redacciones a retirar su ejemplar. Bilbao muere en 1895 pero deja una incipiente organización para la venta de diarios en Buenos Aires y su periferia, basada en transportes a caballo. Ya existían chicos que iban de un lado a otro, encima de chatas y de mateos, así como tiempo después se los vería colgados con su mercancía de los *tranways* o, más tarde, de los "bondis".

En 1915 se iniciaron formalmente los recorridos: a cambio de unas monedas algunas personas trasladaban los bultos de impresos hasta los puntos de venta para que los canillitas los vendieran o los repartieran. La revista *El Boletín* descubre en un número de 1995 que "el tango y el canillita tienen un alma en común: ambos se hicieron en la calle y en la esquina". La investigación rescata la figura del canillita como personaje de la vida, la cultura y la picaresca de Buenos Aires y las grandes ciudades. "La presencia del diario *La Prensa* en los tangos de los años 20 y 30 es una constante, no sólo por la importancia del matutino sino porque la vereda de su sede de Avenida de Mayo era el escenario del trabajo nocturno de los canillitas de entonces", señala, y añade una cuarteta del tango "Viejo canillita", de Jorfer y De Ángelis: "Viejo canillita que rifás tu esfuerzo / por cuatro centavos que no han de servir / vos sos el poeta que brinda su verso / sabiendo que nunca lo van a aplaudir". Personajes notables, al principio vivían dentro de los grandes diarios, en los que llegaron a tener tanto ascendiente y dominio como cualquier periodista importante, si no más.

El 30 de octubre de 1945 nace la Sociedad de Distribuidores de Diarios y Revistas de la Argentina (SDDRA) y desde ese acto constitutivo quedan en la historia apellidos y apodos como los de Taboada, Peco, Pepe, Caruso (Francisco Prieto), Rubbo, Iervasi, Cosenza, Ferraro, Casas, Barril, Riccio, Vaccaro, Cuello, Ayerbe y tantos más. Juntos alcanzaron objetivos que parecían milagros; por ejemplo, lograron que se unificaran los porcentajes de ganancias y que los diarios pusieran horarios de salida a sus ediciones. En 1945, *La Prensa*, que era el más grande, salía a las 4:30; una hora después empezaban a aparecer los otros. Pero nada era seguro: "Se corría de un diario al otro, sin organización, y el que llegaba primero ganaba", afirma un testigo. La lucha por los espacios era cruel: "Vendedores que venían a ocupar nuestra zona [...] era como en la guerra. Había que sacar como fuera al invasor", afirma un veterano de la sociedad de distribuidores, la que no sólo estableció un orden y reglas de juego claras, sino que logró darles un poder innegable a los canillitas, tal vez más en las sombras que el poder de un empresario periodístico, pero de tanta o mayor llegada en los niveles influyentes.

## Aquel 17 de octubre

Antes de la pueblada que le abriera las puertas del poder al coronel Perón, *La Prensa*, *La Nación* y *El Mundo*, entre los matutinos, y *La Razón*, *Crítica* y *Noticias Gráficas*, entre los vespertinos, mantenían una posición hostil al gobierno del general Farrell y al hombre del día, el ascendiente coronel que de director de Trabajo y Previsión se convertiría en líder del mayor movimiento de masas del siglo. Un diario como *Crítica*, aunque había dado numerosas pruebas de olfato popular, no advirtió, en un principio, el significativo cambio que se venía. En la tarde del 17 de octubre de 1945 su título principal rezaba: "Grupos aislados que no representan al auténtico proletariado argentino tratan de intimidar a la población". En la misma tarde el titular de *La Razón* le restaba toda espontaneidad a la movilización: "Grupos armados obligaron a abandonar el trabajo a los obreros de diversas fábricas", mientras que el de *Noticias Gráficas* parecía dictado por la precaución: "Agitada reunión frente a la Casa de Gobierno". El diario de la tarde más nuevo había aparecido hacía menos de un mes y tomaba posición. Con tono de proclama, *La Época* sostuvo: "Perón fue ungido presidente por un millón de argentinos en Plaza de Mayo". *Clarín*, que llevaba apenas setenta días en la calle, no apareció el 18 de octubre. *La Nación* calificaba la del día anterior como una "inquieta jornada"; *El Mundo* afirmaba: "Compulsivamente provocóse el paro de actividades en localidades bonaerenses", en tanto *La Prensa* traía las renuncias de los ministros de Guerra y Marina y la información de que, desde los balcones de la Casa de Gobierno, "hablaron el primer magistrado y el coronel Perón".

## Presentes

Bernardo Neustadt tenía 20 años cuando le tocó cubrir los acontecimientos del 17 de octubre de 1945. Su crónica de la movilización
popular, producto de lo que había observado en las calles, no fue
publicada porque los editores de *El Mundo* la consideraron tenden-
ciosa. Según afirma su biógrafo Jorge Fernández Díaz, Neustadt
quedó vivamente impresionado por el acto y ese día se hizo peronista. El imparable ascenso de Perón hacia la presidencia de la Nación coincidió con el ascenso del periodista dentro del diario, pues
en ese momento pasó de cronista "en capilla" a periodista acredi-
tado en el Parlamento. En su autobiografía, Neustadt dice que, tras
leer los diarios de las 48 horas siguientes del movimiento, se dio
cuenta de que "el periodismo equilibrado no existía".

A los 13 años, Rogelio García Lupo comenzó a leer prensa política partidaria e inició una militancia en la Alianza Libertadora Nacionalista en donde, entre otros, tenía como compañero a
Rodolfo Walsh, también muy joven entonces. En 1996, García Lupo admite que a través de sus lecturas recibía "influencias ideológicas contradictorias". Pero el 17 de octubre de 1945 integró la
columna de muchachitos nacionalistas que marcharon hacia Plaza de Mayo seguros de que "allí pasaba algo que valía la pena".

En 1960 el diputado Eduardo Colom, propietario del diario
*La Época*, reveló a la revista *Ché* que aquella mañana delegacio-
nes diversas y grupos de trabajadores habían llegado hasta la redacción del diario, en Moreno al 500, dispuestos a todo por

## Descamisados

Acerca de la utilización inicial de la palabra "des-
camisado", hay versiones encontradas. Algunos
afirman que fue el diario socialista *La Vanguardia*
el que la publicó por primera vez tras el acto del
17 de octubre de 1945; lejos de molestarle, a Perón
le pareció pertinente y se la apropió. En su antología del humor político, Faruk sostiene que el
término fue incluido el 18 de octubre de 1945 en
la sección de comentarios políticos titulada "Qué
dice la calle", de *Clarín*. El columnista definió a los
asistentes como "un grupo de descamisados".
Finalmente, otras fuentes atribuyen el padrinaz-
go del término al diario *Crítica*, cuyo director, Raúl
Damonte Taborda, yerno del extinto Natalio
Botana, en un mal cálculo político supuso que el
coronel Perón no pasaría la prueba del 17 de
octubre. Al día siguiente publicó una fotografía
en la que se veía a partidarios de Perón en las
calles y le agregó, con intención peyorativa, el
calificativo de "descamisados".

conseguir el regreso de Perón. A las dos y media de la tarde del 17, *La Época* llamó al pueblo a concentrarse en la Plaza de Mayo y a no moverse de allí hasta que Perón fuera puesto en libertad. Ante una multitud cada vez más exaltada, a Colom le tocó decir por micrófono: "El general Ávalos me ha dicho que el coronel Perón está en libertad. Yo no lo creo y ustedes tampoco. Les pido que permanezcan aquí hasta que el propio coronel venga a decirnos que está libre". Finalmente, Perón pudo aparecer en público al anochecer de ese día demasiado agitado. Unos meses después, al conocerse la noticia de que habría elecciones en 1946 y el candidato presidencial sería Perón, hubo, claramente, mayoría de diarios cercanos a las posiciones de la Unión Democrática y muy pocos se jugaron por el coronel, ya vinculado sentimentalmente con la actriz Eva Duarte. Desde diciembre de 1945 diarios como *Democracia* o *Tribuna* y revistas como la humorística *Descamisada*, opuesta ideológicamente a *Cascabel*, eran de los pocos medios decididamente enfrentados a la Unión Democrática. Peronistas de la primera hora fueron, entre otros, los periodistas José Gobello, Valentín Vergara, Mauricio Birabent, Fermín Chávez, Jorge Ricardo Masetti, José María Fernández Unsain y Lizardo Zía. Sostiene Francisco Llano que a la salida de *Clarín* existía la impresión de que venía "para hacer la campaña peronista... Pero nos embarcamos con Tamborini-Mosca, no por radicales, porque no éramos políticos, sino para aventar la anterior impresión".

## Qué, *otro hito*

Cuando, en agosto de 1946, apareció *Qué Sucedió en Siete Días*, hacía ya 23 años que salía el semanario norteamericano *Time*, publicación que la inspiró para forjar su idea matriz: poner en orden para los lectores lo que ocurría, aclarar esos hechos, interpretarlos y ubicarlos siempre en un contexto. Una circular interna de la redacción decía: "Ya no basta el relato de los hechos: hay que señalar causas, consecuencias, significados, importancia, origen, proyecciones. Se entiende por hechos no sólo lo que les sucede a las personas sino también lo que ha sido objeto de exposición verbal o escrita, opinión emitida, teoría expuesta en libros o artículos publicados". Para su momento la revista constituyó una

Perón y Evita en una imagen de la época.

En agosto de 1946 apareció *Qué Sucedió en Siete Días*.

Hombres y mujeres del 17 de octubre de 1945.

gran novedad porque fue de las primeras que demostró capacidad de formar opinión. Hasta que fue clausurada, durante el primer gobierno peronista, llegó a vender 100.000 ejemplares por semana. Baltasar Jaramillo, su fundador y director, era un abogado, ex dirigente universitario, de apellido y pasar acomodados y con tendencias izquierdistas. Un año después de su salida, el semanario había tomado un inocultable sesgo antiperonista y en el número 57 desafió al régimen poniendo en negro sobre blanco lo que era un secreto a voces en el ambiente artístico y en el político: le habían dedicado la tapa a Libertad Lamarque, enemistada con Eva Duarte, ahora esposa del presidente Perón. La policía secuestró la edición y poco tiempo después Jaramillo tomó la decisión de suicidarse.

En la revista *Qué,* Dardo Cúneo fue compañero de periodistas, intelectuales y especialistas como Rogelio Frigerio y Ricardo Ortiz (responsables de la sección "Economía"), el filósofo Vicente Fattone y Julio Payró –que era el crítico de artes plásticas–. También colaboraban Gregorio Verbitsky, Marcos Merchensky, Jacobo Timerman, Manuel Peyrou, Ernesto Sabato, Mariano Perla, Raúl Scalabrini Ortiz y Héctor Cuperman. Cúneo piensa que la idea matriz era hacer una revista que mostrara los grandes problemas nacionales (en la economía, el campo, la industria pesada, la industria liviana), tratados desde una perspectiva ya desarrollista.

"En 1945 yo era antiperonista. Y lo soy todavía –dice Cúneo en 1996–, pero nunca fui gorila. Y lo mismo podría decir de la revista, que lo que buscaba era dar una información que no dieran los diarios, hacer un periodismo distinto."

Como novedad, *Qué* abría con la información local, aunque después la información internacional superaba en cantidad a la nacional, y cubría puntualmente la actividad del arte, la cultura y los espectáculos, a lo que se sumaban secciones como "Periodismo", "Radio", "Ajedrez", "Deportes" y "Moda".

## Perón y los medios

En su libro *Perón y los medios de comunicación,* el periodista Pablo Sirvén deja al desnudo el pensamiento del líder justicialista: "La prensa no debe ponerse en contra del gobierno sugiriendo cambios o transformaciones fundamentales en las más altas esferas del poder, porque de ese modo también ataca indirectamente a la libertad de expresión auspiciada por el partido. Los que se oponen al partido, se oponen asimismo a todas las libertades que la organización garantiza respetar. Y quienes se atreven a atacarlas, lo hacen desde una órbita distinta a esas libertades [...] La prensa al servicio de intereses mezquinos es socialmente injusta, vulnera la independencia económica y coarta la soberanía política", sostenía. Dice Sirvén que Perón basó su estrategia en relación con la prensa en algunos hechos: suspensiones y clausuras de variada naturaleza a diarios y revistas contrarios a la línea oficial, establecimiento de oficinas de prensa que terminaron instituyendo como única clase de información posible la religión de la gacetilla, al acoso legislativo a empresas, una creciente influencia y protagonismo de la Subsecretaría de Informaciones, la compra y neutralización de editoriales, la instauración de una verdadera cadena de diarios y revistas adeptos.

Cuando en 1946 llegó a la presidencia, Perón sólo contaba con un diario claramente identificado con su línea partidista: *La Época*. Cuando los militares lo derrocaron en 1955 manejaba una ca-

## En primera persona

- JOSÉ GOBELLO (1977): "En 1946 toda la prensa de Buenos Aires, que por entonces sumaba millones de ejemplares, apuntó sus cañones contra la candidatura del coronel Perón. El coronel solamente tenía dos pequeños diarios; uno de 7.000 ejemplares llamado *Democracia*, y *El Laborista*. Sin embargo, todos los grandes diarios del país no consiguieron cambiar la opinión del pueblo."

- JULIA CONSTENLA (1996): "Todo lo que ocurrió durante el peronismo fue muy mediocre. En esos años todo empeoró sensiblemente. Los diarios salían con groserías informativas. El diario más profesional era *Clarín*."

- JUAN VALMAGGIA (1977): "El régimen absurdo y arbitrario que todos conocimos después de 1946 tenía tanto respeto por la prensa que en

algunos casos trataba de comprarla y en otros, no pudiendo hacerlo, la sofocaba... Se formó una cadena de periódicos que, encuadrados en una parcialidad política, respondían ciega y servilmente al poder público."

- LUIS ALBERTO MURRAY (1996): "Cómo eran los diarios de entonces habría que preguntárselo al embajador Spruille Braden, que tenía poderosas influencias sobre toda la prensa argentina, desde *Crítica* hasta *La Prensa*. Perón llegó al gobierno en 1946, con todo el periodismo en contra. El periodismo, y muchos periodistas, se había jugado a muerte por la Unión Democrática. ¿Si hubo restricciones? Claro, pero es que la libertad burguesa tiene restricciones. De lo contrario hubiéramos vuelto a la Década Infame."

dena (la sociedad ALEA) integrada por *La Razón, Democracia, El La-borista, La Época* y *Noticias Gráficas*, además de cinco diarios del interior. Como diarios adeptos, aunque sin formar parte de la cadena, pertenecían a la vereda peronista los medios de la editorial Haynes (*El Mundo* y numerosas revistas), *Crítica* y *El Líder*. En cambio *Clarín, La Nación* y *La Prensa* quedaron fuera de ese cerrojo comunicacional. En 1972, antes de su último regreso a la Argentina, Juan Domingo Perón reconoció este detalle y aprovechó para reflexionar sobre el verdadero poder de los medios: "En 1955, cuando teníamos todos los medios a nuestro favor, los militares nos sacaron a puntapiés. Y en 1973, con todos los medios en contra, volvimos y ganamos las elecciones".

## Estado de tensión

La tensa relación entre Perón y los medios tiene su historia. A partir del golpe de Estado del 4 de junio de 1943 se extendió la costumbre de que las movilizaciones políticas de grupos de distintas ideologías culminaran con apoyos o con gritos hostiles, para ovacionar o para atacar, frente a los edificios de *La Prensa* y *La Nación*, o de *La Época* y *El Pampero*. En 1945 intentaron incendiar el estupendo edificio de la Avenida de Mayo y en setiembre de ese año, luego de la Marcha de la Constitución y la Libertad, el abogado Alberto Gainza Paz (que dirigía *La Prensa* desde 1943) fue detenido en Villa Devoto. Durante la campaña electoral que llevó a Perón a la presidencia en 1946, la natural tendencia antipopulista y de condena al caudillismo del diario de Paz lo llevó a apoyar a la Unión Democrática y a mencionar al coronel en sus editoriales como "el candidato no democrático". Sin embargo, contrariamente a lo que podría suponerse, no eran *La Nación* o *La Prensa* los ejemplos más elevados de oposición periodística. Entre 1943 y 1946 fueron prohibidas más de 110 publicaciones de todo el país por no aceptar las informaciones oficiales como las únicas que podían utilizarse. Algunas no salieron más, pero en muchos casos optaron por la clandestinidad, como el prestigioso diario socialista *La Vanguardia,* que sufrió numerosas y variadas persecuciones: cuando no molestaban a sus periodistas o secuestraban los materiales, los intervenían con argumentos que eran en realidad excusas de los inspectores municipales.

El historiador Félix Luna da cuenta del desigual centimetraje que diarios como *La Nación* y *La Prensa* le dedicaron a la información previa a las elecciones del 24 de febrero de 1946: un 90 por ciento estuvo dedicada a la Unión Democrática y el resto únicamente a dar noticias del rincón peronista. Otro dato curioso fue que la información final sobre los escrutinios finales de 1946 se prolongaron más de un mes y medio. Al cabo de esa fecha se supo que Perón había ganado con el 55 por ciento del electorado. La incontrastable rudeza de las cifras terminaba con cualquier especulación y finalmente se aceptó que Perón era desde 1943 el que, explícita o solapadamente, detentaba el verdadero poder.

Perón sostenía que el mundo de aquel entonces estaba dominado por dos grandes cadenas periodísticas: una, dirigida desde Nueva York por la Sociedad Interamericana de Prensa (SIP), de tendencia pro yanqui, y otra, pro soviética, parte de la maquinaria oficial rusa de propaganda. Desde una tercera posición, Perón opuso barreras concluyentes a la prensa opositora y generó un vasto aparato de propaganda propia. Estaba absolutamente persuadido de que *La Prensa* y *La Nación* no sólo eran órganos de la oposición, sino que, además, representaban a sectores clave de

## Breves de la década

- El 26 de julio de 1942, a los 42 años, muere de un infarto múltiple el escritor y periodista Roberto Arlt, dejando una obra literaria y periodística gigantesca cuyo sentido valorizarían los años. En la edición del 27 de julio el diario *El Mundo* publicó su última aguafuerte, titulada "El paisaje en las nubes".

- "La caricatura no depende de la fealdad o de la belleza, sino de algo que nos individualice. Encontrar ese algo es el milagro de este arte", declaró en 1945 el dibujante Ramón Columba, que entre 1907 y 1946 fue taquígrafo del Senado de la Nación y en los momentos de des-

canso se dedicaba a tomar apuntes de los legisladores, de frente y de perfil.

- "Se consideran periodistas profesionales las personas que realicen en forma regular, mediante retribución pecuniaria, las tareas que les son propias en publicaciones diarias o periódicas y agencias noticiosas...", comienza el artículo 2° de la ley 12.908 del Estatuto del Periodista Profesional sancionado el 8 de diciembre de 1946.

- En 1946, John Mauchey y Presper Eckert de la Universidad de Pennsylvania construyeron la primera computadora digital, que pesaba treinta toneladas y medía quince metros.

la oligarquía argentina y recibían aportes prebendarios de potencias extranjeras. Muchos años después, Rodolfo Walsh señaló que "en 1945 los diarios llevaban largos años de sujeción imperialista, opuestos al peronismo sin excepción [...] La iniciativa de crear una prensa propia correspondió al ala burguesa del Movimiento".

## Sentido del humor

Sostiene Jorge Palacio ("Faruk") que ya desde el año inicial del primer gobierno de Perón las publicaciones dejaron de incursionar en el humor político, que sólo conservaba un espacio: el del teatro de revistas. Pero eso, afirma Palacio, también fue por poco tiempo. El periodista y crítico cinematográfico Raimundo Calcagno ("Calki") comentó en *Rico Tipo* una película italiana que evidentemente no le había gustado. "El argumento es más falso que una declaración de bienes de un político", metaforizó el periodista, pero con tanta mala suerte que esa misma semana el presidente Perón había hecho su primera declaración jurada en la que afirmó que "vivía con 300 pesos al mes". Presiones oficialistas lograron que fuera despedido del diario *El Mundo*, de la revista *Rico Tipo* y de dos publicaciones más en las que colaboraba por "calumnias e injurias al presidente de la Nación". En esa circunstancia, el periodista y colega en la crítica de cine Miguel Paulino Tato, conocido por su seudónimo "Néstor", le facilitó su identidad aunque estaba en sus antípodas ideológicas, para que Calcagno pudiera seguir trabajando y cobrando.

En 1946 el gobierno peronista designa a Jorge Luis Borges "inspector de gallinas y conejos", una tarea que debía cumplir en una feria municipal porteña. Borges tenía otro puesto municipal, de más humilde jerarquía en el escalafón: auxiliar de biblioteca. Pero ya era un escritor admirable que había publicado algunas de sus grandes obras: *El idioma de los argentinos*, *Historia universal de la infamia* y *Ficciones*. Según recordó Homero Alsina Thevenet, Borges no aceptó el ascenso, y la revista *Sur* lo homenajeó en una edición especial titulada "Desagravio a Borges".

*El Laborista* y *La Época*, dos diarios peronistas.

Autocaricatura de
R. J. Columba

Braden o Perón.

## Los últimos años de la década

Cuando vio que era el único diario que no tenía ninguna restricción para conseguir y usar papel, "la contra" maldijo a *Democracia*, que había salido como tabloide en 1945 y reapareció, como matutino grande, el 2 de mayo de 1947. No por nada ese periódico era conocido en el ambiente como el diario de Eva Perón.

Para que sus materiales no quedaran afuera, a pesar de la reducción de páginas, *La Prensa* achicó la tipografía. Fue lo único que aceptó achicar, porque en materia de contenidos no dejó afuera nada de lo que podía irritar al gobierno peronista.

*Clarín* seguía su marcha ascendente y ganaba lectores en la clase media. Algunos periodistas de renombre en los años iniciales fueron Andrés Muñoz Sobrino, Edmundo Guibourg (como crítico de teatro), Luis Soler Cañas, Ricardo Marchetti, Oscar Lanata (que firmaba "NN de las Carreras"), Rodolfo Baltiérrez, Moisés Schebor Jacoby, José Ramón Luna (en la crítica de cine), Lalo Pelicciari como columnista de deportes, Francisco Llano, Luis Clur, Antonio Cursach y José Tomás Oneto, entre muchos otros.

"El peronismo fue tomando diario por diario –evoca Jorge Chinetti– y en el caso de *Crítica* el ministro Miguel Miranda compró las acciones y se las mandó de regalo a Eva Perón. Lo curioso es que era un diario peronista escrito por antiperonistas. Ignacio Covarrubias, Ricardo Carbajal y yo éramos socialistas. Giúdice, Rodolfo Puiggrós (que después se hizo peronista) y Héctor P. Agosti eran comunistas, Osiris Troiani y varios republicanos españoles, o Luis Alberto Murray, que era poeta y anarquista, tampoco estaban cerca del peronismo."

En 1948 el doctor en jurisprudencia Sergio Dellachá vino de Milán, Italia, a vivir a la Argentina, el país en donde su abuelo, el inmigrante Cayetano Dellachá, había fundado en 1885 la Compañía General de Fósforos y en donde también por esos años había nacido su padre. La fábrica de fósforos tenía su propia manufacturera de cajas de cartón y unos talleres en donde se estampaban las marcas. Esos son los antecedentes de Fabril Financiera, que en la década del 50 se erigiera en una de las más poderosas y actualizadas imprentas de diarios y revistas del país y que posteriormente se unió a Celulosa, una empresa nacida en Rosario, para crecer en compañía y editar publicaciones.

En 1949, a partir de una serie de denuncias de torturas a militantes de partidos opositores al peronismo, *La Nación* comenzó a ser hostigado por el gobierno. En esos días el partido gobernante dispuso integrar una comisión legislativa a cargo del diputado José Emilio Visca; pero en lugar de discutir temas trascendentes de prensa y política se dedicó a generar increíbles escollos a los medios que no acordaban íntegramente con la línea oficial. Enviaba a los diarios agotadoras inspecciones contables, les dificultaba la renovación de créditos con el Banco Central, les enturbiaba la relación con proveedores de papel e imprentas, los atosigaba con ridículas inspecciones municipales. Detrás de todo esto estaba Raúl Alejandro Apold, un periodista que había trabajado en *El Mundo* en la década del 30, y más tarde se ocuparía de la imagen del Automóvil Club Argentino y de Argentina Sono Film. A partir de 1944, luego de conocer a Perón, Apold hizo amistad con Eva Duarte. En 1947, luego de dirigir *Democracia*, se hizo cargo de la Dirección General de Difusión dependiente de la Subsecretaría de Informaciones, un organismo que ya desde sus comienzos era influyente pero que llegó a tener, con más de 1.100 empleados, rango de superministerio. Entre otras piezas de la comunicación justicialista de la época se le atribuye a Apold haber creado la frase "Perón cumple, Evita dignifica".

Al lado de *Sur* y del semanario *Marcha* que llegaba desde el Uruguay, en esos años y hasta 1954 cumplió una muy destaca-

## En primera persona

● PEDRO ORGAMBIDE: "En *Noticias Gráficas* era corrector suplente. Allí llegué a trabajar como cronista de fútbol de una sección 'Deportes' en la que brillaban Mauro Galli y Estanislao –'Villita'– Villanueva y en la que Jacobo Timerman era cronista de turf. Mientras me tocaba corregir las reseñas de libros de Bernardo Verbitsky y las críticas de teatro de Pablo Palant, yo buscaba que el secretario general José Barcia me diera una oportunidad. Mientras tanto, conocía gente que admiraba y hasta me hice amigo de María Rosa Oliver, Enrique Wernicke, Rodolfo Aráoz Alfaro, Enrique Molina, María Elena Walsh, Cayetano Córdova Iturburu. Cuando no trabajábamos, ellos, yo, todos, tomábamos vino en el restaurante del diario y jugábamos al pase inglés con los vagos de la reventa."

da labor cultural la *Revista de la Universidad de Buenos Aires*, que dirigía el padre Hernán Benítez. Sin embargo, el clima de esa época queda bien representado por un caso paradigmático ocurrido en 1949: el director del diario salteño *El Intransigente*, David Michel Torino, y su personal, sufrieron amenazas, atentados, detenciones y confiscaciones de bienes, antes de la expropiación y el cierre definitivo.

## Esto también ocurrió

### 1940

- El 15 de mayo Martín Barranco fundó el diario *El Rivadavia* de Chubut.
- En diciembre comenzó a editarse en Argentina la revista mensual *Selecciones del Reader's Digest*. Había aparecido por primera vez en Estados Unidos en 1922.
- Se publicaron ese año, entre otras, la revista *Aeronáutica y Saber Vivir*, publicación científica con inclinaciones literarias.

### 1941

- Deja de aparecer el semanario *Caras y Caretas*, fundado en 1898 y que fue, además de un impiadoso e insobornable caricaturizador de la actualidad, un testigo idóneo de las transformaciones del país.
- Tras 18.978 ediciones, el 28 de febrero de 1941 deja de aparecer uno de los diarios argentinos pioneros: *El Diario*, fundado en la década del 80 del siglo XIX.
- En junio apareció *Movimiento*, periódico mensual editado por un grupo de escritores nacionales que dirigió A. Cambons Ocampo.
- El 19 de noviembre tintineó *Cascabel*, una revista de humor político que dirigió Jorge Piacentini y en la que colaboraron Emilio Villalba Welsh, Carlos Warnes, Conrado Nalé Roxlo y Landrú. Cerró seis años después.
- La Biblioteca Argentina Circulante Sarmiento hizo rodar el *Archivo de Información Argentina*, con datos biográficos e históricos sobre personalidades argentinas.
- También se publica *Viviendas Populares*, editada por la Sociedad Central de Arquitectos.

### 1944

- El 2 de mayo se fundó en la localidad bonaerense de Miramar el *Semanario Crónica*, que sigue todavía en actividad.
- El 20 de junio en la localidad bonaerense de Rojas se distribuyó el diario *La Voz de Rojas*, que sigue existiendo.

### 1945

- La empresa editora Columba S.A. comenzó la impresión del álbum mensual de historietas *Intervalo*, que continúa hasta hoy.

### 1946

- El 11 de enero comenzó a circular el diario *El Laborista*, órgano oficial del Partido Laborista (peronista).

- El 16 de diciembre, para certificar la circulación neta "pagada o gratuita" de las publicaciones asociadas, se fundó el Instituto Verificador de Circulaciones (IVC), integrado por anunciantes, agencias de publicidad y editores. Esta entidad sin fines de lucro recibe trimestralmente las declaraciones juradas de sus integrantes con el número de sus ediciones que, luego de procesadas, reflejan la situación del mercado.

## 1947

- El 5 de julio se publicó en San Juan el *Diario de Cuyo*, que sigue en actividad.

## 1948

- Apareció *Más allá*, revista de ciencia ficción dirigida por el físico y matemático Oscar Varsavsky.

## 1949

- El 7 de abril se vendió por primera vez al público el diario *Noticias* de Pehuajó, que sigue en actividad.
- El 21 de agosto se fundó el diario *El Tribuno* de Salta, que sigue publicándose.

# Noticias
# de los años 50

No son pocos los que interpretan que la actitud hacia la prensa gráfica que tuvo Perón al llegar al poder fue de lisa y llana venganza por el maltrato que le habían dispensado entre 1943 y 1945, cuando fue sucesivamente director de Relaciones Laborales, subsecretario y secretario de Trabajo, y más tarde también ministro de Guerra y vicepresidente; y especialmente en 1946, cuando se convirtió en candidato a presidente ante la indiferencia o el recelo de la prensa.

Ya con Perón en la presidencia, la llamada Comisión Bicameral del Congreso, a cargo de los diputados José Emilio Visca y Rodolfo Decker, se transformó con el correr de los meses en un organismo de censura. En 1950, por decreto presidencial, los medios escritos debían llevar todos los días una fajita con la frase "Año del Libertador General San Martín". Cuando, por involuntario olvido (o, en algún caso, por desafío político), algún diario o revista omitía la mención, era inmediatamente clausurado. Esto les sucedió a más de setenta pequeños y medianos diarios de todo el país; entre otros, al diario comunista *La Hora*.

La arremetida contra la prensa considerada opositora no se detuvo allí. Se pusieron en marcha otras estrategias de ahogo, como la eliminación de la publicidad oficial o la supresión de facilidades para enviar publicaciones por correo. Si nada de esto servía, el paso siguiente era intervenir apelando a un viejo decreto del ex presidente Farrell que permitía expropiar las existencias completas de papel diario encargándole su administración a la Comisión Visca-Decker. En un momento, agobiados por la escasez de papel, los diarios de la tarde se vieron obligados a cancelar la sexta edición y, quien más quien menos, todos debieron acortar la cantidad de páginas o utilizar tipografías disparatadamente pequeñas. Cuando las empresas decidían utilizar papel importado, lo difícil era sortear los requisitos administrativos y burocráticos (cuotas, plazos, formas de pago) del Banco Central, que intervenía en los trámites, extremadamente livianos para los diarios adeptos y muy rigurosos cuando de medios opositores se trataba. Aunque la Constitución garantiza la publicación de ideas sin censura previa, el Código Penal incluía treinta figuras limitadoras relacionadas con la prensa y su desarrollo: desde las clásicas calumnias e injurias hasta el desacato, la apología del delito, la subversión, la obscenidad, la revelación de secretos relativos a la seguridad, a la defensa o a las relaciones exteriores.

De todos modos, la censura llegaba por los caminos más inesperados: por ejemplo, el que cortó la carrera de Miguel Ángel Bavio Esquiú, periodista y creador del personaje "Juan Mondiola": En una oportunidad, la selección argentina le había ganado a la de los Estados Unidos un partido de básquet en el Luna Park, y lo inesperado del triunfo provocó un clima de extraordinaria euforia popular. En un comentario, Bavio Esquiú instó a no engañarse, porque, según dijo, a pesar de la caída, los norteamericanos –que no habían presentado el equipo principal– seguían siendo los mejores del mundo en ese deporte. A los pocos días, el periodista –que anteriormente había rechazado la sugerencia de convertir al peronismo a su personaje "Juan Mondiola"– perdió todos sus trabajos.

Entre 1947 y 1951 el gobierno dispuso la compra o expropiación de numerosos medios de la Capital y del interior y los agrupó en una empresa denominada ALEA, que al decir de uno de sus fundadores aludía a la frase latina *Alea jacta est* ("La suerte está echada"). ALEA, también conocida como "la cadena", funcionaba en un espectacular rascacielos de casi cien mil metros cuadrados cubiertos, ubicado en Viamonte y Leandro N. Alem, y en el que se editaban más de cien diarios y revistas y todas las piezas de propaganda del partido peronista.

Sin embargo el peronismo nunca aceptó que había creado un descomunal aparato periodístico y, mucho menos, que lo colocaba al servicio de sus intereses. Siempre sostuvo que se vio obligado a enfrentar a un periodismo "maniobrero y chantajista".

## Caminos cruzados

La relación con los diarios era muy tensa y, en el caso de *La Prensa*, se tornaba insoportable. El diario que Alberto Gainza Paz dirigía con éxito desde 1943 había superado agotadoras inspecciones contables porque "todo estaba al día" y también había conseguido sortear la repentina reposición de un decreto del año 1917 que consideraba "defraudadores del Fisco a todos aquellos periódicos que imprimieran sus avisos sobre papel importado". Como no había papel prensa que no viniera de afuera, tuvo que salir el procurador del Tesoro Nacional a aclarar que "obligar al pago de derechos por el papel utilizado en avisos significa desdoblar el concepto de diario, cosa improcedente e ilegal".

Las radios oficiales programaban un noticiero al mediodía cuyo único objetivo era refutar los editoriales de *La Prensa*, así como el famoso personaje que animaba Enrique Santos Discépolo y que le hablaba a un imaginario opositor llamado "Mordisquito" servía para enfrentar ideas, posiciones y periodistas "contreras", en especial los del diario de la familia Gainza Paz. En la revista *Pica Pica*, Jorge Palacio ilustraba a un "Mordisquito" en historieta, y en la doble central de *PBT*, que había vuelto a aparecer, el dibujante Luis J. Medrano, creador de los famosos "Grafodramas" de *La Nación*, hacía chistes de absoluto tono oficialista.

El 15 de julio de 1951 aparece *Mundo Argentino*, publicación quincenal de la que Perón (también llamado "El Líder", "El Conductor", "El Primer Trabajador") y Evita ("Evita Capitana") son los dos primeros suscriptores, además de frecuentes columnistas en números siguientes. Este órgano de difusión de la Escuela Superior Peronista trae un lema que haría carrera: "Para un peronista no puede haber nada mejor que otro peronista". En esos años la revista recogió, en un tono abiertamente laudatorio, buena parte de la comunicación verbal del partido. En un estilo directo (trataba de "vos" a los lectores, cuando en realidad era común el tratamiento de "tú") desarrollaba conceptos como el de la tercera posición y decía que "no se puede ser un buen argentino sin ser un buen peronista". El humor estaba presente con tiras como "Bobalicón" –caricatura del hombre falto de ideas políticas propias y fácil de influir– o "Don Cangrejo", el retrógrado que en todo, y en especial en las ideas, va para atrás. Hablaba de muchos en general, y de algunos en particular, como por ejemplo, Helvio Botana, hijo dilecto de Natalio Botana, desterrado en Montevideo, en donde se convirtió en el editor de *Crítica Libre*, un libelo opositor de escasa tirada (280 ejemplares) que circulaba clandestinamente en la Argentina.

Luis Clur evoca: "Los que pensaban distinto de Perón eran unos 'vendepatrias', incluidos los corresponsales extranjeros como yo, que trabajaba en la United Press cubriendo Casa de Gobierno y Cancillería. Un día, acosado por esas limitaciones, le pedí al canciller Jerónimo Remorino, del que era amigo, una recomendación para entrar en *Clarín*". Clur acuerda que, hasta su clausura, el único diario que saltaba por encima de los controles era *La Prensa*. "*La Nación* –agrega– hacía una forma de oposición muy tibia. *Clarín* tenía sus nichos, como la columna 'Qué Dice la Calle', que sin firma escribía Isidoro de la Calle, y otra sección, 'El Rincón de Don Gumersindo', de ligero tono opositor, escrita con términos gauchescos.

Para Rogelio García Lupo, la tarea profesional en los años 50 fue "nefasta, porque los diarios en cadena cumplían funciones cosméticas o escenográficas. Tenían cada vez más baja circulación y la concreta misión de ser diarios para tranquilizar al presidente. La liquidación de *La Prensa* en 1951, y *Clarín* y *La Nación* maniatados por la autocensura, por el temor de que se repitiera con ellos lo que le había ocurrido a *La Prensa*".

## Historia de una clausura

El 26 de enero de 1951 un paro sorpresivo de los canillitas impidió la distribución de *La Prensa*. El gremio –con su dirigente Napoleón Sollazo a la cabeza– se ponía duro con la empresa por un

Tapa y primera página de *PBT*, que había vuelto a salir

El Perón de los años 50: salvo excepciones honrosas, hasta los diarios parecían hechos "en cadena".

El periodista Luis Clur, que en los 50 cubría Casa de Gobierno y Cancillería para la United Press.

motivo formal: parte de sus ediciones se vendía a través del sistema de suscripciones. Para compensar la pérdida que ese sistema de venta les producía, distribuidores y canillitas exigieron al diario la cesión de un 20 por ciento de la recaudación publicitaria para su obra social. El diario rechazó la exigencia y sobrevino un conflicto: un mes después, cuando un grupo de trabajadores estaba decidido a volver a trabajar, fueron emboscados y tiroteados por grupos que respondían al gobierno. En la refriega, que provoca 14 heridos, muere Roberto Núñez, obrero de la sección Expedición del diario. La crónica de *La Nación* decía que "el grupo agresor era fácilmente identificable y no pertenecía ni al gremio periodístico, ni al gráfico, ni al de vendedores de diarios. En cambio, el personal que entró en los talleres e inició sus tareas para el número que debía salir al día siguiente, fue obligado a interrumpirlas y detenido por la policía".

El 16 de marzo de 1951 en la Cámara de Diputados el legislador peronista John William Cooke pronuncia un famoso discurso en el que proclama que el peronismo está en contra de *La Prensa* porque pertenece a esa clase de diarios que cuestionaron la ideología, atacaron a los obreros y minaron las bases de la nacionalidad. "Aquí no está en juego la libertad de prensa, de la prensa independiente y de la ideológica, de la equivocada y de la que está en la verdad, pero en lo que no creemos es en el derecho de estas empresas mercantiles y capitalistas a procurar que los resortes del Estado se pongan al servicio de sus intereses no bien tienen un problema gremial", acusaba Cooke, enrolado en la crítica más habitual que el peronismo formulaba: poderosos centros políticos del exterior digitaban la línea política del diario de la familia Gainza Paz. Comenzó a discutirse la expropiación, principalmente en el Parlamento, en donde el diputado Arturo Frondizi recordó como vocero de la oposición que Hipólito Yrigoyen en 1930 había podido expresar con honor y gloria desde su lugar de destierro, la isla Martín García, que jamás había cerrado un diario ni deportado a un periodista.

Para la mayoría peronista el hecho constituía "un acto revolucionario", y el radicalismo –si bien el episodio le permitió reafirmar su posición de "condena a la tiranía"– no pudo ocultar el viejo resentimiento que sentía hacia el diario por su actuación en los momentos cercanos a la caída de Yrigoyen en 1930.

Finalmente, con la ley 14.021 del 12 de abril de 1951 el Congreso –de mayoría peronista– aprobó la expropiación del diario *La Prensa*. Al mismo tiempo, acordó que pasara a ser manejado por la Confederación General del Trabajo, también dominada por el peronismo. La decisión intentaba poner fin a una siempre tensa y en ocasiones cruenta relación entre el tradicional diario (el más creíble, el más prestigioso, el de mayor venta) y el gobierno.

En 1951 Gerardo Ancarola tenía 15 años de edad. En 1996, como abogado, editorialista y codirector de *La Prensa*, recuerda que en su casa familiar se recibía y se leía ese matutino. "Como había fuertes restricciones de papel –explica Ancarola–, diarios como el nuestro salían con muchas menos páginas y con una tipografía minúscula para que no quedaran afuera los materiales. Además, no resultaba sencillo conseguir *La Prensa*, por lo que en cada barrio un solo ejemplar circulaba en préstamo, de casa en casa. Después vino lo de la clausura [...] Perón se equivocaba cuando afirmaba que *La Prensa* era un diario oligárquico: vendíamos más en los barrios que en el centro", sostiene Ancarola.

"¿Qué es *La Prensa* –se preguntaba Arturo Jauretche– sino la obra de un conjunto anónimo en que los individuos están tan masificados y minimizados que su estilo, sus opiniones, sus sentimientos, han sido molidos durante años y años para obtener una masa amorfa e idéntica a sí misma en todos sus puntos de vista? Para ser *La Prensa* y nada más que *La Prensa* en el editorial y en la noticia fúnebre, el comentario deportivo, en el internacional, en el político y en la gacetilla policial."

## Expropiación y miedo

Luego del acto expropiatorio, *La Prensa* interrumpe su salida durante unos meses y reaparece, en una nueva etapa, el 19 de noviembre de 1951, manejada por un directorio cuyo presidente era el entonces secretario general de la CGT, José Espejo, y el vicepresidente, Napoleón Sollazo, el dirigente de los revendedores. El director periodístico venía de comandar *Democracia* y se llamaba Martiniano Passo. Ignorando los 82 años de trayectoria del diario, consignaba que aquella edición correspondía al "Año 1, Número 1".

La medida tuvo un veloz y explicable efecto ejemplarizador: si algo tan extremo le había ocurrido al principal diario del país, ¿qué otros padecimientos podían llegar a sufrir los demás? En los primeros tiempos, *Clarín* y *La Nación* comenzaron a manejarse con extrema cautela informativa, en especial cuando tenían necesidad de referirse críticamente a la obra del gobierno justicialista.

"Después de la clausura de *La Prensa*, el diario *La Nación* sobrevivió a la cuotificación del papel y otras presiones sacando ediciones diarias de seis páginas", cuenta José Claudio Escribano, secretario general de *La Nación*.

En la misma época, la agencia norteamericana United Press decidió cancelar los despachos hacia el interior. Luego del cierre, como represalia, la SIP borró a los representantes argentinos de la lista de invitados a su asamblea anual, que en 1951 se realizaría en Montevideo. Como respuesta a la exclusión, un grupo de más de cincuenta periodistas de redacciones de diarios pertenecientes a la cadena escribieron el *Libro Azul y Blanco* de la prensa argentina, desde el que daban a conocer numerosos negociados de *La Prensa* y sus vinculaciones con los Estados Unidos.

En 1996, Tomás Eloy Martínez afirmó: "En mis charlas con Perón no hablamos casi nunca de periodismo. Pero sobre el caso concreto de la expropiación de *La Prensa* supongo que Perón habría explicado que no es que con la cadena ALEA hizo una operación política organizada, sino que compró diarios que estaban al borde de la quiebra para salvarlos. Y habría dicho, como es verdad, que al frente de toda esta idea, de estos operativos, estaba Evita". En el primer número del retorno, la esposa de Perón escribió: "*La Prensa* es ahora del pueblo. Dejó de pertenecer a la infamia de la antipatria".

*La Nación* fue uno de los pocos grandes diarios de la época que no fue expropiado ni incorporado a la cadena ALEA. "*La Nación* defendió su independencia prudentemente", afirma Escribano, y exalta aquellos momentos en que los redactores del diario hacían guardias nocturnas armadas en la azotea del edificio de la calle San Martín previendo visitas nocturnas.

En 1977 el político conservador Emilio Hardoy·dijo: "Existieron dos grandes diarios durante el peronismo. *La Prensa*, que fue confiscada, y *La Nación*, que prestó inapreciables servicios subsistiendo".

José Espejo, un dirigente
gremial que pasó
de la CGT a *La Prensa*.

El diputado peronista
John William Cooke encabezó
desde la Cámara el
cuestionamiento a *La Prensa*.

Los incidentes en *La Prensa* culminan de una manera trágica.

Durante un tiempo, en algunos talleres gráficos
la intervención a *La Prensa* encontró resistencias.

Mientras *La Prensa* estuvo fuera de circulación, *La Nación* nunca dejó de consignar en un recuadro: "Hoy tampoco apareció *La Prensa*". En su sección editorial se refirió al tema en numerosas ocasiones, tipificándolo como un intolerable caso de censura. Tampoco bajó sus banderas: en ese mismo año se puso al frente de las denuncias periodísticas que dieron a conocer a la opinión pública las torturas a que fue sometido el estudiante socialista Ernesto Mario Bravo.

Mientras todo el mundo esperaba que el próximo sancionado fuera *La Nación*, el que crecía era *Clarín*, que había heredado de *La Prensa* parte de los lectores y la poderosa sección de avisos clasificados.

"Yo no creo tanto en la historia de que el crecimiento de *Clarín* fuera por los avisos clasificados, rubro recibido de *La Prensa*. Noble hizo un diario muy popular, con títulos sensacionales y una línea muy acorde a la época. Era un diario que agradaba al peronismo porque apoyaba al desarrollo y a la industria. Así creció. Con los clasificados, *Clarín* pasó a ser el diario de servicios. Todo el cuentapropismo del país empieza a comprarlo como herramienta de diálogo y para saber cómo está parado en el mercado", explicó Raúl Burzaco en 1996. Otros testigos de la época afirman que los anunciantes se volcaron a *Clarín* en lugar de a *La Nación* para no quedar identificados como opositores al peronismo.

Entre 1951 y 1955 las cifras de ventas de *La Prensa* descendieron de un modo dramático. Sus lectores afirmaban que, en poco tiempo, su diario preferido había perdido toda su estirpe opositora. Sin embargo, durante esos años, voces coincidentes reivindican la calidad del suplemento cultural dirigido por César Tiempo, que, tal como lo cuenta Félix Luna, traía "ensayos sobre folklore, cuentos costumbristas, efusiones nostálgicas, fragmentos evocativos en una línea de historiografía clásica, nada provocativa".

## César Civita, un renacentista

Antes de terminar la Segunda Guerra, César Civita, un descendiente de italianos nacido en Nueva York, debió alejarse de la Italia de Mussolini y viajar a América del Sur con su esposa Mina y sus hijos Adriana, Bárbara y Carlos. La historia de cómo aquél hombre salió de Italia casi sin nada y llegó a tener aquí un imperio editorial es realmente asombrosa.

Civita venía de ser el presidente ejecutivo de la empresa de Arnaldo Mondadori, en Italia. Era un hombre de sólida y variada cultura. En 1937, una película suya filmada en 16 milímetros, con guión de Ignacio Silone, había ganado el Festival de Venecia. Sintiéndose italiano y de origen judío, durante el fascismo ayudó a muchos compatriotas, judíos o no, a abandonar Italia, hasta que en 1942 le tocó a él emprender la retirada. Sin embargo, las oficinas de inmigración de los países aliados vieron en Civita a un sospechoso, porque venía de vivir en una de las potencias del Eje. Fue por eso que lo bajaron del barco en que viajaba hacia América y pasó seis meses preso en una isla cercana a Trinidad y Tobago. Liberado, siguió viaje hacia la Argentina. Traía consigo una contraseña maravillosa: los derechos de famosos personajes que Walt Disney le había cedido personalmente, luego de una gestión del dibujante Saúl Steinberg, a quien Civita había salvado de los fascistas en Italia. En 1944 empezó a editar las revistas *Mickey* y *Pato Donald*, historietas a colores que empezaron a venderse por millares y sirvieron para edificar en 1952 la editorial Abril argentina, en donde Civita les dio trabajo a exiliados, a marginales y a perseguidos políticos extranjeros y argentinos.

Ese mismo año, decidido a crecer en la Argentina, compró en Italia una rotativa Cerutti de última generación. A mitad de camino del envío, lo sorprendió una medida del gobierno de Perón que hizo caducar todos los permisos de importación. La máquina venía en barco y, al conocerse la resolución, estaba a la altura del puerto de Santos, donde quedó. De ese modo, Civita se demora en su negocio argentino, pero echa las bases de la editorial de los Civita en Brasil, hoy una de las dos más poderosas editoras de revistas de ese país.

## Historia y mitos

Levi, Terni, Amati, Segre, Civita: amigos, todos ellos intelectuales, italianos, judíos y escapados de la persecución fascista, también fundadores de la editorial que comenzó a sacar los cómics de Disney. En 1942, apenas llegaron a la Argentina, tomaron clases de castellano en el Hotel Nogaró con Boris Spivacow, que sugirió a sus alumnos el nombre "Abril" con que finalmente bautizaron la editorial. Boris Spivacow, que con los años llegaría a ser presidente de las épocas de oro de Eudeba y fundador y director del legendario Centro Editor de América Latina, dice en su libro de memorias que sugirió ese nombre "por el sonido alegre y restallante y por aquello de los quince abriles, sinónimo de juventud". Posteriormente, la editorial Abril le encargó el desarrollo del departamento de historietas. Él buscó gente que elaborara guiones entre escritores de primera línea, pero casi todos le rechazaron la propuesta. El único que aceptó trabajar, aunque con seudónimo, fue Conrado Nalé Roxlo.

Civita editaba en ese tiempo también otras publicaciones, además de la línea Disney: *Diverlandia*; colecciones infantiles como *Gatito* –cuyo libretista principal era un geólogo llamado Héctor Oesterheld, que se ganaba la vida en un banco pero soñaba con transformarse en escritor– y *Bolsillito* –que en los primeros años de la década del 50 llegó a vender 110.000 ejemplares por semana.

Con el seudónimo de "Pedro", el escritor Pedro Orgambide firmó cuentos para chicos que salieron en diversas colecciones de Abril: *Bolsillito, Dos, Tres, Cuatro*. Con César Civita mantuvo una relación de padre e hijo. "Él me nombraba empleado de confianza y yo adhería a los paros. En vez de echarme, Civita me corría a patadas por los pasillos de la editorial", recuerda Orgambide.

Allí trabajaron también otros exiliados europeos: las hermanas Susi y Ditti Hochstimm, diagramadoras y diseñadoras; el dibujante Hugo Pratt, creador de personajes como "El Corto Maltés"; Salvador Schiffer; Alberto Goldberg y Gino Germani, que en los 60 fue el pope de la sociología argentina y antes, en los 50, jefe de personal de Abril. Por esa curiosa empresa, en sus primeros años, pasaron como redactores Gregorio Selser, Susana Zaneti y Juan Carlos Gené, en tanto que Onofre Lovero era el coordinador gráfico del taller.

"Civita era un italiano culto, de origen judío, que como si nada te comentaba su amistad con Toscanini, con De Sica o con Visconti. Era lo que se dice un tipo moderno, progresista, que hasta sus revistas más populares, las de fotonovelas como *Idilio* o *Nocturno*, las editaba con buen gusto. Siempre recuerdo que nos decía: 'en esta editorial no somos antinada, salvo antinazis y antifascistas'", afirma Carlos Andaló, periodista de la editorial Abril durante muchos años. "Civita era un empresario liberal y nacional, que gustaba ofrecer permisividad temática, que aportó mucho y todavía hoy no fue lo suficientemente reivindicado", dice Jorge Bernetti, ex empleado de Abril y delegado gremial en los momentos más críticos de la década del 70. "Levantó de la nada una gran editorial –agrega Bernetti–, instaló talleres impresionantes, editó cantidades de revistas y fue un empresario progresista que no sólo miraba su expansión industrial."

## Un mundo de fotonovelas

Sobre la experiencia recogida a partir de 1948 por *Secretos*, la primera revista de fotonovelas argentina, en 1949 Abril comenzó a editar la revista *Idilio*, acaso fantaseando, como el italiano Luciano Pedrocchi –que había inventado el género en 1946– que, con el tiempo, la lectura de fotonovelas induciría a los sectores populares a la lectura de libros. En muy poco tiempo las fotonovelas se hicieron muy populares y alcanzaron una venta de siete millones de ejemplares en títulos líderes como *Anahí*, *Nocturno*, *Contigo* o *IdilioFilm*, que renunían obras cuyos títulos lo explican prácticamente todo: "Fruto del pecado", "Una muchacha de la calle", "Cuando llegues a mi corazón", "Yo seré tu mundo", "Desconsolada", "Más allá del perdón", "Una muchacha vendida", "Fiebre de amor".

## Chicas

Periodista desde finales de la década del 40, Julia "Chiquita" Constenla trabajaba en la revista *Chicas* que Divito (el de *Rico Tipo*) editaba para las mujeres jóvenes con un criterio muy actualizado y como formal antítesis de *El Hogar*, *Damas y Damitas* y *Para Ti*. Dirigida por el periodista Juan Angel Cotta, esta universitaria de 20 años, estudiante de letras, "muy petardista" y militante del socialismo tenía una sección en *Chicas*. El padre de Julia Constenla era un esforzado periodista de diario y su madre era directora de una universidad que, entre otras cosas, enseñaba periodismo. Ella y otros jóvenes como ella tenían un punto de referencia, un modelo: Ernesto Sabato, un bicho raro que venía de abandonar la ciencia dura y que encuentra un lugar en el mundo escribiendo un libro asombroso: *Uno y el Universo*.

A pesar de que hacía notas de actos culturales y espectáculos, Constenla tropezó con una dificultad habitual para los periodistas de la época: la obligatoria obtención del certificado de buena conducta que se exigía a todos los que trabajaban, estudiaban y hasta a los que, como ella, soñaban con irse de viaje. En 1951, finalmente, Chiquita viajó a Europa y se quedó dos años en Italia, primero sola y después con quien sería su marido y padre de sus cuatro hijos, el periodista Pablo Giussani. Cuando se fue, dejó su puesto en *Chicas* a Matilde Kusminsky, la esposa de Ernesto Sabato.

## La muerte de Evita

El 26 de julio de 1952 el periodista Luis Clur, que trabajaba en la agencia United Press, obtuvo con varias horas de anticipación la noticia de la muerte de Eva Duarte de Perón. Su fuente era verdaderamente inesperada: un cesto de papeles ubicado en una dependencia de la Casa de Gobierno. Según Clur, Evita no murió a las 20 y 25 como dice la historia oficial, sino a las seis de la tarde. "Gracias a eso –cuenta Clur en 1996–, la United Press ganó una primicia mundial. A las seis de la tarde la gente todavía estaba rezando por ella frente a la residencia presidencial."

El periodista Escribano afirma que la despedida a Eva Perón escrita por Augusto Mario Delfino y publicada en *La Nación* "fue equilibrada y respetuosa", opinión que comparte el periodista peronista Luis Alberto Murray: "Aquella página de Delfino fue perfecta, la mejor que recuerdo". Los medios escritos hicieron lo posible por inmortalizar la figura de Eva Perón, de allí en más denominada "jefa espiritual de la nación". El diario *Democracia*, dirigido entonces por Américo Barrios (y en el que cada tanto el general Perón publicaba una columna de opinión con el seudó-

El país y los diarios
se ponen de luto:
muere Eva Duarte
de Perón.

Los cómics de Walt Disney traducidos
le permiten a César Civita armar
una editorial poderosa.

En muy poco tiempo las fotonovelas se
hicieron muy populares y alcanzaron una
venta de siete millones de ejemplares.

nimo de "Descartes"), tomó una decisión periodísticamente discutible aunque emotiva: nunca incluyó en sus títulos las palabras "murió" o "muerte", ni nada que se le pareciera. Eligió reemplazar la información con frases como "Conmovedor duelo popular", "Tránsito a la inmortalidad", "Una pérdida que es un duro golpe". Parece una ironía, pero así fue. La sirena del diario *La Prensa*, amplificada a volumen máximo, difundió la infausta nueva por toda la ciudad. El 27 de julio, al lado de una foto muy grande, la tapa del diario tituló: "La muerte de Eva Perón enluta a toda la argentinidad". En su edición del 31 de julio *La Prensa* incluyó en su sección de avisos fúnebres 111 participaciones de la muerte, la mayoría provenientes de sindicatos.

## Entornos y contornos

A mitad de los años 50, el crítico uruguayo Emir Rodríguez Monegal intuyó que detrás de la actitud de algunos importantes jó-

### Breves de la década

- En 1952, por lo menos 11 críticos de cine vieron en el festival de cine de Punta del Este *Juventud divino tesoro*, de Ingmar Bergman. El ensayo sobre Bergman que escribe en la revista uruguaya *Film* Homero Alsina Thevenet, al año siguiente, debe considerarse el primer informe completo sobre Bergman aparecido fuera del país natal del director. Recién en 1956, tras el estreno de *Sueños de una noche de verano*, la crítica lo descubre en París y en el resto de Europa.

- En 1953, con notas sobre escritores como Ambrose Bierce y fenómenos de la literatura, se inicia, en las revistas *Leoplán* y *Vea y Lea*, Rodolfo Jorge Walsh. Ya en 1951 había recibido una mención en un concurso y la publicación de su cuento policial "Las tres noches de Isaías Bloom" en *Vea y Lea*.

- El primero que empleó el término "villa miseria" para referirse a los asentamientos urbanos marginales y precarios fue el escritor y periodista Bernardo Verbitsky en una serie periodística realizada en 1953 para el diario *Noticias Gráficas*.

- Tiene éxito *Continente*, una revista sobre viajes y costumbres dirigida por Oscar Lomuto en la que colaboran, entre otros, Roberto Hosne, Osvaldo Bayer y Rogelio García Lupo.

- La versión en español de *Selecciones* vende millones de ejemplares en Latinoamérica. Revista de tono menor, anecdótica y que indica el tiempo de lectura sugerido de sus artículos, sus secciones más populares eran "Citas Citables", "Personajes Inolvidables" y "La Risa, Remedio Infalible".

venes escritores e intelectuales argentinos reunidos alrededor de la revista *Contorno* se podía descubrir, además de una cuestión generacional, "una motivación parricida". Es que varios de ellos, con Juan José Sebreli como estandarte, cuestionaban profundamente a padres del pensamiento nacional como Martínez Estrada o Mallea.

Las preocupaciones de la clase intelectual de entonces eran encontrar una forma nueva en la condena a los imperialismos (en especial al norteamericano y capitalista) y, desde una idea nacional ("Ni frac ni chiripá", un muy difundido eslogan de ese tiempo), preservar la identidad, asegurar el cambio y entender ciertos fenómenos centrales de la época, como el peronismo. De la mano de esas inquietudes, *Contorno* nace en noviembre de 1953 impulsada por los hermanos David e Ismael Viñas, Juan José Sebreli, León Rozitchner, Noé Jitrik, Regina Gibaja, Oscar Masotta, Adolfo Gilly, Adolfo Prieto y Ramón Alcalde. "La revista *Contorno* es un punto de viraje en la historia cultural argentina. Una docena de jóvenes universitarios, que serán luego escritores y políticos, irrumpen con violencia, dispuestos a ajustar cuentas con los bandos que dividían a la ideología argentina: peronistas y antiperonistas, nacionalistas y liberales, oportunistas y profetas", escribe Beatriz Sarlo en la revista *Punto de Vista*, en 1981.

Como para definir la línea de la publicación, el escritor David Viñas cuenta en un artículo que desde *Contorno* trataban de diferenciarse "desde una izquierda precozmente sartreana tanto del elitismo que nos llegaba de *Sur* y de *La Nación* desde el campo liberal, como de los tonos populistas que se emitían desde el peronismo clásico". David Viñas definía a *Contorno* como una revista "denuncialista" y, como para confirmarlo, sostenía que "la burguesía y los grandes diarios prefieren que el escritor sea decorativo. Lo más deseable para ellos es el escritor anarquista, al que fatalmente anexan. Un caso típico es Roberto Arlt, citado en los editoriales de *La Nación*, cuando no le dedicaron ni dos líneas el día de su muerte. También se anexaron a Quiroga, a Macedonio Fernández".

## Esto es periodismo

El 2 de diciembre de 1953 Tulio Jacovella saca *Esto Es*, un nuevo magazine (primero quincenario, después semanario) más cercano a la información general (y dentro de ella, mayoritariamente a la extranjera) que a la política. Incluía cuentos y anticipos de novelas, columnas de escritores consagrados como "Chamico" (el seudónimo de Conrado Nalé Roxlo), entretenimientos (palabras cruzadas, horóscopos, humor) y crítica muy variada. "Una revista más no hacía falta en el país –se sincera la publicación en su primer editorial–, las hay bastantes y de alto nivel en la línea consagrada. Pero una revista nueva, distinta, nunca está de más y hasta se diría que siempre hace falta."

De grandes dimensiones, con tapas de colores pastel y fotografías probablemente retocadas, ampliamente ilustrada e impresa en sus interiores en aquel legendario color sepia, *Esto Es* presentaba lo que en ese momento se denominaba "estilo periodístico de posguerra", una mezcla entre la forma norteamericana de hacer periodismo, más directa e impactante, y la europea, algo más profunda y espiritual. En todo caso, busca la sencillez, la objetividad, la actualidad, el decoro y los límites de lo argentino. Rogelio García Lupo hizo para *Esto Es* su primera nota importante: una investigación sobre las condiciones de trabajo y de vida de los ingenios azucareros de Salta y Jujuy.

Pero no era necesario ir a Salta o Jujuy para hacer una crónica de la pobreza. Bernardo Verbitsky trabajaba en *Noticias Gráficas* y vivía en Ramos Mejía. Desde el tren que tomaba para ir a su trabajo, al pasar por la estación Ciudadela veía un sendero que se internaba hasta perderse de vista. Era un terreno con miles de precarios ranchitos. Le intrigó, un día se bajó del tren y descubrió una de esas microciudades que se levantan dentro de la propia ciudad. En sus días francos, empezó a visitar el lugar y luego de adentrarse en esa realidad escribió una serie de notas en las que por primera vez se utilizó el término de "villas miseria". En algunas ocasiones lo acompañó en la visita su hijo Horacio Verbitsky, quien en 1996 explica que esas notas "fueron la semilla de la novela *Villa miseria también es América*, que sacaría años más tarde".

## La muerte de Vigil

Constancio Vigil, el fundador de editorial Atlántida, murió en setiembre de 1954, cuando todavía faltaba un año para la caída del segundo gobierno de Perón. Un poco antes, su empresa había sufrido los embates de una severa rivalidad con la editorial Haynes, competidora de Atlántida género por género, revista por revista. *Atlántida* le peleaba la franja de lectores a *El Hogar*; *Billiken* rivalizaba con *Mundo Infantil*; *El Gráfico*, con *Mundo Deportivo*. Constancio C. Vigil dejó para siempre un catálogo de importantes normas periodísticas que se vuelven particularmente curiosas leídas hoy:

- La lectura más útil para un director de publicación es su propia publicación. Releerla, examinarla en detalle, en conjunto, siempre le será provechoso.
- Es preciso presentar algo nuevo y atrayente cada cierto tiempo y conocer cuándo llega la oportunidad de decirlo.
- Todo es bueno y todo sirve. El caso es dar con la forma o la oportunidad de aprovecharlo.
- No existe más el lector de pantuflas y gorra, repantigado en su sillón. Hay que imaginárselo nervioso, apresurado. El lector de tranvía es el lector de periódico de nuestro tiempo.
- Cuanto más extenso es un escrito, menos lectores tendrá.
- No hay detalle del periódico que no tenga importancia.
- La mujer es más de la mitad del público lector de una revista.
- No hiera nunca a un hombre determinado. Condense. Abrevie. Evite todo lo que no es esencial. No afirme lo que no sabe. No escriba lo que no entiende.
- Para juzgar un material hay que preguntarse: ¿divierte, enseña, agrada, emociona? Si no responde satisfactoriamente a algunos de estos interrogantes, el material debe ser rechazado.
- Un periódico debe ofrecer lo menos posible de literatura exhibicionista; lo más posible de enseñanza y deleite positivos.

## Prehistoria de Héctor Ricardo García

El 7 de abril de 1954, con el aporte económico del músico de tango Francisco Rotundo y con la cercana asistencia de Mario Ruzza y Manuel Giménez, un muy joven Héctor Ricardo García sacó la revista *Así es Boca*. En ese año, tras una década de severas frustraciones deportivas y futbolísticas, Boca volvió a salir campeón argentino de fútbol y la nueva revista hizo una campaña tan sensacional como el equipo azul y oro.

García había dado varios pasos antes de convertirse en periodista:

- Cuando cursaba el quinto grado de primaria en la escuela Roca fue, con otros dos compañeros, coeditor de *El Estudiante*, un boletín escolar que primero imprimían con el sistema de tinta copiativa y gelatina y posteriormente con un mimeógrafo donado por el diario *Noticias Gráficas*.
- A esa edad, para poder leer los diarios (los que más le gustaban era *Crítica* y *Noticias Gráficas*), comenzó a colaborar con un canillita que trabajaba cerca de su domicilio.
- A los 14 años convenció al dueño del diario *El Nacional,* José María Longo, de que el periodismo era su pasión. Longo lo tomó como cadete y además le dio, por su buena caligrafía, la oportunidad de escribir en tiza las noticias de último momento en siete pizarras que quedaban expuestas sobre la calle Corrientes (en la época en que no había radios a transistores los diarios acostumbraban a informar a la gente desde pizarras de ese tipo).
- En 1946 entró como aspirante a fotógrafo en el diario peronista *Democracia*. Después pasó como fotógrafo por *Clarín*, El Laborista y *Crítica*. García recuerda así esa etapa: "Me veo siempre cubriendo actos oficiales. En la época de Perón vender diarios era un milagro: parecía que lo único que había eran actos oficiales". De *Crítica*, García pasa a una editorial que hacía revistas de tango y de fútbol. Un día, hablando con Manuel Giménez y Mario Ruzza, "El Galleguito" o "El Gallego" hizo la pregunta del millón (desde luego, sin disponer del millón): "¿Y si ponemos una editorial?".

**CONTORNO**

Noviembre de 1953          Nº 1

Dirección: Ismael Viñas — Av. Roque Sáenz Peña 65

*Los "martinfierristas":*
*su tiempo y el nues*

*Contorno*, una idea nacional y una forma distinta de mirar los fenómenos de la cultura.
De izquierda a derecha: Juan José Sebreli, Ismael Viñas, León Rozitchner.

Un muy joven Héctor Ricardo García sacó la revista *Así es Boca*.

• En 1950, con Mario Valeri, editó la revista *Sucedió,* de la que aparecieron sólo cuatro números.

## Renovación generacional

En 1954, Laiño –que atormentaba a sus subordinados con la exigencia de llegar a la redacción "con los diarios leídos, desayunado y cagado"– hizo entrar en *La Razón* a Sergio Cerón, que a su vez le abrió la puerta a Horacio de Dios al mismo tiempo que daban sus pasos iniciales Carlos Carlino, Luis González O'Donnell y Esteban Peicovich. En esos tiempos se consagraba con su sección "Balcarce 50" Jacobo Timerman, y en la secretaría de redacción, Pedro Larralde. Salvo que el periodista fuera enviado especial, ni en *La Razón* ni en otros diarios –con la sola excepción de *Crítica*– premiaban con el beneficio de la firma. Lo que Laiño respondía a sus reporteros cuando le exigían el crédito era que la importancia de la información y del diario debían siempre estar por encima de quienes hacían las notas.

Estaba cerca el fin del peronismo, la cadena de ALEA funcionaba a pleno y en general se advertía una mínima distensión. Para Horacio de Dios, a fines de 1954 "*La Nación* era el diario más liberal, pero ninguno se arriesgaba a publicar nada que molestara al oficialismo".

## Perfil: Horacio de Dios

En su infancia, cuando comprobó que jugaba pésimo al fútbol y que, para colmo, no era el dueño de la pelota, decidió que sería periodista para contar lo que los demás hacían. "Siempre tuve actitud de cercano espectador pero no de protagonista", asegura. La oportunidad inicial la obtuvo por una amistad con otro muchacho llamado Horacio Eduardo, igual que él, pero de apellido Tato. En 1952, Horacio Tato y Aldo Cagnoni estaban por hacer un diario en La Rioja y hasta allá viajó De Dios, con el puesto periodístico en una mano y el traslado del banco porteño en el que trabajaba en la otra. Tres meses después del fracaso del diario se decidió: ante la desesperación de su madre, renunció al banco y entró en la agencia Télam, para cumplir el horario de 20 a 2 de la mañana. Después llegó a *La Razón.* Pasó seis años en la "escuelita" de Laiño. Al principio le encargaron una nota en una calle que desconocía. Le preguntó a Laiño cómo se hacía para llegar, y por la mirada que recibió entendió velozmente que "si no me las podía arreglar solo para enterarme, debería cambiar de oficio. Nunca más pregunté nada semejante".

## Verano y crimen

El 15 de febrero de 1955 hizo muchísimo calor, pero un impresionante descubrimiento dejó helada a la población. Los diarios de la época informaban que restos humanos habían aparecido en distintos puntos de la ciudad: en el Bajo de Flores aparecieron las piernas, la cabeza se encontró flotando en el Riachuelo en tanto que el torso se descubrió en un descampado de Hurlingham. El crimen de Alcira Methyger, una doméstica de 27 años que había trabajado en casa de la familia de Jorge Eduardo Burgos, quien primero había sido su amante y posteriormente su matador, movilizó a las fuerzas policiales y conmovió a la sociedad durante meses: desde que ocurrió, en pleno Carnaval (que entonces se festejaba mucho), hasta la mitad de junio de 1955, cuando las imágenes de la descuartizada y de su verdugo fueron reemplazadas en *Ahora* por la carnicería del bombardeo militar en Plaza de Mayo.

"El ensayista alemán Hans Magnus Enzenberger –apunta Alvaro Abós, autor de una novela policial basada en el famoso "caso Burgos"– sostiene que esta clase de crímenes tranquiliza a la gente, porque en cada ciudadano laten pulsiones violentas y porque el hecho de que ocurran pero luego las autoridades las repriman, aclaren sancionen ejerce sobre la población un efecto tranquilizador." Recuerda Abós que vespertinos como *Noticias Gráficas*, *Crítica* y *La Razón* habían ofrecido abundante espacio al caso, apuntando a subir sus ventas, pero el verdadero rédito fue para la revista bisemanal *Así*, que gracias al "crimen de Burgos" llegó a vender 600.000 ejemplares.

"¿Es un feroz asesino o un pobre infeliz?", tituló *Ahora* sobre el joven corredor de libros, empleado de la editorial Peuser en cuya casa se encontró una amplia biblioteca de obras policiales y de criminología en castellano y en inglés. Comprobada la culpabilidad de Burgos, fue condenado a 11 años de prisión, pero en 1964 lo dejaron en libertad por buena conducta.

## Disparos desde el cielo

Hacia los finales del segundo gobierno de Perón, hojas del periodismo católico que circulaban clandestinamente exigían la inmediata destitución del gobierno y la excomunión del presidente. Entre diciembre de 1954 y mayo de 1955 se produjeron varios hechos que crisparon todavía más los vínculos entre el gobierno y las jerarquías de la Iglesia Católica (cuyas pastorales se parecían cada vez más a invectivas), y sus fieles se convirtieron virtualmente en el principal "partido" de oposición:

- Se establece la ley de divorcio vincular.
- Se reforman aspectos del régimen legal sobre prostitución.
- Se anulan varios tradicionales feriados religiosos.
- Se modifica el régimen de instrucción religiosa en las escuelas oficiales.

El 11 de junio de 1955 la tradicional procesión de *Corpus Christi* se convirtió en un masivo y sorprendente acto en contra del peronismo. Bastó que esa misma noche Perón afirmara que participantes de ese mitin habían quemado una bandera nacional y que el diario *Democracia* iniciara una campaña en la que se sospechaba de corrupción al cardenal primado Santiago Copello y a monseñor Miguel De Andrea, para que muchos dirigentes del *establishment,* de la Iglesia y militares, consideraran que había llegado el momento de intervenir.

El 16 de junio de 1955 unidades de la Marina y la Fuerza Aérea se sublevaron y en pos de matar a Perón en la Casa de Gobierno atacaron a una indefensa población civil en el centro de Buenos Aires acribillando a trescientas personas.

Pedro Orgambide y Roberto Hosne eran dos jóvenes de izquierda, poetas ambos, que trabajaban en *Noticias Gráficas*. Luis Alberto Murray venía del nacionalismo e integraba la redacción de *Crítica*. A los tres les tocó cubrir el bombardeo sobre Plaza de Mayo.

"Llegué con un fotógrafo en un *jeep* del diario –rememora Murray– y lo que tuve que ver allí jamás lo olvidé. Fueron momentos terribles." Orgambide comparte esa sensación de agobio: "A mí me tocó salir con el fotógrafo Villa, un morocho grandote que parecía no atemorizarse ante nada. Lo que vi me hacía temblar el cuerpo, transpirar las manos, instalar un gusto ácido en la garganta. Tuve la muy rara impresión de que el tiempo se había detenido, al punto de que hoy no podría decirte cuánto tiempo estuvieron los aviones ametrallando. Todo se puso gris. Lo que más me abatió es que cuando lo peor parecía haberse terminado, el fotógrafo se sentó en el cordón de una vereda y se puso a llorar como un chico. Yo me acerqué, le acaricié la cabeza y le avisé: 'Ya pasó'. Y en lugar de decirle 'Volvamos a la redacción', le dije 'Volvamos a casa'. Creo recordar que en la crónica que escribí después hablé de un zapato de mujer que había quedado, suelto, perdido en la calle", dice Orgambide. En su libro de memorias, Félix Laiño afirma que ese mediodía la redacción de *La Razón*, situada a trescientos metros de donde caían las bombas, temblaba como una hoja. Reconoce que sintió miedo y afirma que, casi en soledad, fue disponiendo las informaciones como para dejar lista, y en hora, la quinta edición.

Cuando, finalmente, el golpe de Estado del 16 de setiembre de 1955 acabó con la era peronista, Perón y su gobierno manejaban desde la cadena ALEA 13 editoriales con 17 diarios y 10 revistas, 4 agencias informativas, más de 40 radios y el único canal de televisión. Antes del fin del peronismo, el periodista León Bouché, que había hecho una exitosa carrera en la editorial Haynes, reemplazó a Raúl Apold en la Secretaría de Informaciones. Ya con Perón derrocado, *La Nación* denunció que en los días anteriores habían tenido que someterse a censura previa.

Ahí empezaría otra historia periodística: la de Perón en el exilio y la de la influencia que ejerció a distancia durante 18 años. Y también se iniciaría otra historia política, la de la llamada Revolución Libertadora, que repitió muchos de los procedimientos de censura y persecución que había instalado el peronismo, sólo que cambiando el signo de los opositores.

## Así es García

Con un contenido centrado en hechos policiales y crímenes, escándalos, deportes, algo de sexo y crónicas de actualidad muy bien investigadas y escritas y con un material fotográfico espectacular, Héctor Ricardo García sale el 19 de octubre de 1955 con la revista *Así*, un semanario que comenzó vendiendo 80.000 ejemplares y en un mes llegó al doble. García le compró el reportaje y las fotografías principales de la primera edición a la agencia United Press por 1000 pesos. Nadie se había interesado por ese material "maldito": una entrevista al ex presidente Perón, desde que, un mes antes, había ingresado en el puerto de Buenos Aires, corrido por los militares, en la cañonera *Paraguay*, principio de su exilio en Villarrica, una pequeña ciudad paraguaya. En la tapa aparecían Perón –enorme, sonriente, vestido de *sport*– y la promesa de un reportaje exclusivo: 80.000 compradores agotaron la edición inicial de *Así* en pocas horas. En los números siguientes esta revista, impresa en rotograbado color sepia, con muchas fotos y escasos blancos en su diagramación, no dejó de crecer. García rechazó los cargos de "amarillismo", alegando que ése era "un término inventado para denigrar a los diarios y revistas populares".

## Jóvenes que llegan al periodismo

Hacia fines de 1955 el escritor Enrique Wernicke acababa de publicar su libro *La ribera* y le preocupaba que algunos periódicos como *Propósitos* hablaran más del editor de la obra que del autor. No le había conformado la crítica del órgano dirigido por Leónidas Barletta tenía la impresión de que aquel crítico era "un tarado que ni siquiera menciona al personaje principal del libro ni los sucesos que vive". Le quedaba aguardar la publicación de nuevos comentarios. "Tal vez en *Qué* digan algo bueno, pero la revista no se lee. En *Mundo Argentino*, ¿que dirá Sabato?", se preguntaba el escritor.

Luis Pico Estrada afirma en 1996 que aquella época de la revista *Qué* le parecía deslumbrante "porque estaba llena de ideas y de propuestas de debate" igual que otra gran revista, *Tarea Universitaria*, y la editorial Haynes, que después del golpe militar se convirtió en "un andarivel alucinante, poco ideológico, lleno de aventuras. Convivían católicos de derecha como Hugo Ezequiel Lezama con un poeta angélico como Vicente Barbieri o con una docente socialista como Fryda Schultz de Mantovani, que dirigía *Mundo Infantil*, mientras que Ernesto Sabato había quedado al frente de *Mundo Argentino*".

Oscar Hermes Villordo.

María Elena Walsh se inicia
en la editorial Abril.

Casi unánimemente los diarios de 1955 condenan
a los jerarcas católicos y a los militares sublevados.

Pico Estrada había entrado a trabajar en *La Razón*, donde Laiño había impuesto el uso de un copete que trataba de decirlo todo antes de que el lector se internara en la nota y una miscelánea cuyo paradigma era la nueva sección de televisión, que comenzó a publicarse en la contratapa del vespertino y de la que Pico Estrada era el responsable. La televisión interesaba cada vez más a la gente, y la sección daba cuenta de la nueva actividad en un tono crítico e irreverente.

Roberto Ledesma y Luisa Mercedes Levinson, que firmaba Luisa Lenson, trabajaban en editorial Abril y desde allí le proponen al escritor Oscar Hermes Villordo que se haga cargo del consultorio sentimental de *Nocturno*. Junto a otros jóvenes como Amelia Biagioni, Alfredo Veiravé, Tomás Eloy Martínez y María Elena Walsh, Villordo tenía como meta la poesía y no un consultorio sentimental, pero de todos modos acepta, aunque firma con seudónimo: "Jacqueline Saint-Pierre". La sección se llamaba "Secreteando" e informaba, como decía Villordo, acerca de "los idilios de zaguán". El desafío de Villordo también era una forma de reírse de lo que lo rodeaba.

Los jóvenes seguían con devoción la revista *Qué*, por su tratamiento más analítico de la información política. En esta segunda etapa Rogelio Frigerio dirigió la publicación fundada en los

### Perfil: Luis Pico Estrada

En la década del 50, Luis Pico Estrada era un típico "joven intelectual antiperonista, de izquierda, espantado porque casi todos los medios de comunicación estaban en manos del Estado y producían basura controlada". Compartía el mismo sentimiento con otros jóvenes como Juan Gelman, Juan Carlos Portantiero, Roberto Hosne, Andrés Rivera y Enrique Pezzoni. Se reunían en la confitería Jockey Club, de Viamonte y Florida, o en ciertas librerías que, según Pico Estrada, "oficiaban de escenarios para la conjura posible. Se vivía el peronismo como una forma de sofoque o de barbarie, de fascismo al fin. Quien más quien menos tenía amigos presos o había estado cerca de algún comunista castigado".

Recuerda haber colaborado en revistas tan extrañas como *París en América* o *De Frente*, de John William Cooke, cuyas páginas culturales orientaba el dramaturgo Omar del Carlo. Pico Estrada y compañía debatían exquiseces para la época: las críticas cinematográficas de Caín (el cubano Guillermo Cabrera Infante) aparecidas en la revista *Bohemia* de la Cuba prerrevolucionaria, y la forma de escritura del semanario norteamericano *Time*: "el adjetivo chico, la frase incisiva, la bajada sintética y cierto estilo de insolencia".

años 40 por Baltasar Jaramillo y proponía desde sus páginas un cambio y una modernización en el país. En 1956, cuando se produce una ruptura en el partido radical, la revista se alinea detrás de Arturo Frondizi, líder de uno de los bandos en pugna, y lo sigue hasta convertirse en artífice del ideario desarrollista y del ascenso de Frondizi a la presidencia.

## Tendencias razonables

Tras la instalación del gobierno militar, las acciones de *La Razón* –negociadas durante el peronismo en nombre de Eva Perón y a cambio de una importante suma de dinero por el entonces ministro de Hacienda Miguel Miranda– volvieron primero a un organismo de inteligencia del Ejército y posteriormente a manos de Ricardo Peralta Ramos. Enseguida, el gobierno militar dispuso intervenir los bienes físicos y patrimoniales de más de cuatrocientas personas y empresas, entre ellas *La Razón* y Peralta Ramos. Tiempo después, gracias a la tarea de su abogado Marcos Satanowsky, la empresa fue la única que obtuvo su recuperación patrimonial completa.

Peralta Ramos siempre pensó que lo habían despojado del diario. En una investigación publicada en 1955 por la revista *De Frente* se recuerda que durante el gobierno de Agustín P. Justo, en plena década infame, *La Razón* recibió un crédito por 5 millones de pesos a cambio de lo cual, y a modo de garantía prendaria, entregó acciones. Esos valores serían los que en algún momento cayeron en manos del peronismo y fueron devueltos por dos emisarios de la cadena ALEA el mismo 16 de setiembre de 1955. Posteriormente, personas vinculadas con la Revolución Libertadora pretendieron comprar el diario, pero a esa altura conflictos familiares y societarios dividían a la empresa, fuertemente infiltrada por los servicios de informaciones.

El marino Francisco Manrique, uno de los militares más destacados de la Revolución Libertadora, adquiere los talleres del diario *Crítica* (ya en una pronunciada decadencia), ubicados en la calle Salta, con el propósito de hacer un nuevo diario.

## Las otras pestes

En el verano de 1956 una epidemia de poliomielitis provocó el contagio de más de dos mil chicos, doscientos de los cuales murieron. La grave situación propició una respuesta solidaria gigantesca: las comunidades salían a higienizar escuelas y calles y las madres colgaban del cuello de sus hijos cadenitas con pastillas de alcanfor, un fuerte desinfectante. Esas pastillas de alcanfor parecen ser hoy la metáfora de lo que sucedía en el poder: los militares de la "Revolución Libertadora" disponían lo que ellos suponían iba a ser el antídoto para erradicar la *peste* del peronismo.

Perón había actuado profundamente sobre los medios: el periodista Bernardo Rabinovitz, de la agencia United Press, publicó en un libro llamado *Sucedió en la Argentina* un pormenorizado detalle de cada uno de los cerrojos que el Estado peronista, calificado como Estado fascista, había aplicado sobre la prensa mientras estuvo en el poder. Sin embargo, nada había llegado tan lejos como lo haría la "Libertadora" con el decreto 4161 que, como escribió Rodolfo Terragno en 1976, "debería ingresar, con mérito, no sólo a una antología del despotismo sino a una historia de esos esfuerzos que en todas las épocas y lugares han hecho inútilmente los gobernantes inseguros".

En efecto, la "Revolución Libertadora" cree elaborar un antídoto y el 5 de marzo de 1956 saca un decreto que perfecciona una decisión anterior de prohibir toda alusión al peronismo de carácter proselitista, y la extiende a cualquier tipo de mención periodística: "Se considerará especialmente violatoria de esta disposición la utilización de la fotografía, retrato o escultura de los funcionarios peronistas o sus parientes, el escudo y la bandera peronistas, el nombre propio del presidente depuesto, el de sus parientes, las expresiones peronismo, peronista, justicialismo, justicialista, tercera posición, la abreviatura PP, las fechas exaltadas por el régimen depuesto, las composiciones musicales denominadas 'Marcha de los muchachos peronistas' y 'Evita capitana' o fragmentos de la misma y los discursos del presidente depuesto y de su esposa o fragmentos".

Frente a tamaña censura la prensa argentina deberá apelar a célebres artilugios: desde entonces se difundirán eufemismos como "el ex dictador", "el tirano prófugo" –frase con que *La Prensa* aludió a Perón hasta poco antes de su muerte–, "el político exiliado", "el régimen imperante hasta el 16 de setiembre de 1955". Es de ese momento un artículo de Borges en el que defendía el uso de la elusión y el sesgo preferentemente confuso en el lenguaje. Sobre este asunto, Tomás Eloy Martínez señaló: "La jerga periodística de la época, cuando ya hacía un tiempo que los diarios llamaban 'tirano prófugo' a Perón, era un torneo de eufemismos insoportables".

Desafiante como siempre, el 28 de agosto de 1957 *Así* publicó en tapa una imagen de Perón con una raya blanca sobre los ojos. "Nuestro Perón no era ni el tirano infame ni el gran presidente", explicó en una ocasión Héctor Ricardo García. "Durante la Libertadora se procede del mismo modo en que se había hecho durante el peronismo, aunque con contenido inverso. Se expropian los diarios típicamente peronistas, como *Democracia*, para transformarlos en diarios típicamente antiperonistas, se persigue a periodistas peronistas. Con esos procedimientos vuelven la chatura, la homogeneidad de pensamientos y, lo que es peor, la censura", afirma Julia Constenla.

Algunos casos preocuparon y atemorizaron a la comunidad periodística:

- El gobierno militar que derroca a Perón incauta los bienes de Emilio J. Karstulovic, editor de la revista *Sintonía*. Sitiada por limitaciones tanto políticas como económicas, la revista deja de aparecer.
- El periodista Bernardo Neustadt es sometido a rigurosos interrogatorios políticos, especialmente uno que le practica el contraalmirante Isaac F. Rojas, Vicepresidente de la Nación. Los careos lo encontraron responsable de algo, ya que, según consta en su autobiografía, Neustadt pasó veinte días preso en la cárcel de la calle Las Heras. Una vez libre de los cargos, los interventores que la Revolución Libertadora había designado en la editorial Haynes, impresora de *El Mundo*, lo despidieron.
- Investigadores de la Libertadora ordenan la liquidación de la revista *Esto Es* y acusan de peronista a su director propietario, Tulio Jacovella.

## *Sabato se va de* Mundo Argentino

A partir del golpe, el poder de la editorial Haynes, que publica *El Mundo* y más de media docena de revistas, se distribuye entre numerosos interventores. A *Mundo Argentino* llega el escritor Ernesto Sabato, quien toma por lo menos dos decisiones importantes: decide incorporar a su redacción a una cantidad de jóvenes periodistas (que cumplirían un papel en la renovación periodística de los años siguientes) y se propone quitarle a la publicación su aspecto anodino para convertirla en un instrumento de denuncias políticas y sociales. En setiembre de 1956, Sabato publicó un "largo y documentado" artículo sobre la metodología de los apremios ilegales en contra de los peronistas, cuyo punto más escabroso consistió en la denuncia de encierros y torturas a militantes en lugares de detención ubicados en los sótanos del edificio del Congreso. La información, levantada por otros medios como *Qué* y por algunas radios, golpea y divide a la opinión pública. Se instala entonces un fuerte debate acerca de los límites del poder y los métodos represivos. La audacia le cuesta el puesto a Sabato en medio de un escándalo, porque detrás de su prestigioso director entregan su renuncia 34 periodistas, entre personal fijo y colaboradores. El episodio sirve para denunciar las posibles, graves con-

## Perfil: José Claudio Escribano

Cuando tenía 14 años y era alumno pupilo del Liceo Naval Militar de Río Santiago, el joven José Claudio Escribano, decididamente influido por Andrés Durán –un hermano de su madre y famoso cronista parlamentario de la época–, se prometió: "Voy a ser abogado, voy a ser periodista y voy a trabajar en *La Nación*". Ayudado por Luis Mario Lozzia, el reemplazante de Durán –fallecido en 1953–, Escribano pudo cumplir con la triple promesa.

Una de las primeras tareas que tuvo en 1956 en su condición de "cronista volante" fue registrar los episodios del 9 de junio de ese año (el fusilamiento de militantes peronistas, sospechados de participar en una insurrección comandada por el general Juan José Valle). Escribano y dos compañeros llegaron buscando información al regimiento de Patricios en Palermo, y unos guardias les dieron la voz de alto.

"¿Quién vive?", preguntaron los consignas.

"Periodistas, periodistas", se identificaron los hombres de prensa.

El revuelo que se armó enseguida a su alrededor los sorprendió, pero todavía más los sacudió la explicación posterior de un capitán, celoso de su tarea y algo duro de oído: había entendido "peronistas". El militar les confesó que se habían salvado por muy poco.

secuencias de "una prensa uniformada y temerosa que pierde contacto con la opinión pública real y con las esperanzas y angustias de sus ciudadanos" (como decía Sabato en su renuncia entregada a un coronel Meredith, interventor en la empresa, que "amablemente" se la había solicitado) y también para reclamar la liquidación de la Secretaría de Prensa. Según la opinión de Sabato, la Secretaría actuaba de un modo coercitivo desde diarios que le respondían ciegamente y seguía dando el papel en cuotas como en los peores momentos del gobierno peronista.

## Un psicoanalista acá

A partir de noviembre de 1956 el diario *La Razón* comenzó a publicar tres veces por semana una columna novedosa, inquietante y útil: la licenciada Eva Giberti firmaba "Escuela para Padres", un foro pensado y planteado con inteligencia y audacia para la época.

"Me acuerdo que el primer artículo se llamaba '¿Se aprende a ser padre?'. Muy pronto empezó a hablarse de 'Escuela para Padres' por todos lados, a favor y en contra", evoca Eva Giberti. Desde esa sección se revisaban y cuestionaban los criterios tradicionales de autoridad ("Hay que obedecer a los adultos porque son grandes y saben más") y las pautas de crianza de los niños.

Giberti –que anteriormente había demostrado sus dotes de divulgadora de los saberes psicoanalíticos en la influyente revista *Nuestros Hijos*, de Miguel Brihuega– recuerda que muchos pediatras del Hospital de Niños, en donde ella también trabajaba, le pedían que dejara de escribir esas cosas porque en las consultas las madres empezaban a dudar de la efectividad de las vitaminas y, en cambio, preguntaban si sus chicos no tendrían un "complejo". No fue ésta la única palabra incorporada al habla corriente desde esa sección: también hicieron carrera términos como "neurosis", "trauma", "frustración", "conflicto", "pareja" y muchas otras. En una sociedad educada en el prejuicio y en la que primaba el criterio de que a los chicos no había que decirles toda la verdad en ciertos temas, Eva Giberti se las tomó primero con los mitos ("la cigüeña trae a los niños de París", "los chicos nacen de un repollo") y luego desarrolló una sección útil que

Perfil del almirante Rojas, por Flax.

Flax no habla pero dibuja:
Pedro Eugenio Aramburu
según su lápiz.

José Claudio Escribano

trató de interpretar y registrar los cambios en el hombre, en la mujer, en las parejas y no dejó un solo tópico de la educación sexual sin abarcar. "Mi trabajo consistió en resignificar los conceptos del psicoanálisis en el ámbito doméstico y para las necesidades del gran público", dice Giberti, quien años más tarde se casó con otro importante divulgador periodístico de la ciencia médica, el doctor Florencio Escardó.

## El espíritu de la información

En 1956 Ramiro de Casasbellas era un perito mercantil recién recibido que languidecía en su aburrido trabajo en la Dirección General Impositiva. Sólo la lectura en general, y la poesía en particular, lo hacían sentir distinto. Un amigo de su padre, anarquista, le dio una recomendación para trabajar en *La Razón*. Ingresó, sí, pero no en la sección cultura, como hubiera querido, sino en "Policiales", como decidió Félix Laiño, al lado de maestros como Carlos Liacho y Jacinto Torío. Su rutina consistía en recorrer cada día el espinel telefónico de las seccionales y convertir a las novedades en breves noticias. Pero lo que a él le interesaba realmente eran los libros y el cine, y con esos conocimientos comenzó en el vespertino la sección "Siete Días desde la Platea".

Ese mismo año Osvaldo Bayer venía de vivir en Alemania y cuando entró como redactor en *Noticias Gráficas* era conocido como un autorizado traductor argentino de Bertolt Brecht. En ese mítico espacio, cuyo verdadero espíritu rector era José "Pepe" Barcia, los periodistas –según recuerda Bayer– "eran grandes vagos, bohemios que pasaban buena parte del tiempo en el café hablando más de turf que de fútbol. Allí conocí a grandes maestros como Bernardo Verbitsky, Pepe Portogalo, José González Carbalho y Manuel Sofovich, cuyos hijos Gerardo y Hugo, muy jóvenes, hacían una historieta. Al lado mío se sentaba otro chico como yo, José Arverás".

En *Resistencia Popular*, Raúl Damonte Taborda, el yerno de Natalio Botana, reclamaba por los fusilamientos de José León Suárez –ocurridos en junio de 1956–, instaba a la aparición del cadáver de Eva Perón y lanzaba precozmente la candidatura de Frondizi a presidente.

El 3 de febrero de 1956, luego de que Aramburu y Rojas derogaran el decreto de expropiación de 1951, reaparece con bombos, platillos y devolución de bienes a la familia Gainza Paz el diario *La Prensa*. Hasta la escultura de "La Farola" pudo volver a su lugar. Sin embargo, el diario había iniciado una etapa de decadencia. Su primer título: "Por defender la libertad".

Según Gerardo Ancarola, hay algunas fechas emblemáticas en la historia de *La Prensa*. El 25 de mayo de 1930 el diario llega a los 500.000 ejemplares de venta y cinco años más tarde, con un país de 13 millones y medio de habitantes, la venta alcanza los 745.000. En 1956, al ser rehabilitada, la tirada es aún mayor –800.000–, pero, como no se vende, finalmente se estabiliza en 350.000. "*La Prensa* seguía siendo la misma. En independencia, en seguir pensando en el efecto devastador del peronismo, en persistir en una línea opositora. La sociedad comenzaba a cambiar y el diario era en muchos aspectos más rígido de lo que la gente era", afirma Ancarola.

Cuando por los días de la reaparición entró a trabajar en *La Prensa*, Gregorio Selser ya era lo que nunca dejaría de ser hasta el fin de sus días: un militante del Partido Socialista.

–¿Qué le gustaría hacer? –le preguntó Lahítte, uno de los subdirectores, en la entrevista inicial.

–Bueno, hasta ahora he escrito de cine y de teatro –respondió Selser.

–Así que cine y teatro... ¡Con usted debe ser el aspirante número 50 que me dice eso!

De todos modos, lo tomaron, porque lo más importante para el diario era cerciorarse de que no era ni había sido peronista. Lo destinaron a la sección "Obras y Servicios Públicos", en la que trabajó casi veinte años sin firmar jamás una nota. Entre Alberto Gainza Paz y Selser había más que un abismo ideológico (en el diario también trabajaron otros periodistas socialistas como Horacio Rodríguez, Luis González O'Donnell y Oscar Serrat), pero nunca se enfrentaron por ese motivo. Selser lo explicó así en una ocasión: "Si bien Gainza Paz era un troglodita en materia política, en lo personal era un fuera de serie, un caballero español al estilo de antes, que trataba con respeto y consideración a todos los trabajadores del diario".

Bernardo Verbitsky: un escritor
noblemente dedicado al periodismo.

Los materiales de la psicóloga Eva Giberti
hicieron escuela.

Osvaldo Bayer recién llegado de Alemania,
entró en *Noticias Gráficas*.

## En 1957 pasa de todo

En 1957, el mundo, que atravesaba el tenso período posterior a la Guerra Fría, y la Argentina, que sólo en apariencia se había sacado al peronismo de encima (más bien lo había ido erigiendo en uno de sus mitos imperecederos), estaban en cambio. Las ciudades dejaban atrás su aspecto rural y se iban convirtiendo en activos centros urbanos, tal y como los nuevos requerimientos lo exigían. La gente sentía necesidad de saber lo que ocurría a su alrededor y de entender la dimensión de las transformaciones que afectaban sus vidas. El periodismo interpretó esas necesidades, y protagonizó una etapa en la que bien puede situarse el kilómetro cero del moderno periodismo en la Argentina. Esta hipótesis se sustenta en varios factores:

- El gobierno peronista había establecido numerosos controles y censuras, lo que les dio a los medios un inequívoco tinte oficialista. Y a pesar de que el movimiento militar que derrocó a Perón persiguió a medios y periodistas y cometió otros atropellos incalificables –como prohibir la palabra "Perón"–, la necesidad y el valor de informar en libertad se fue imponiendo.
- Se produce en diarios y revistas una renovación generacional. Jóvenes provenientes del mundo universitario se incorporan al periodismo para dar respuesta a la demanda de una mirada nueva, de información más precisa, más amplia, más cuidada y menos oficialista.
- La preparación del periodista comienza a plantearse como un valor, lo que provoca resentimientos insuperables en las generaciones anteriores de cronistas, que basaban su labor en la erudición intuitiva y callejera. Por su conocimiento de idiomas, "los nuevos" habían accedido a los semanarios franceses y norteamericanos y a columnistas de distintos estilos como Walter Lippman, James Reston, Art Buchwald o John Reed.
- Son los periodistas más jóvenes los primeros que se animan a desafiar la asfixiante dicotomía peronismo-antiperonismo. También contribuyen a correr un poco la mirada de París, el centro del conocimiento en aquel momento. En ese aspecto,

se consigue desacralizar los temas de la cultura.

• El proyecto político que conduce a Frondizi a la presidencia en 1958 se fragua en esos días y sostiene el nacimiento de una esperanza y una nueva necesidad de expresión periodística.

• En un mercado en donde ya tienen un importante lugar publicaciones tan variadas en su índole y en su público como *Qué, Leoplán, Intervalo, Extra, Vea* y *Lea, Patoruzito* y *Esto Es*, se suman otras manifestaciones, como *Claudia, Mayoría, Hora Cero, Tía Vicenta*.

• En ese tiempo surgen o se consolidan periodistas como Ramón Garriga y Francisco Valle de Juan (exiliados españoles), Jacobo Timerman, Bernardo Neustadt, Luis González O'Donnell, Esteban Peicovich, Horacio de Dios, Norberto Firpo, Luis Pico Estrada, Ricardo Warnes, Nicolás Mancera, Ernesto Schóo, Enriqueta Muñiz, Julián Delgado, Hugo Gambini, Tomás Eloy Martínez, Pedro Larralde, Rolando Riviere, Rogelio García Lupo y otros.

## Títulos y personas

De paso por Tucumán, Juan Valmaggia, de *La Nación*, se fijó en el trabajo de un periodista joven que colaboraba en el suplemento cultural del diario local *La Gaceta* –que dirigía Daniel Dessain– y lo invitó a hacer críticas de cine en el diario de los Mitre. Era Tomás Eloy Martínez, que se inició el 16 de julio de 1957 con la reseña de *El mundo silencioso*, un filme del francés Louis Malle. Eran los tiempos en que, según evoca hoy, a Tomás Eloy Martínez sólo le importaba la literatura, pero junto con Ernesto Schóo y Rolando Fustiñana ("Roland"), creó –simultáneamente Edmundo Eichelbaum y Héctor Grossi lo hacían en *Mundo Argentino* y Calki brillaba en *El Mundo*– un estilo nuevo de crítica cinematográfica, más distanciada de los intereses de las distribuidoras.

Signo del cambio de los tiempos: tres pistoleros contratados, vinculados con el Servicio de Informaciones del Ejército, mataron el 13 de junio de 1957 a Marcos Satanowski, el abogado del diario *La Razón* que, según probó posteriormente Rodolfo Walsh en una investigación ejemplar, era depositario de las acciones de Ricardo Peralta Ramos interdictas por la Revolución Libertadora.

Los cambios llegan a *Clarín*. Conducida por Moisés Schebor Jacoby y Luis Clur, la redacción reunía a muchos consagrados de *Crítica* –Raúl Pascuzzi, Eduardo Baliari, Raúl González Tuñón, José Portogalo, Edmundo Guibourg– y a jóvenes como Esteban Peicovich, Roberto Cossa, Rodolfo Rabanal y Valentín Vergara. Por decisión de Jacoby, el logo de *Clarín*, hasta entonces en rojo, pasa a imprimirse en negro, pero son otras las cuestiones que le dan color al diario: la sección económica que maneja Oscar García Rey y la información militar que abastece, entre otros, Enrique Llamas de Madariaga.

## En primera persona

- ALBERTO RUDNI: "Yo me acuerdo que les decía a los más chicos: ustedes pueden hacerlo porque ya no está más el peronismo. Hasta 1955 decir en una nota que alguien tenía puesto un traje azul era considerado adjetivación intencionada."

- ARTURO JAURETCHE (1958): "Ahora el cuarto poder existe y yo diría, incluso, que es el primero. Sólo que no tiene nada que ver con la libertad de prensa y sí, mucho, con la libertad de empresa. Se trata de un negocio como cualquier otro que para sostenerse debe ganar dinero vendiendo diarios y recibiendo avisos."

- ROBERTO HOSNE: "Comienza a insinuarse en ese año 1957 (y tarda ocho o diez años en concretarse) un estilo que yo llamo de 'periodismo amarillo empresario', la decisión de vender ejemplares como objetivo número uno. Así como en Atlántida Dante Panzeri, que en el fondo era un espartano, le daba la espalda a todo lo que pudiera ser atractivo de venta, también estaba Carlos Fontanarrosa, a quien sólo lo desvivía vender más... Se salía del peronismo, que fue una oscuridad tremenda, pero después vendría el frondizismo, que también significó una forma de estalinismo literario."

- RICARDO HALAC: "Ingresan al periodismo, provenientes de la docencia universitaria o de la literatura, nuevos periodistas animados por la idea de que desde allí tendrán una labor que desarrollar, una misión que cumplir. Se acaba un poco el escribir por escribir. Ahora se sabe que no hay que mentir y que, preferentemente, hay que comunicar algo."

- HUGO GAMBINI: "Después de diez años de peronismo que castró política y periodísticamente a los veteranos, llegaron los nuevos, sin pasado, y empezaron a hacer un periodismo audaz que ya se conocía en todo el mundo menos aquí."

- HORACIO VERBITSKY: "El término 'moderno' aplicado al periodismo puede resultar engañoso, porque el diario *El Mundo* hacía periodismo 'moderno' en los años 30, y *Crítica* lo hacía en los 40. Yo preferiría decir que el moderno periodismo argentino nace con Alberdi y Sarmiento, o con José Hernández a fines del siglo XIX. El *Facundo* pretendió ser un trabajo periodístico y terminó siendo una obra central de la literatura argentina del siglo pasado del mismo modo que lo fue *Operación Masacre*, de Rodolfo Walsh, que empezó como investigación periodística."

"Tan especial era aquella redacción de *Clarín* entre 1957 y 1960, que tenía en su seno a los que fundarían los tres diarios de más éxito en la Argentina de los años subsiguientes: Héctor Ricardo García, que haría *Crónica*; Jacobo Timerman, de *La Opinión*, y Julio Ramos, de *Ámbito Financiero*", escribe Ramos. Jorge Fernández Díaz revela que Timerman, autor de la columna de información política "A Pesar del Hermetismo", y Bernardo Neustadt, responsable de la sección "Detrás del Escenario", se conocieron en los pasillos de *Clarín* en 1957 e iniciaron una relación que habría de ser siempre tormentosa.

En la revista *Así*, Horacio de Dios fue secretario de redacción y compañero de otro periodista al que recuerda como extraordinario, Mario Valeri. Una entrevista exclusiva que De Dios le hizo a Guillermo Patricio Kelly, y que *La Razón* no había querido publicar, fue tapa de *Así*.

En 1957, Tulio Jacovella se convirtió en editor de *Mayoría* "con el propósito de denunciar la corrupción, la simulación de libertad y la política de entrega del patrimonio nacional por parte de la titulada 'Revolución Libertadora'". En esa revista, que sufrió 32 procesos penales, varios de ellos por violación del decreto que consideraba un delito la utilización de la palabra "Perón", Rodolfo Walsh escribió los artículos que dieron origen a *Operación Masacre* y sus investigaciones preliminares sobre el asesinato del abogado Satanowski.

"Fue una revista que manifestó como pocas el propósito de revisar la historia del peronismo. *Mayoría* es, después de la caída de 1955, la primera tentativa de darle al peronismo contenidos que no fueran la memoria de Evita, el anquilosamiento ideológico o la obsecuencia", señala Rogelio García Lupo. Si bien sobrevivió a la "Libertadora", *Mayoría* sucumbió durante el gobierno de Arturo Frondizi por haber informado acerca de la guerrilla del comandante Uturunco, en el norte de la Argentina.

En 1957, Norberto Firpo era un frecuente colaborador de *Vea y Lea*. En ese espacio se codeaba cada tanto con autores como Horacio Martínez, Ana O'Neil, Velmiro Ayala Gauna y Rodolfo Walsh. Su especialidad eran las ficciones con suspenso, crímenes, policías, ladrones y deducciones inteligentes. A eso se dedicó hasta que Gerardo Andújar, el secretario de redacción de esa exitosa revista quincenal, dejó su puesto y se lo ofrecieron a él. La revista incluía temas de actualidad, y contaba con un público bastante fiel y numeroso. Se trataba de una redacción muy pequeña (no más de seis personas), con la presencia de varios periodistas notables. A la hora de evocarlos, Firpo empieza por Ambrosio Vecino, que un día abandonó la dirección y marchó a *La Nación* para dedicarse a la primera revista de los domingos, y sigue con Jerónimo Jutronich, un notero arriesgado y completo, capaz de tocar distintos temas con absoluta idoneidad.

## De tierra adentro

Luis Feldman Cosín, propietario de una cadena de diarios en Chubut, contrató a Osvaldo Bayer para dirigir (y también para barrer y cebar mate cuando era necesario) el periódico *Esquel*. Cuenta Bayer en 1996: "En aquel tiempo era la Edad Media en el interior. Mandaban los grandes latifundistas". En una ocasión, desde el diario defendió y mostró como un ejemplo a un pionero llamado Lacava, que había plantado dos mil nogales, y contrapuso esa actitud a lo que llamaba "la beligerante pasividad del Ejército y de la Gendarmería". Esa nota llegó a Buenos Aires y Rogelio García Lupo la hizo publicar en el diario *El Nacional*. "El rebote periodístico trajo un lío fuerte. La policía, cercana a los terratenientes, le mandó al pobre Lacava arar todos sus sembradíos", cuenta Bayer, que a su vez fue inmediatamente cesanteado –por presión de la policía– y detenido. Su situación llegó a los medios porteños (diarios, revistas y radios agitados por García Lupo clamaban: "El mejor periodista argentino está preso en Esquel") y eso ayudó a su liberación.

Poco tiempo después Bayer hizo lo que denominó "el primer periódico independiente de la Patagonia". Se llamaba *La Chispa* y se componía en una antiquísima imprenta Minerva, letra por letra. Desde esa hoja denunció a los acaparadores de azúcar de Esquel y hasta contaba con un tal don R. Correy Beloqui, un singular cronista a caballo, que recorría cada rincón de la cordillera. Finalmente, acusado de difundir información estratégica en un punto fronterizo, Bayer fue obligado a punta de pistola a abandonar el Sur en 48 horas.

## Historias e historietas

Los jóvenes de la redacción de *Qué*, como Nora Lafón, seguían la figura señera de Raúl Scalabrini Ortiz. "Gente que lo admiraba por su honestidad y dignidad, sabiendo de su pobreza, le enviaba sobrecitos con mensajes y unos pesitos adentro", recuerda Lafón, joven periodista de esa publicación, que contaba con la experimentada periodista Blanca Stábile y con Jacobo Timerman como columnista estelar. En esta segunda etapa, bajo la influencia principal de Rogelio Frigerio (y la colaboración de Marcos Merchensky, Dardo Cúneo y Arturo Jauretche), *Qué* se convirtió en portavoz de la candidatura presidencial de Arturo Frondizi.

En 1957 Héctor Germán Oesterheld, editor de estupendas revistas como *Frontera* y *Hora Cero*, y autor de historietas como "Mort Cinder", "Sherlock Time" y el inolvidable corresponsal de guerra "Ernie Pike", comienza a publicar en *Hora Cero* su obra máxima: "El eternauta", donde imagina una invasión extraterrestre que acaba con los habitantes de una ciudad. La ciudad es, a todas luces, Buenos Aires. A lo largo de dos años, en sociedad con el dibujante Solano López, llegan a producir 350 páginas apaisadas.

El 20 de agosto de 1957 aparece el número inaugural de *Tía Vicenta*, en el que había numerosas transgresiones al decreto que impedía mencionar a Perón. Por ejemplo, Landrú confeccionó una lista de aumentativos absurdos: de buzo, buzón; de coraza, corazón; y de pera..., Perón. "Yo lo nombraba en chiste –asegura Landrú–, sin intenciones de hacerle propaganda. Pero igual nunca fui gorila. Fui, eso sí, antiperonista, aunque recibía colaboraciones de José Gobello, que estaba preso por peronista."

Al lado de Juan Carlos Colombres ("Landrú"), estaban Carlos del Peral, Faruk, Brascó, Norberto Firpo (con su seudónimo "Ácido Nítrico"), Quino, Juan Fresán, Armando Chulak, Tito Botana ("Jaimote Botanilla") y su sobrino Copi. Entre todos hicieron una revista "novedosa, abierta, desfachatada" y un éxito de ventas: arrancó con 50.000 ejemplares y muy pronto duplicó su tirada.

Landrú, que según su biógrafo Edgardo Russo se había habituado al ejercicio de la elipsis en *Cascabel*, y que ya en *Vea y Lea* comenzó a escribir personajes como "El Señor Porcel", sorpren-

Norberto Firpo en sus inicios
en *Vea y Lea*.

La revista de historietas *Hora Cero*,
de Héctor Oesterheld.

Landrú sorprendió desde *Tía Vicenta* con personajes novedosos.

dió con "La Familia Cateura" y "Rogelio, el hombre que razonaba demasiado". Ignacio Anzoátegui, inspirado en una sección de la publicación española *La Codorniz*, escribía "La Cárcel de Papel", donde enjuiciaba y encarcelaba a personajes de la actualidad. Miguel Brascó, que era abogado y colaboraba en *Tía Vicenta*, sufría un problema de doble personalidad. Cuando los clientes de su estudio le preguntaban si era él quien firmaba los dibujos, Brascó, para que siguieran considerándolo "una persona seria", respondía que se trataba de un primo suyo.

Andar con la revista *Claudia* bajo el brazo era la prueba de ser "una mujer en la onda". Así lo recuerda Mario Ceretti, y afirma que en *Claudia* se trataban los temas con mayor tolerancia para la época. La revista estaba dirigida a mujeres con intereses que excedían los del ámbito doméstico y que pensaban en su realización personal, laboral o cultural. Para Ceretti, *Claudia*, inspirada en la francesa *Marie Claire*, "acompañó el auge porteño del psicoanálisis y la liberación sexual de la mujer con mucho nivel científico y en ese sentido fue una revista de avanzada que habló del divorcio 25 ó 30 años antes de que aquí hubiera ley de divorcio". Carlos Andaló comparte la misma impresión: "Fue una gran revista de entrada, planteada para la clase media en ascenso, que habló de todo lo que se usaba, pero como una forma profunda de la educación". Ceretti –integrante él mismo de esa redacción– menciona la labor de periodistas como Víctor Saiz, Héctor Zimmerman, Ana María Ramb, Adriana Civita, Diego Baracchini y una de las máximas poetas argentinas, Olga Orozco. Por su parte, el periodista Carlos Andaló rescata la influencia de Mina Civita, esposa del dueño de la editorial, y su colega Cecilia Absatz señala como fundamental el rol que en esos tiempos tuvo Paola Ravenna.

En 1956 Rodolfo Walsh había entrado en contacto con Juan Carlos Livraga, un obrero de la construcción sobreviviente de la matanza de José León Suárez, y a través de él, pacientemente, comenzó a tejer una información que sería trascendente en el periodismo argentino y en la literatura testimonial y política. El primer medio que publica lo que tiempo más tarde se conocería como *Operación Masacre* es un semanario de izquierda y antiperonista, *Propósitos*, de Leónidas Barletta. Otras notas aparecieron en *Revolución Nacional*, pero fue en *Mayoría* donde la serie alcanzó su formato más prometedor. Unos años más tarde el mismo Walsh confesará que ese trabajo le cambió la vida: "No sólo me resultó fundamental para avanzar sobre mis perplejidades, sino para comprobar que existía un amenazante mundo exterior".

"Publicado por entregas, como los folletines del siglo pasado, a partir de 1957 uno de los mejores sueños americanos, sin otra subordinación que los estímulos de la época en que se vive, alcanza una estatura argentina y latinoamericana, bajo un rótulo impactante: *Operación Masacre*", escribió en 1988 el periodista José María Pasquini Durán.

## Frondizi al poder

Luego de 32 meses de gobierno militar, el 23 de febrero de 1958 el pueblo argentino volvió a votar, aunque no en las mejores condiciones. Dos años antes, el radicalismo se había dividido en dos: la Unión Cívica Radical del Pueblo, a cuya cabeza quedó Ricardo Balbín, y la Unión Cívica Radical Intransigente, cuya máxima figura, Arturo Frondizi, se convirtió en el nuevo presidente de los argentinos. El peronismo estaba proscripto aunque escondido detrás de un pacto secreto entre Frondizi y Perón, exiliado en Madrid. Como quiera que sea, desde la caída de Perón, Frondizi se había convertido en una importante figura política y la primera con posibilidades de aglutinar expresiones tan encontradas como la izquierda y el nacionalismo católico, o sectores disconformes con el viejo partido radical y grupos de "peronistas sin Perón".

Después de las elecciones apareció *El Nacional*, un nuevo diario frondizista. Era un proyecto armado por Rogelio Frigerio, coordinado por Emilio Perina y al frente de su redacción estaban Marcos Merchensky y Alberto Rudni. Frigerio, que junto con Narciso Machinandiarena también tenía influencias en la revista *Qué*, salta directamente de las redacciones a altísimos despachos del poder hasta convertirse en lo que se decía de él por aquel entonces: el monje negro del presidente. Eran los tiempos en que por todos lados circulaba un enigma: ¿Frondizi será un nuevo Perón? El tiempo, sólo el tiempo, ofrecería una respuesta cabal.

El periodismo celebra el levantamiento del estado de sitio vigente en el país desde 1943, pero la satisfacción dura poco, porque circunstancias de conmoción interna volverían a hacer pensar a los gobernantes en reinstalarlo.

"La revista *Qué* encuentra, casi de un modo sorpresivo, a un nuevo segmento social, fundamental por su influencia política en los años subsiguientes: la juventud. Se venía de una etapa de opresión, en la que la disidencia estaba prácticamente borrada y Frondizi, con sus ideas de renovación y modernización, monopolizaba la idea del cambio, siempre seductora para los jóvenes", explica Alberto Rudni. En *Qué* colaboraron desde Adolfo Prieto hasta Jorge Abelardo Ramos, pasando por Hernández Arregui, Noé Jitrik, Isidro Odena, León Rozitchner y muchos, muchos más. La revista tenía una línea opositora a la Libertadora, se proponía avanzar en el mundo de la política aceptando el fenómeno del peronismo, en vez de verlo como un hecho maldito, y sin satanizar a la clase obrera. Sus periodistas y columnistas polemizaron sin prejuicios y por primera vez en antinomias tales como militares *vs.* civiles, derecha *vs.* izquierda, populistas *vs.* conservadores, liberación *vs.* dependencia, peronistas *vs.* antiperonistas.

Llamativamente, la vida de esta revista frondicista terminó en abril de 1959, en pleno gobierno de Frondizi, justo cuando importantes intelectuales –de izquierda o no– que habían celebrado la llegada al poder del presidente, comenzaban a sentirse desencantados, tanto por sus virajes en temas centrales como el de la explotación petrolera, como por su acercamiento a posiciones liberales, y por su liso y llano desconocimiento del pacto con Perón.

## Un momento muy corto

La editorial Sopena, difusora de las obras de Alejandro Dumas y Victor Hugo, era la orgullosa editora de *Leoplán*, en donde trabajaban hombres de prensa ya consagrados como Carlos Duelo Cavero e Ignacio Covarrubias, jóvenes como Horacio de Dios o recién iniciados como Miguel Bonasso, que tenía 18 años en 1958. "Fue una maravillosa revista, con un concepto casi decimonónico del periodismo como difusor, y que en el siglo XX encarnó la revista de folletín y de grandes textos por entrega", la describe Bonasso.

Rodolfo Walsh comienza en 1956
las investigaciones que le cambiarán la vida.

En la redacción del diario frondizista *El Nacional*, de izquierda a derecha, entre otros,
Marcos Merchensky, Horacio de Dios, Alberto Rudni, Jacobo Timerman y Sergio Cerón.

En 1958 el Grupo Rivadavia (liderado por las familias Infante y Fernández Cortés) al que poco antes la "Libertadora" había otorgado la titularidad de *LS5 Radio Rivadavia* por 15 años, puso un pie en la alicaída empresa del diario *El Mundo*. Se inicia a continuación una gran etapa periodística, que encabezaron figuras como Moisés Schebor Jacoby –que venía de *Clarín*–, Oscar García Rey y Jacobo Timerman. Samuel Eichelbaum escribía los editoriales y compartía la redacción con su joven hijo Edmundo. Periodistas como Carlos Dobarro y Jorge Korenblit integraban el staff, y Bernardo Neustadt y Horacio de Dios suscribían las crónicas vivas que se publicaban en la contratapa del diario.

## La Hora *del Partido Comunista*

"Con Frondizi, el pueblo entra a la Rosada", decía el título principal del primer número de *La Hora,* un diario editado por el Partido Comunista Argentino. Era el 1º de mayo de 1958 y asumía el nuevo presidente de la Nación. "Aquel título lo puso (Ernesto) Giúdici y provocó un revuelo enorme y proporcional rechazo en el interior del PC. Pero todo se solucionó porque los soviéticos, que eran los que ponían el dinero, admiraban a Frondizi y a su libro *Petróleo y política*", evoca el periodista Isidoro Gilbert, vinculado a ése y a otros proyectos auspiciados por el comunismo argentino durante los últimos sesenta años.

Para Gilbert, el mejor semanario que tuvo el PC fue *Orientación,* que apareció entre 1930 y 1943, y llegó a vender 100.000 ejemplares. Aunque invariablemente se trataba de órganos concebidos para adoctrinar a la militancia, Gilbert acepta que "el periodismo comunista nunca pudo alejarse ni del aventurerismo ni del sectarismo". En este sentido, Gilbert evoca la tapa de uno de esos periódicos aparecidos en la misma semana en que asumía la fórmula Perón-Quijano, en 1946. El título principal aludía a la crisis del PC italiano, y el título del triunfo peronista en las elecciones estaba perdido, abajo. "Como para ponerse bien a contramano de la historia", dice Gilbert.

En 1950, Isidoro Gilbert era un irregular estudiante de Ciencias Exactas cuando decidió dedicarse de lleno a la política. No le faltaban blasones. Afiliado al Partido Comunista desde su adolescencia, preso en varias ocasiones, obrero de la fábrica Colorín y entusiasta observador de los hechos sociales, Gilbert también había elegido el periodismo como forma de expresión y de desarrollo político. En un momento se convirtió en mano derecha del líder de la izquierda Ernesto Giúdici, a quien reconoce como su maestro político. En 1958, cuando el comunismo decide sacar el diario *La Hora,* Gilbert se suma a la redacción para cubrir las actividades del Parlamento. Como hombre del partido tuvo responsabilidad en la puesta en marcha de diversos proyectos periodísticos y, en este tema, admite haber arrastrado una contradicción. "El PC siempre tenía que pasar disimulado o en un segundo plano. ¿Para qué? Para que no se enojara el poder o para dar una idea de amplitud ideológica. Siempre terminábamos buscando un aliado, un camarada de ruta para colocarlo como delegado o cabeza visible", precisa Gilbert en 1996.

El periodista califica como "redacción mítica" a aquella de *La Hora,* y la profusión de nombres no parece desmentirlo. Rómulo Marini ("Un gran maestro de periodistas", define Gilbert) era el secretario general. El jefe de la sección "Internacionales" era un joven poeta de enorme cultura, niño mimado de la juventud comunista de entonces y que acababa de publicar su libro *Violín y otras cuestiones:* Juan Gelman. Andrés Rivera y Domingo Varone se ocupaban de la actividad gremial y los domingos –bajo la jefatura del hoy historiador Ezequiel Gallo– Osvaldo Dragún escribía una columna deportiva que le jugaba de igual a igual a la sabiduría y a la picardía de un Diego Lucero. En "Información General" trabajaba la eterna novia de Borges, Estela Canto; en esa misma sección y también en "Cultura" figuraban la poetisa Juana Bignozzi, Marcelo Rabonni (que después partió a Italia para trabajar en la editorial Mondadori y es hoy representante de escritores en Italia) y Manuel Mora y Araujo, actual titular de una importante empresa encuestadora. El pintor Carlos Gorriarena era el jefe de arte; Sergio Peralta, uno de los diagramadores.

De todos modos, el diario, que cumplió toda una tarea en el difícil despegue democrático, duró lo que un suspiro porque cerró en enero de 1959, cuando Frondizi viaja a los Estados Unidos para entrevistarse con el presidente Kennedy y, como recuerda Gilbert, "aquí se iniciaba una furibunda huelga general de 72 horas organizada por John William Cooke para resistir la

Antes de empezar a desencantar a sus votantes, Frondizi recibe a los reporteros gráficos.

Frondizi publicaba *Tarea Universitaria* en la Universidad de Buenos Aires.

Enriqueta Muñiz, periodista de *La Prensa* y colaboradora de Walsh.

privatización del frigorífico Lisandro de la Torre. No fue el único problema. También sufrimos problemas de infraestructura, como por ejemplo, que teníamos cables de una sola agencia, la France Press, y nunca pudimos superar las barreras entre el diario militante y el trabajo rentado".

## Pintura final

En 1958 Mariano Grondona se hace cargo del "Panorama Político" del diario *La Nación*. Sin embargo, el país no le haría nada fáciles sus descripciones e interpretaciones porque poco a poco la Argentina se fue volviendo reiterada y desagradablemente expuesta a la lucha entre facciones, a las presiones y la violencia de grupos golpistas. En 1962 el abogado y docente universitario Grondona seguiría su carrera en *Primera Plana*.

A fines de 1958 el marino y ex jefe de la Casa Militar Francisco Manrique funda el vespertino *Correo de la Tarde*. Oficial de la Marina de Guerra, retirado con el grado de capitán de navío en 1961, Manrique fue un raro caso de "gorila" incorregible, un hombre de reacciones ampulosas y lenguaje directo, antiperonista pero al mismo tiempo populista. El diario tuvo una muy relativa repercusión y terminó en una bancarrota memorable.

## Breves de la década

- El primer periodista que en un diario le da importancia y realce a la sección de economía es Oscar García Rey, que la tenía a su cargo en *Clarín* en el año 1957.
- El 14 de octubre de 1957 se inició la era espacial, cuando la ex Unión Soviética puso en órbita el primer satélite, que llamó Sputnik.
- Tiene repercusión la revista *Tarea Universitaria*, que durante el rectorado de Risieri Frondizi publicaba la Universidad de Buenos Aires. Dirigida por Carlos Peralta, su consejo asesor lo integraban Florencio Escardó, Rolando García, Enrique Silberstein, Alberto Pochat y Juan

Carlos Marín. Por su redacción, conducida por Horacio de Dios, pasaron, entre otros, Julia Constenla, Homero Alsina Thevenet, Carlos Itzcovich, Pablo Giussani, Edmundo Eichelbaum, Kalondi, Rogelio García Lupo, Miguel Brascó, Luis Pico Estrada, Sara Gallardo y Pirí Lugones.
- Pedro Orgambide y Roberto Hosne, con la financiación de José y Gregorio Stilman, de la editorial Stilcograf, sacan la revista *Gaceta Literaria*. Colaboraban consagrados como Bernardo Verbitsky y Raúl González Tuñón, y jóvenes como Roberto Cossa y Abelardo Castillo.

En 1959, Ricardo Halac regresó al país después de cumplir con una beca de un año para estudiar vida y obra de Bertolt Brecht en Berlín. Como muchos intelectuales, recaló en el periodismo para vivir: un amigo lo ayudó a ingresar en el suplemento cultural de *El Mundo*, y seis meses después integraba la redacción general. Halac soñaba con convertirse en autor teatral, cosa que finalmente ocurrió en 1962 con el estreno de su primera obra, *Soledad para cuatro*. En el diario le encargaron recorrer los barrios para descubrir un mundo en cada uno. Halac disfrutó mucho los siete años que pasó en la redacción de Río de Janeiro y Bogotá, no solo porque pudo escribir grandes notas sobre temas que le interesaban (Tennessee Williams, Arthur Miller, Eugene Ionesco, el macartismo), sino también porque trataba de no olvidar que en ese mismo sitio había trabajado Roberto Arlt. Sin embargo la involución de la empresa era constante y tangible.

En La Habana un grupo de periodistas internacionales, entre los que se encontraban los argentinos Rodolfo Walsh, Jorge Ricardo Masetti –que había llegado un tiempo antes como enviado de *Radio El Mundo*–, Luis González O'Donnell y Rogelio García Lupo fundaron la agencia de noticias Prensa Latina. Walsh venía de la experiencia de *Operación Masacre* y en Cuba, en 1959, según escribió, "asistí al nacimiento de un orden nuevo, contradictorio, a veces épico, a veces fastidioso".

En la investigación que culminó en *Operación Masacre*, Walsh tuvo como colaboradora a Enriqueta Muñiz, una muchacha de poco más de 20 años. Ella y sus padres habían llegado exiliados de España al comenzar la década del 50 y la joven, por sus conocimientos de francés, consiguió trabajo de correctora y traductora en la editorial Hachette. Allí conoció a Walsh, uno de los jóvenes escritores del sello. "Yo lo admiraba y para mí fue un orgullo que me propusiera colaborar con él en una investigación periodística", cuenta Muñiz en 1996. Es por esa colaboración por lo que Walsh le dedicó su *Operación Masacre* y en el prólogo de la segunda edición detalla esa participación: búsqueda de datos, realización de entrevistas, revisión de archivos. "Desde el principio está conmigo una muchacha, periodista, se llama Enriqueta Muñiz, se juega entera. Es difícil hacerle justicia en unas pocas líneas. Simplemente quiero decir que si en algún lugar de este libro escribí 'hice', 'fui', 'descubrí', debe entenderse 'hicimos', 'fuimos', 'descubrimos'."

## Esto también ocurrió

**1950**

- En noviembre apareció por primera vez la revista quincenal *Visión-la revista latinoamericana*, de Editorial Tencia.

**1951**

- El 30 de junio apareció el semanario *El Economista*, dedicado a temas financieros.
- En primavera, Dora de Boneo condujo al grupo de poetas (César Fernández Moreno, León Benarós y Alberto Ponce de León) que dio vida a la revista literaria *El '40*, de la que se conocieron seis números a lo largo de dos años.

**1953**

- El 15 de junio se imprimió por primera vez el diario *La Mañana* de Bolívar.
- Jorge Palacio y Billy Kerosene se asociaron para sacar la revista *Avivato*, que salió a la calle con una tirada de 30.000 ejemplares. Allí debutó Carlos Garaycochea; dibujaban Fantasio, Francho y Pedro Flores, y escribían Wimpi, Fernando Ochoa y Landrú.

**1956**

- En febrero aparece *La Gaceta Literaria*, revista cultural dirigida por Pedro Orgambide y Roberto Hosne. Salieron 21 números hasta setiembre de 1960.
- El 24 de enero irrumpió en Jujuy el diario *El Pregón*.
- El 11 de junio 23 obispos católicos, entre los que estaba el después cardenal Juan Carlos Aramburu, inauguraron el servicio noticioso de la Agencia Informativa Católica Argentina (AICA), que se especializó en la difusión de información de la Iglesia.

**1957**

- Aparecieron los primeros números de la revista de historietas *D'Artagnan*, que edita todavía la empresa Columba S.A.

**1959**

- El 27 de febrero apareció en Río Gallegos *La Opinión Austral*.
- El 12 de mayo se creó la agencia oficial de noticias Télam.
- El 12 de octubre nació en La Rioja *El Independiente*, que sigue en actividad.

# El diario de las mujeres

A fines del siglo XVII, Francisca de Aculodi fundó y dirigió el periódico *Noticias Principales y Verdaderas*, de San Sebastián, España. Todavía faltaban 19 años para que en Inglaterra la señora Elisabeth Mallet pusiera en marcha el *Daily Courant*. Estos son los antecedentes más remotos de mujeres en el periodismo. Estudios de 1993 en todo el mundo señalan que a, pesar de lo que parece, solo el 17 por ciento de las personas que trabajan en los medios son mujeres. Sin embargo, en todos lados y también en la Argentina la creciente presencia femenina en los medios –también en los escritos– es uno de los fenómenos más interesantes de los últimos años.

Es a partir de los años 60 cuando se produce en el país un importante acercamiento de mujeres a las redacciones. Paralelamente éstas empiezan a debatir su papel en la sociedad, en los trabajos, en el matrimonio. Diarios y revistas tratan de interpretar ese clima de cambios e incluyen cuestiones afines a la realización y liberación de esa mujer que para trabajar se aleja del hogar pero sigue encontrando placer en cocinar, en armar una linda casa, en marchar hacia la independencia pero con marido e hijos. Gabriela Courreges trabajó en *Claudia* entre 1968 y 1981, pero en un artículo señala que "hasta muy avanzada la década del 60, las revistas femeninas carecen de información política nacional e internacional". En 1965, corrobora, una encuesta de la editorial Abril muestra que la sexualidad es el tema que más interesa a mujeres de 20 a 35 años. En segundo lugar están los temas referidos a la convivencia familiar, a los que les siguen las cuestiones vinculadas al trabajo. A esto siguen reconocidas secciones como moda, belleza, peinado, decoración, manualidades. Luego se agrupan especialidades del espectáculo y la cultura (música, libros, etc.), en tanto que la política figura en décimo lugar.

Nora Lafón se inició en la gráfica a los 17 años como cronista de actualidad en la revista *Mundo Argentino*, que en ese momento dirigía Ernesto Sabato. "Los columnistas eran todos de gran nivel y protagonizaban un periodismo de exigencia y rigor. Cuando una nota no estaba bien hecha iba al canasto (pero por mucho menos te echaban). En aquel momento, a las mujeres periodistas se las limitaba a temas de espectáculos, a nadie se le ocurría mandarlas a hacer política. Después de *Mundo Argentino* pasé a *Qué*, en donde Blanca Stábile de Machinandiarena propuso que me echaran porque yo fumaba", evoca Lafón.

El caballero Santiago Senén González recuerda a Marta Suárez del Solar, elegante dama responsable de la sección "Sociales" en *El Mundo*. La mayoría masculina en las redacciones, y también en ésa, era aplastante, y los hombres hablaban como si no hubiera mujeres alrededor. "Terminamos llamándola 'Perdón, Martita', porque de ese modo nos excusábamos permanentemente cada vez que nos salía una puteada", dice Senén. En los años 50 y 60 Inés Malinow estaba en *La Nación*; Zulma Núñez, Magdalena Sommaruga, Cora Cané (que en la redacción ocupó el lugar de su marido Luis Cané como responsable de la sección *Clarín Porteño* en donde luego hizo una extensa carrera) y Diana Castelar revistaban en *Clarín,* en tanto que Haydée Jofre Barroso, Dora Lima y Norma Dumas integraban la redacción de *El Mundo*. Fanny Polimeni, Pirí Lugones y Nelly Casas estaban en revistas, pero, como afirma Julia Constenla "hace cincuenta años no eran muchas las mujeres en redacciones. La más popular de todas era Valentina [Julia María Luisa Gestro de Pozzo], que escribía la última página de *Mundo Argentino*".

Periodista desde hace casi treinta años, Norma Osnajanski pasó en los años 70 por todas las revistas femeninas de la editorial Abril arrastrando un pesado estigma: "Ninguna de esas publicaciones, destinadas a un público femenino, estaban dirigidas

Periódico para señoras de 1887.

Maribel y Damas y Damitas abrían sus páginas
para acompañar los cambios de la mujer.

Julia Constenla en los años 50:
"Eramos pocas y...".

por mujeres. Pasaba en todas las editoriales, observé que era un fenómeno al que llamé vampirismo: los hombres conservaban la formalidad de los cargos y las mujeres se hacían cargo de todo el trabajo. A mediados de los años 70 la revista *Claudia* dejaba a los hombres la responsabilidad de críticas literarias y cinematográficas, los grandes reportajes, las investigaciones o notas de gran despliegue". Evidentemente, las cosas cambiaron, incluso para Osnajanski, que desde hace un par de años dirige la revista *Uno Mismo*.

Any Ventura afirma que tuvo su primera oportunidad importante en 1976 en *La Semana*, en una redacción en la que sólo había dos mujeres pero "a las que no nos daban viajes ni notas fáciles. Ese tipo de tareas más descansadas se las llevaban los hombres y, sobre todo, los más allegados al jefe de redacción". Luego entró en *La Opinión*, en donde, según recuerda, no eran muchas las de su sexo. A Ventura y a Alicia Dujovne Ortiz les encargaban las notas de color, la otra mirada de cualquiera de los temas, de un crimen o de un partido de fútbol. Posteriormente en *Clarín* trabajó diez años, y asegura que en esa época "jamás viajé ni tampoco firmé una nota con mi nombre completo. Lo de los viajes tenía una explicación por el lado de lo económico: decían que si mandaban a una mujer les resultaba más caro porque tenían que alquilar otra habitación para el fotógrafo. En relación con lo de la firma sufrí siempre confusiones patéticas, porque las iniciales 'A. V.' eran las mismas que las de otro redactor del diario, Aníbal Vinelli". En ese momento, estaban en *Clarín* Raquel Ángel, Inés Pratt, Laura Sofovich, Alicia Lo Bianco, Zully Pinto y María Ester Gillio. La escritora Marta Mercader fue en los años 70 directora del diario *La Calle*, que tuvo breve vida.

En 1959 Julia "Chiquita" Constenla y Pirí Lugones habían puesto patas para arriba la revista *Damas y Damitas*, que pasó de ser una revista para "señoras de blusita y collar" a otra para "mujeres modernas, intelectuales, liberadas", tal como lo define Felisa Pinto. Ella reconoce que esa redacción configuraba una excepción, primero porque eran casi todas mujeres y segundo porque estaban identificadas con la línea editorial. "Éramos así y escribíamos lo que pensábamos", afirma Pinto en 1996. Hace treinta años, cuando ingresó en *Primera Plana* asegura haber integrado "un eje feminista femenino" con Aída Bortnik y Silvia

Rudni, a quien Gabriela Courreges menciona como periodista paradigmática "de todas las generaciones", a la par de Nelly Casas. Eran los tiempos en que la escritora Sara Gallardo hacía en *Confirmado* la sección "La donna e' mobile".

Posteriormente, en *La Opinión* (en donde también trabajaban Mabel Itzcovich, Lilia Ferreira y Ana Villa), Felisa Pinto realizó durante años una muy completa página diaria sobre la mujer: variada, profunda, creativa, original, polémica.

Pero una buena actuación profesional no garantizaba una mejor condición laboral. Felisa Pinto añade otra serie de limitaciones que afectaban (¿o afectan?) a la tarea profesional y práctica de las periodistas: por iguales tareas recibían menores remuneraciones; tenían dificultad para llegar a cargos jerárquicos; en muchas redacciones escaseaban incluso los baños para mujeres. En las primeras cuatro revistas en las que trabajó Dionisia Fontán –*Maribel, Damas y Damitas, Anahí* y *Nocturno*– "si algo no había era discriminación, porque éramos todas minas, incluida la directora general, la famosa, Dolores 'Lolita' de Domínguez". Fontán afirma que hasta 1980 a las mujeres se las reservaba para las secciones de sociales y casi nunca viajaban. "En *Clarín* ninguna mujer firmaba con el nombre completo, excepto Blanca Cotta. Se firmaba con la inicial del nombre y el apellido. Un día en 1980 me invitó Mirtha Legrand a sus almuerzos y me tiró de la lengua preguntándome qué me parecía que en un diario dirigido por una mujer (se refería a Ernestina Herrera de Noble, de *Clarín*) las mujeres no tuvieran la suficiente figuración. Parece curioso, pero a partir de ese momento la situación empezó a cambiar", rememora Fontán.

A principios de la década del 70 y durante un buen tiempo, hasta que ingresó Susana Viau, en *El Cronista Comercial* la periodista Susana Colombo fue la única mujer. Sus dos primeras notas firmadas salieron en las secciones que manejaban Roberto Cossa y Roberto Guareschi, quien también la hizo entrar en *Clarín* en 1983. "Yo fui la quinta mujer, pero en mi sección, 'Internacionales', era la única. En el '85 fui enviada especial para cubrir el terremoto en México y por esa época pude escribir un 'Panorama Internacional' que salió sin firma porque, según me explicaron, las mujeres no firmaban en la sección editorial", cuenta Colombo.

En 1971 Tununa Mercado, que ya trabajaba en periodismo desde hacía cinco años, ingresó en *La Opinión* a la sección que manejaba Felisa Pinto. "Primero la sección se llamaba 'La Mujer', después fue 'Vida cotidiana'y terminó llamándose 'Tiempo libre', lo que habla de la ambigüedad del tema del que nos ocupábamos", afirma Mercado, que tenía entre sus compañeras a Mabel Itzcovich, Silvia Rudni, María Luisa Livingston y Diana Guerrero.

A partir de 1983, con la recuperación de la democracia y de las palabras, se produjeron por lo menos dos fuertes cambios en el paisaje de las redacciones, que se colmaron de jóvenes y de mujeres. La redacción de *Clarín* se llena de editoras y enviadas especiales, que pasan semanas en distintos lugares. "Las mujeres somos negocio –dice Any Ventura–. A la hora de mandar, las mujeres tienen un estilo distinto al de los hombres, un vínculo más directo en el trato. Se animan a charlar más con su gente y le perdieron el miedo al que dirán porque están libres de la sugerencia o de la fantasía de que puedan acosar a alguien."

También en periodismo las mujeres hicieron algo distinto.

## Redacción y tacos altos

Cuando eran adolescentes y ya soñaban con convertirse en periodistas, admiraban a Oriana Fallacci, Adriana Civita, Renée Sallas o Felisa Pinto porque cada una de ellas enarbolaba la proeza de haberse instalado en un mundo, como el del periodismo, concebido y dominado por los hombres. En este momento, las revistas de mayor venta tienen mujeres al frente de sus redacciones. Ana D'Onofrio y Gabriela Cociffi conducen *Gente*, Silvia Fesquet hace lo propio en *Noticias*, Teresa Pacitti (con Liliana Castaño de subdirectora) está al frente de *Caras* y Ana Torrejón dirige el mensuario *Elle*. Claudia Acuña dirige la revista de *Clarín* y Alicia de Arteaga (conjuntamente con Hugo Caligaris), la de *La Nación*. Gabriela Cerruti es jefa de política de *Página/12*, Nancy Pazos es periodista estrella de la sección política de *Clarín*, en donde Paula Lugones, Andrea Rodríguez, Analía Roffo, Matilde Sánchez, María Seoane y Telma Luzzani realizan tareas de edición.

Claudia fue un suceso en la década del 60.

En *Confirmado* Sara Gallardo puso en marcha la sección "La donna e' mobile".

El dibujante Sábat retrata a tres de sus compañeros en *La Opinión*:
Kado Kostzer, Felisa Pinto y Enrique Aguirrezabala.

¿Cómo hicieron para llegar de "cronistas todo terreno" a tan altos cargos? Si bien este cambio tiene que ver con el avance general de la mujer en los puestos de decisión y es parte de un fenómeno que se da en el periodismo de todo el mundo, en la Argentina adquiere características particulares porque a esta altura a pocos se les ocurre que en una redacción puede haber diferencias (laborales, de profesionalidad, de creatividad) entre un hombre y una mujer. "Yo cuando trabajo me olvido que soy mujer y, particularmente, me molesta que me lo recuerden", explica Silvia Fesquet.

"En *Gente* –dice Gabriela Cociffi, que trabaja en esa publicación desde hace 19 años y actualmente comparte la subdirección con Jorge Fernández Díaz– siempre hubo muchas mujeres. Renée Sallas fue una de ellas. Conseguía cosas que los hombres no conseguían, era capaz de patear puertas para llegar. Pero hoy Renée es una marca registrada; levanta el teléfono y no tiene que aclarar de dónde habla".

Formada en ciertas costumbres de trabajo impulsadas por Samuel Gelblung ("Traeme la nota o no vuelvas"), que a pesar de su aparente rigor le resultaron formativas, Cociffi recuerda cuando a comienzos de la década del 80 le tocó permanecer durante 11 días, sin moverse, en un hotel haciendo guardia a ver si obtenía algo sobre Frank Sinatra. "No dormí, me maté y al final pude grabarle diez preguntas y respuestas y hacerle unas fotos rarísimas en el suelo, como si estuviera tocando un clarinete. En eso rescato a Gelblung: creo que el periodista de revistas debe

## Virtudes y defectos de las periodistas

A FAVOR

- Son más precisas y metódicas.
- Tienen un sentido práctico natural más desarrollado y, a la hora del trabajo, piden exactamente lo que necesitan.
- Tienen más paciencia.
- Las mujeres están acostumbradas a resolver cotidianamente las demandas prácticas de la vida.

EN CONTRA

- Hacen demasiado esfuerzo por ganarse respeto profesional y poder legitimar un espacio.
- Se sienten en falta, por ejemplo, con sus familias, por la cantidad de horas que le dedican al trabajo, lo que, con frecuencia, resiente su realización personal.
- No terminan de aprender a "no hacer nada", práctica en la que, según ellas, los hombres son especialistas.

ser alguien creativo que está obligado a conseguir lo distinto", evoca en 1996 Gabriela Cociffi.

Mujer de enorme sentido del humor, Teresa Pacitti dice que, a veces, alienta a sus periodistas con una frase paródica: "Clavá taco, sacá teta y metele para adelante". Silvia Fesquet reconoce haber atravesado, en su época de cronista, la experiencia de poner el pie para que no le cerraran la puerta en la cara. Ana D'Onofrio (que estuvo en *Somos*, dirigió *Para Ti* y fue adscripta a la dirección de *Gente*) es otra de las mujeres con marca propia y, según Cociffi, tiene la virtud de inventar ideas de edición con enorme rapidez y creatividad. D'Onofrio coincide con la explicación de Cociffi acerca de por qué es en las revistas donde las mujeres ocupan los cargos más altos: "Los semanarios tienen un fuerte porcentaje –72 por ciento– de compradores mujeres. Y también es mayoritaria la proporción de lectoras. La periodista o editora mujer es capaz de imponer una visión femenina de lo estético con la actualidad".

## Chicas de fuertes emociones

Ana D'Onofrio recuerda que Aníbal Vigil (su jefe durante muchos años en la editorial Atlántida) alentó la llegada de mujeres a la redacción: "Decía que había que tener muchas mujeres en la redacción, porque la mujer es emocional, siente y le resulta fácil transmitirlo. Después cuando surgía algún tema de discusión en el que no todos estaban de acuerdo, hacía la pregunta: '¿Qué opinan las mujeres de este tema?', y organizaba una veloz consulta en la redacción." Silvia Fesquet se inició en 1977 en *Somos*, fue la primera mujer en tener un cargo jerárquico en *La Semana* y actualmente es vicedirectora de *Noticias*. "Que las mujeres ocupen altos cargos periodísticos tiene que ver con características de las mujeres: combinan una casi ilimitada capacidad de trabajo con un sentido de responsabilidad enorme", explica. Y coincide con Pacitti al señalar características femeninas en la labor periodística específica: "Dedicación, puntillosidad (cercana a la obsesión), firmeza en las decisiones mezclada con una capacidad de comprensión del que está trabajando con uno".

Pacitti trabaja en Perfil hace 15 años y elogia la disposición de la editorial para darles oportunidades a sus congéneres. Evita

Ana D'Onofrio.

Dionisia Fontán con uno
de sus entrevistados, el director
de cine Armando Bó.

Gabriela Cerruti, quien lleva adelante
una importante sección en *Página/12*.

plantear al periodismo como una profesión de hombres o de mujeres: prefiere hablar de "capacidades". "Sin embargo, es cierto que esta profesión, como tantas otras, estuvo planteada ideológicamente para hombres. ¿Qué da el periodismo o la información? Poder, influencia, discusiones, notoriedad, posibilidad de cambiar el mundo... Todas fueron cosas de las que tradicionalmente se ocupó el hombre. La mujer estuvo siempre mirada para el chisme; en las redacciones se decía: 'Vos servís para Sociales'", añade la actual directora de *Caras*.

Existe la impresión de que, para competir palmo a palmo con el hombre, la mujer tuvo que ceder atributos propios, pero todas las consultadas lo niegan. Alcanzaron un lugar "sin masculinizarme" (Cociffi), "sin hacerme semitravesti y sin hacer tampoco un culto de la cosa femenina" (Pacitti), "sin mimetizarme, lo pude hacer con mis propias características" (Resquet), y lo lograron, "aunque todavía nos cuesta más alcanzar lo mismo que los hombres" (D'Onofrio). Lo más importante en muchas redacciones es que mujeres y hombres lograron una memorable ecología de la cordialidad, con mucha eficiencia. "Con Juan Carlos Porras, con Alfredo Leuco, con Jorge Fernández Díaz, con Luján Gutiérrez, nos potenciamos e hicimos grandes equipos", asegura Ana D'Onofrio.

# Noticias
# de los años 60

A comienzos de la década, el público podía elegir entre los matutinos *Clarín*, *La Prensa*, *La Nación*, *El Mundo* y *Democracia* y los vespertinos *Crítica*, *Noticias Gráficas*, *Correo de la Tarde* y *La Razón*, el de mayor circulación nacional, con casi medio millón de ejemplares vendidos cada tarde. Se iniciaba un período de fuerte renovación en el periodismo argentino, que se inspiraría en el estilo del semanario norteamericano *Time*, en especial en el caso de las revistas. *Time* había sido fundada por Briton Haden y Henry Luce el 3 de marzo de 1923, y en pocos años se convirtió en un éxito editorial y publicitario.

## Che *y* Usted

En octubre de 1960 nacieron dos semanarios que aplicaban los conceptos de *Time* y que tuvieron una importancia central en el proceso de renovación del periodismo argentino. "Hoy aparece *Che* –escribió el humorista Carlos del Peral el 4 de octubre–; dentro de poco aparecerá *Usted*. Martin Buber diría que debemos volver al Prójimo, al Tú. ¿ Y por qué no otras como *Vos*, *Ñato*, *Vuesa Merced*, *Su Excelencia*, u otras más exclusivas como *Su Santidad*?" Aunque venía de atravesar un mal momento, del Peral no renunciaba a su ironía, la misma que empleó cuando seis meses antes envió su renuncia, por diferencias ideológicas y políticas, a *Tía*

*Vicenta*, seguido por un grupo de colaboradores entre los que estaban Quino, Oski, Jordán de la Cazuela y César Bruto. El 12 de agosto había dejado de aparecer su mensuario satírico *Cuatro Patas*, al que la policía política del momento (que veía comunistas hasta debajo de la cama) había calificado como "subversiva y perturbadora del orden". La revista había tenido tantas apariciones como patas tenía su título.

El sábado 22 de octubre de 1960, a 8 pesos el ejemplar, salió *Usted*, de la editorial Emilio Ramírez, que también publicaba *Vea y Lea*. Al frente de *Usted* estaba Luis Ernesto González O'Donnell, un militante del socialismo que por no mucho más que eso se había tenido que exiliar en Chile durante el peronismo y en la revista *Ercilla* había podido entrenarse en el secreto de los semanarios de información. Al volver al país, ingresó en la sección política del recuperado diario *La Prensa* y en una ocasión descubrió que el entonces dirigente radical Arturo Frondizi había mantenido una reunión secreta con Nelson Rockefeller. La historia terminó dándole la razón a González O'Donnell (un rubio casi albino, al que por su arrojo periodístico sus colegas habían bautizado "El Peligro Amarillo"), que en aquel encuentro advirtió la semilla de la entrega del petróleo argentino, cosa que concretó Frondizi una vez que alcanzó la presidencia en 1958.

Un notable equipo rodeó a O'Donnell en *Usted*, para tornar menos previsible y más palpitante lo que los diarios habían vuelto tedioso y cuadrado. Sus nombres: Rogelio "Pajarito" García Lupo, Luis Bergonzelli, Armando Alonso Piñeiro, Santiago Pinetta, Carlos Rodríguez, Luis Pico Estrada y el chileno Helvio Soto; Williams Fredes y Bordalejo como fotógrafos, Miguel Brascó en las ilustraciones y Quino como humorista.

"Un grupo de periodistas jóvenes emprendió la dura tarea de editar una revista que no estuviese financiada ni por el gobier-

## Las innovaciones de Time

- Sus notas no debían superar las 300 palabras, salvo en los artículos de tapa o en las críticas.
- Para hacer crecer su información por cada línea, eliminaba artículos, preposiciones y conjunciones, aunque no escatimaba adjetivos ni neologismos.
- Los reporteros buscan la información en las fuentes; luego los redactores reescriben íntegramente el material, para uniformar el estilo.

no ni por el Grupo Frigerio ni por concesionarios petroleros norteamericanos o por la propia embajada. Y no seremos como *Clarín*, ni como *La Prensa* ni como *La Nación*", prometían los jóvenes
de *Che* en el número 7 de la publicación dirigida por Pablo Giussani, quien tenía a su lado a los dirigentes del socialismo Abel
Alexis Latendorf y Enrique Hidalgo. Franco Mogni dejó un puesto estelar en *Claudia* para incorporarse a esta revista como secretario de redacción; Héctor Cattólica era el diagramador y Katty
Knopfler, la fotógrafa. Pirí Lugones y Julia Constenla hacían una
sección en donde trataban de desenmascarar a personajes unidos
por las diferencias: Beatriz Guido e Isabel Sarli, Silvina Bullrich
y Tita Merello. También trabajaron en *Che* Mabel Itzcovich, Juan
Carlos Portantiero, Julián Delgado y el escritor uruguayo Eduardo Galeano, que debutaba así en Buenos Aires.

Pero *Che* era bastante más que eso: "Un medio con propuesta político-cultural. Y, para ser francos, más lo primero que lo
segundo", reconoce en 1996 Julia "Chiquita" Constenla. "Éramos
militantes socialistas y veíamos que la cultura política a la que
respondíamos no tenía expresión. El diario *La Vanguardia* estaba agotado."

Era la primavera de 1960 y ya había quedado atrás ese invierno que el ministro Álvaro Alsogaray había dicho que todos teníamos que pasar. Pero había aún muchos inviernos por delante.

## Caminos no tan paralelos

Los redactores de *Che* y los de *Usted* se parecían: no tenían más
de 30 años; habían mirado al menos con simpatía el ascenso de
Frondizi y maldecido las traiciones del estadista tanto como los
planteos de los militares, que cada vez con menos impudicia
reclamaban el poder civil. Sus integrantes provenían del nacionalismo, del socialismo, del comunismo, de la utópica izquierda nacional, pero casi todos habían celebrado con regocijo el
advenimiento y desarrollo de la Revolución Cubana. "El fracaso del proyecto de Frondizi, y la desilusión, empujaron a La Habana a jóvenes periodistas como Jorge Masetti, Carlos Aguirre,
Rodolfo Walsh, González O'Donnell, yo mismo. Ese fue el momento de la creación de la agencia cubana de noticias Prensa La-

El semanario *Usted* fue un volcán de ideas y de cambios.

*Che* fue un medio con propuesta político cultural.

Tapa de *Time*,
una publicación innovadora

tina", cuenta Rogelio García Lupo. Prensa Latina se origina en la necesidad de la joven Revolución Cubana de contar con una presencia periodística fuerte y propia en el mundo de habla hispana. Y para transmitir una versión de lo que sucedía en la isla, que, según Cuba, las agencias norteamericanas se ocupaban de distorsionar.

Desde su caída en 1955 Perón había dejado el tablero ideológico patas para arriba. Nombrado u omitido (por decreto), su nombre estaba en la cabeza de todos y en el sueño razonable de la transformación nacional. Los periodistas de *Usted* y *Che* fueron de los primeros en darse cuenta de que no se podía dejar de lado a Perón a la hora de intentar entender la realidad nacional. También comprendieron que la información militar era imprescindible en esos tiempos en que en cada esquina nacía una conspiración. En su revista se mencionaba con frecuencia al general egipcio Gamal Abdel Nasser y al pro guerrillero africano Patrice Lumumba. Realizaron una memorable investigación sobre el grupo de extrema derecha Tacuara, de cuyas filas emergieron muchos de los que en años posteriores integrarían la guerrilla.

En *Che* se debatía sobre el petróleo y se preguntaban "cómo, cuándo y por qué Frondizi se dio vuelta". Desde Cuba, Rodolfo Walsh polemiza con el enviado del diario *Clarín*, Renato Ciruzzi, que creyó entender que un cartel con la leyenda "No te fíes de un extraño", reproducido por La Habana, encerraba una artera propaganda oficial. Walsh le advertía al colega que el cartelón pertenecía simplemente al lanzamiento publicitario de una conocida película norteamericana.

"*Usted* –rememora González O'Donnell– quería poner al día cada fin de semana (salía los sábados) a un público que no tenía tiempo de leer los diarios todos los días y demandaba información menos superficial y mayor articulación en las explicaciones, cosas que los diarios no brindaban. En ese entonces se trataba de salir de la anestesia cultural de la década peronista. Y los periodistas trataban de llamar a las cosas por su nombre y a los generales y ministros por sus apodos." En efecto, en *Usted* les ponían apodos a figuras de la actualidad. Por ejemplo, Alfredo "Bigotes" Palacios, Alcides "Pibe" López Aufranc o Pedro Eugenio "Vasco" Aramburu, motes que en algunos casos provenían del imaginario popular pero que en otros ayudaban a nutrirlo.

Mientras estuvieron en la calle, *Che* y *Usted* compartieron algunos temas y debates –Cuba, las villas miserias a cinco minutos de la Casa de Gobierno, el existencialismo, Álvaro Alsogaray– y padecieron las mismas plagas: numerosos problemas económicos, sanciones, dificultades en la provisión de papel, persecución de los servicios de información, interrupciones en su salida y un mínimo apoyo publicitario. *Usted* tuvo que cerrar después del número 32, en mayo de 1961, por un colapso económico de la editorial, y *Che* fue clausurada el 17 de noviembre después que su número 27 tituló en tapa, refiriéndose a un recordado conflicto gremial: "Laguna Paiva señala el camino: se acabaron las huelgas lampiñas". La única señal efectiva la sufrieron Pablo Giussani y Julia Constenla, un matrimonio con cuatro hijos chicos, que para seguir sosteniendo la revista habían hipotecado un coqueto chalet de Palermo. Después, por no poder cumplir con las obligaciones, la casa salió a remate. "Pablo y yo –evoca Constenla– nos reunimos y nos preguntamos: '¿Qué les dejamos a los chicos? ¿La reforma urbana o un chalet?'. ¿Qué creés que elegimos?"

"No tuvimos secciones sociales, pero desde nuestras páginas habló la esposa de Jorge Ahumada –detenido por el gobierno de Frondizi–, que tuvo trascendencia por defenderlo, presa por argentina, por mujer y por cobardía de sus acusadores. No fotografiamos las grandes fiestas de nuestra pequeña aristocracia porque

## *Libro de estilo:* Che y Usted

- *Che* y *Usted* hicieron una importante renovación del lenguaje periodístico, inspirado en el estilo cable de las agencias de noticias. *Usted* se permitía giros idiomáticos audaces y en ocasiones oscuros: "escurridiza inexorabilidad presidencial", "suculenta audiencia judicial", o expresiones rebuscadas: "prolijas carpetas", "amenazantes vaticinios" o "conspicuos socios". *Che* apelaba a un estilo más directo y rabioso, aunque también sucumbía a la moda de introducir términos y una adjetivación desafiantes.

- Más allá de la hojarasca verbal, hacían lo que muchos diarios no se animaban a hacer: informar más en profundidad y con mayor variedad de fuentes.

- Instalaron como información habitual los chismes, los trascendidos sin fuente, el dato reservado.

- Conferían estado público a las internas de redacción, y categoría periodística a los incidentes que los reporteros mantenían con sus fuentes. Los periodistas comenzaban a salir del anonimato.

documentamos la injusticia de las villas miserias", decía un editorial de *Che*, con tono de despedida.

Algo de la bohemia periodística había quedado atrás con estos dos proyectos fallidos. Acaso porque, como afirma Luis Pico Estrada en 1996, "*Che* y *Usted* coincidían en significar el desacato, la ebullición de la época". Ninguna de las dos llegó a superar los 20.000 ejemplares de venta, pero tuvieron repercusión y alcanzaron influencia en los ambientes políticos.

## Humor y rabia

Los trabajos de Landrú aparecían en la extraordinaria *Tía Vicenta* y en *El Mundo*, donde sus observaciones humorísticas ocupaban un lugar privilegiado, ya que se publicaban, novedosamente, en la tapa, a la altura de un comentario editorial. Allí era muy celebrado, pero en la interna de su popular publicación no las tenía todas consigo. Luego del número 165 de *Tía Vicenta* presenta su renuncia Oski (Oscar Conti), el notable dibujante. En una carta abierta dirigida a Landrú, Oski dice que "mientras todo era en broma no me molestaba que hasta te la agarraras con la gente decente, pero ahora que te metiste a hablar de política en serio y te has ubicado en pro yanqui y anticastrista, francamente me repugna tu actitud". Landrú responde por boca, o pluma, de su colaborador Aldo Camarotta: "Oski nunca leyó *Tía Vicenta*. Se habría enterado que *Tía Vicenta* nunca cambió y que de burlarse de los tiranos no hace excepción se llamen Trujillo, Somoza, Stroessner, Franco o Fidel Castro... Pónganse una mano sobre el corazón que tienen a la izquierda y digan si no da motivo al chiste que Fidel Castro diga en la ONU que será breve, y hable cuatro horas y media". Poco tiempo atrás, disconformes porque la dirección de la revista no había cuestionado lo suficiente la detención de su diagramador Héctor Cattólica, un grupo de colaboradores integrado por Kalondi, Catú, Julián Delgado, Beatriz Guido, Aída Bortnik, Mario Trejo y Adolfo Castelo fundaron el diario *Oh, no*: "una locura de jóvenes que creen que pueden contra todo [...] El proyecto salió con dineros provenientes de la panadería que los padres de Delgado tenían en San Telmo y para competir con humor político de distinto signo con un diario de derecha, agresivo, que se llamaba *Sábado* y que como su nombre lo indica salía los fines de semana", recuerda Castelo.

El 30 de noviembre de 1960 el semanario *Azul y Blanco*, de tendencia nacionalista, fundado en 1956 y dirigido por el abogado Marcelo Sánchez Sorondo, es secuestrado por el gobierno de Frondizi. El periódico tenía una fuerte llegada en los ámbitos militares y demostraba una posición opositora al oficialismo y de apertura y tolerancia en relación con el peronismo todavía proscripto. En esos meses también fueron censurados otros medios polémicos y contestatarios: el semanario uruguayo *Marcha*, dirigido por Carlos Quijano y seguido en Buenos Aires por 12.000 fieles lectores, y la célebre revista literaria *El Grillo de Papel*, que dirigían Abelardo Castillo y Liliana Heker, entre otros.

"Eran los primeros años de la década del 60 y me sorprendí viendo una información económica en la tapa de *La Nación*", recuerda en 1996 el editor de *Mercado*, Miguel Ángel Diez. Es que hasta ese momento lo económico funcionaba como claro apéndice de la información política y dependía básicamente de los boletines oficiales del Ministerio de Economía o de la Secretaría de Industria.

En octubre de 1960 la noticia decía: "Por su intrépida serie de artículos sobre contrabando, robo de autos, tráfico de drogas y otras actividades ilícitas, publicados en *La Razón*, el periodista Horacio de Dios obtuvo el premio Ohomar Mergenthaler –el nombre del premio era un homenaje al inventor de la linotipo– que cada año otorga la Sociedad Interamericana de Prensa".

## En primera persona

• JULIA CONSTENLA: "Adheríamos a la Revolución Cubana, pero el nombre de *Che* no tuvo que ver con el *Che* Guevara. Al final resultó un modo bastante directo de definirnos como argentinos, como latinoamericanos, en la idea de la Patria Grande."

• LUIS ERNESTO GONZÁLEZ O'DONNELL: "Lo mejor que hizo *Usted* fue ayudar a desalmidonar al periodismo argentino. Eran los días en que los reporteros de *La Nación* y *La Prensa* dejábamos de usar cuello duro. Casi todos los que trabajábamos en *Usted* proveníamos de diversas sectas izquierdistas pero no pretendíamos catequizar sino algo todavía más subversivo para la época: informar sin tapujos."

## Movimiento de intelectuales

Bajo el lema de Goethe "Gris es toda teoría, verde el árbol de oro de la vida", Abelardo Castillo, Liliana Heker y Vicente Batista, entre otros, sacaron *El Grillo de Papel*, una publicación que, según Castillo, era "una empecinada defensa de la literatura". En diciembre de 1960, en el marco del represivo Plan Conintes, el gobierno de Arturo Frondizi la prohíbe por decreto. Había llegado a su sexto número, con cinco mil ejemplares de venta. A la manera de las publicaciones anarquistas –que cuando les llegaba la clausura volvían a la calle con el mismo contenido y nombre diferente–, Castillo y su gente emprenden una nueva publicación cuyo título les había sugerido Ernesto Sabato: "Ya que le gustan tanto los bichos y que ama tanto a Edgar Allan Poe, póngale *El Escarabajo de Oro*". Dicho y hecho. Con ese nombre salió a la calle la publicación, que se mantuvo 14 años. "Decíamos que era una revista católica, porque salía cuando Dios quería", reconoce Castillo. "*El Escarabajo de Oro* –continúa– ocupaba un espacio en el que también figuraban *Gaceta Literaria*, *Hoy en la Cultura*, *La Rosa Blindada*, *Barrilete*, entre otras. Ese es el espacio que luego sería reconocido como el de la generación del 60."

En ese mismo tiempo, el director de *Clarín*, Roberto Noble, le propone a Osvaldo Bayer que se integre a la mesa de redacción de su diario.

— Mire director que soy un conocido libertario de izquierda — le avisó Bayer.

— Por eso mismo lo quiero ahí. Necesito alguien de izquierda en la mesa. Aprendí de Botana que siempre hay que poner a uno de izquierda, así cuando alguien lo acusa a uno de derechista puede decir: "Pero, cómo me dice algo así, si lo tengo a Fulano" — le respondió Noble.

## La vida cotidiana

Estaban de moda los departamentos en propiedad horizontal que transformaban el cielo de los cien barrios porteños. Los televidentes, de parabienes, porque en 1960 dos canales privados, el 9 y el 13, habían llegado para enriquecer la anémica oferta de

Canal 7. A las publicaciones ya existentes que incluían las programaciones –como *Canal TV*, que andaba por los 100.000 ejemplares–, se sumaba *Vea TV*, de la editorial Vea y Lea. Aunque se padecían graves problemas económicos –el país ya figuraba en los rankings mundiales de pobreza–, la incipiente industria nacional abastecía de heladeras, lavarropas, licuadoras, televisores y autos a los 20 millones de argentinos ávidos de consumos sofisticados.

El diario *El Mundo* atravesaba un espléndido momento en lo periodístico (aunque no así en lo económico), con una redacción a cuyo frente estaba Moisés Schebor Jacoby, y en la que brillaban en distintas áreas Jorge Korenblit, Jacobo Timerman y Bernardo Neustadt. Era uno de los preferidos de la clase media porteña en ascenso, y su directorio era toda una curiosidad: presidido por el general en actividad Raúl Leguizamón Martínez, lo integraban empresarios nacionales como el dueño del Banco Buenos Aires, Samuel Sivak. También tenía una participación la empresa Minera Aluminé, adjudicataria de las obras de Sierra Grande, y los empresarios que desde 1958 dirigían *Radio Rivadavia*, que comulgaban con el catecismo de la progresista Confederación General Económica de José Ber Gelbard. Por esas y otras razones se los sindicó como periféricos del Partido Comunista Argentino.

"Hasta la época de Frondizi, los ministerios manejaban su información a través de sus oficinas de prensa mediante boletines de prensa. Los únicos que se apartaban un poco de esa línea eran medios especializados como *The Economic Surveys*, *El Cronista Comercial* y *El Economista*. La gran tarea de esos años consistía en despojar de carga académica el árido lenguaje especializado, volverlo menos solemne y más accesible. En esos años hubo un episodio que llevó el tema económico a las tapas de los diarios: el gobierno de Frondizi dispuso que la gente cobrara sus sueldos en bonos. Ahí es cuando la información económica empieza a obsesionar al público, hasta el '76 para adelante en que todos nos convertimos en verdaderos especuladores financieros", señala el periodista Daniel Muchnick.

## Periodismo aventura

Cuenta Gabriel García Márquez en sus *Notas de prensa (1980-1984)* que en una ocasión, Jorge Ricardo Masetti, director general de la agencia Prensa latina, le pidió a Rodolfo Walsh, hábil criptógrafo, que tradujese las claves de un mensaje cifrado que insinuaba un posible desembarco armado norteamericano en Cuba. Para complementar y proteger la investigación envió a Walsh a una hacienda perdida en el norte de Guatemala disfrazado de pastor protestante y vendedor de biblias. El plan tropezó con una cuestión inesperada: de paso por Panamá, camino a su infiltración en Guatemala, Walsh fue detenido y se descubrió su identidad real. Tiempo más tarde, en tránsito en el aeropuerto de Guatemala, García Márquez y Masetti escribieron todo lo que sabían –a partir de los datos descifrados por Walsh– del operativo anticubano y se lo enviaron por correo al entonces presidente guatemalteco general Miguel Ydígoras Fuentes, pero nunca supieron –y tampoco Walsh– si recibió la denuncia. Sea como fuere, el desembarco anunciado nunca se produjo.

## Iniciación

En diciembre de 1960 comenzó su carrera de periodista en el vespertino *Noticias Gráficas* un joven de 18 años llamado Horacio Verbitsky. Integrante de una familia de periodistas –su padre Bernardo también trabajaba en ese diario; su madre y su hermana Alicia incursionaron en la profesión alguna vez; sus tíos Gregorio y Alejandro Verbitsky, la hija de Gregorio, Silvia, y su primo Marcos Merchensky completan la genealogía–, Verbitsky recuerda que un día había ido al diario a ver a su padre porque necesitaba comprar un libro. En la redacción, Orlando Danielo, un poco en broma, mucho en serio, le preguntó si no le daba vergüenza pedirle todavía dinero al padre. Inmediatamente, le propuso trabajar y lo invitó a comenzar al día siguiente. Verbitsky aceptó el convite, y pasó sus dos primeros meses en el diario llamando al Servicio Meteorológico Nacional para mantener actualizado el pronóstico. Después se trasladó a "Información General" y su primera nota publicada fue la crónica del desalojo en un hotel-inquilinato.

## Atlántida *en la platea*

En 1960, Luis Pico Estrada había hecho durante unos meses una experiencia que hoy califica como "rara": convertir la tradicional revista *Atlántida*, de la editorial del mismo nombre, "en una deliciosa revista literaria, cuyas notas hacía Sara Gallardo, a la sazón mi esposa, y en la que en ocasiones posó de modelo Amalia Lacroze de Fortabat", según recuerda. Pico Estrada ya era un periodista conocido: había pasado por *La Nación*, por *La Prensa*, por la revista *Usted* y por *La Razón*, donde hizo desfilar por su sección sin firma "La Galera del Mago" la actualidad frívola, de costumbres y del espectáculo.

Lo de *Atlántida* no anduvo, pero a los Vigil les gustó el trabajo de Pico Estrada, por lo que le confiaron la dirección de *Platea*, una revista de espectáculos que pretendía inmiscuirse en la franja que lideraba ampliamente *Radiolandia*. La *Platea* de aquellos tiempos fue un lujo por su sentido crítico, su creatividad y el nivel de los colaboradores: Tomás Eloy Martínez, Héctor Grossi y Ernesto Schóó hacían crítica de cine; Ramiro de Casasbellas y Ricardo Warnes mostraban el ya competitivo mundo de la televisión; Sara Gallardo y Sergio Leonardo investigaban grandes temas y fenómenos; Norma Dumas deslumbraba con sus entrevistas. "En un momento –recuerda Pico Estrada– todo el prestigio ganado se perdió porque la editorial decidió incorporarle un disco que tenía numerosas deficiencias técnicas y ofrecía un catálogo que nada tenía que ver con el interés del público lector."

## Breves de la década

- Julio Cortázar publicaba en 1960 su novela *Los premios*, pero el best-seller de ese año resultó *El abogado del diablo*, de Morris West.
- Las capillas de cinéfilos examinaban las manifestaciones del nuevo cine francés, pero películas como *Los amantes* y *Ben Hur*, en pantalla gigante, llenaban las salas.
- Leopoldo "Babsy" Torre Nilson era un director en ascenso; Kaiser Carabela era "el gran coche argentino" y la gente se divertía yendo a las funciones de Caminito, en el barrio de la Boca.

*Atlántida* y *Platea*, dos proyectos de Pico Estrada

Julio Cortázar.

El censor Ramiro de la Fuente
secuestra un film de Ingmar
Bergman y Horacio Verbitsky
(detrás en la foto) cubre
la información para *Noticias Gráficas*.

## Periodistas que la pasan mal

El 15 de febrero de 1961, el secretario general de redacción de *La Nación*, Alfredo Calisto, citó a su despacho a un joven periodista tucumano, integrante de su redacción como crítico de cine.

–Vea, Martínez, personalmente lo siento mucho, pero la empresa ha decidido relevarlo de su cargo por desobediencias reiteradas a las órdenes de la dirección.

Convencido de que no tendría una segunda oportunidad, Tomás Eloy Martínez atinó a solicitar, al menos, alguna explicación adicional.

–Yo se lo había prevenido, ¿recuerda? El diario quiere una crítica menos aguda y burlona. Y sobre todo –agregó Calisto–, más complaciente con los anunciantes.

Martínez se enteró de que otro crítico de cine también había sido separado de su cargo por idénticas razones. Ernesto Schóó y Martínez habían ingresado juntos al diario, en noviembre de 1957, y ambos, por cultura, por información, por gustos personales, por convicción estética, se empeñaron en elaborar una sección como no había otra en Buenos Aires: seguida con fervor por los intelectuales e inconformistas de la época, rechazada en algunos casos por snob, generaba, de todos modos, un enorme debate. Schóó y Martínez acompañaron con información la llegada de grandes filmes de Nicholas Ray, Robert Bresson o Leopoldo Torre Nilson e instalaron en la actualidad de entonces corrientes como la *nouvelle vague* francesa o la joven generación de realizadores británicos. Despreciaron abiertamente una forma del cine-espectáculo y brindaron amplio crédito a las vanguardias cinematográficas, en especial las europeas, indias o japonesas. Tras un largo período de sorda oposición, las empresas distribuidoras cinematográficas de origen norteamericano pasaron a la acción y decretaron un boicot publicitario a *La Nación*, una presión definitiva para que el diario decidiera separar de sus puestos a Martínez y a Schóó. La gota que colmó el vaso había sido una opinión demoledoramente adversa de Martínez con relación al filme de William Wyler *Ben Hur*. Clemente Lococo, el dueño del cine Ópera –en donde se había estrenado la película–, también tuvo participación en el pedido de represalia contra esos periodistas.

A partir de ese momento, y por un largo tiempo, las críticas del diario (que comenzaron a aparecer sin firma) fueron mucho más contemplativas con los intereses de esas compañías. Martínez fue desplazado a la aséptica sección "Movimiento Marítimo", mientras que Schóó ingresó en "Información General".

## Fans

En 1961 la revista de fotonovelas *Fascinación* organizó el concurso "Pase un día con su galán predilecto", que en una ocasión ganó Marisa Luna, una enfermera de Zárate que había solicitado compartir una jornada junto a Sergio Renán. La cita era en la estación Retiro a las 11 de la mañana. En ese lugar y a esa hora una periodista, un fotógrafo de la revista y Sergio Renán esperaban a la elegida, que llegó puntual. Primero un paseo por la ciudad en remís; luego el almuerzo, enseguida la visita a un estudio cinematográfico para presenciar una filmación. En un momento, Marisa le dijo a Renán:

–¿Sabe?... Me dio mucha lástima que haya fracasado su pareja con María Vaner. Lo leí en las revistas.

–No lea esas revistas. De 100 cosas que publican, 99 son mentiras –respondió Renán. A partir de esa revelación, casi no volvieron a hablar en el resto del día.

Al recordar el episodio, años más tarde, el actor se arrepintió de haber dado una respuesta tan directa. "Yo pretendí adoctrinarla y por ahí lo que hubiera sido más práctico era plantarle un beso en medio de la boca". En 1964, basado en esa anécdota y en otras similares, el director Rodolfo Kuhn filmó *Pajarito Gómez*, una muy bien realizada radiografía de la fabricación de un ídolo popular.

## La caída de Frondizi

El 18 de marzo de 1962 fueron anuladas las elecciones que la fórmula justicialista Framini-Anglada había ganado en la provincia de Buenos Aires. Cercado por los sectores más reaccionarios del Ejército, Frondizi anuló los comicios y pronunció una frase que quedaría en la historia: "No me iré del país, no renunciaré, no me suicidaré".

Tras 46 meses en su cargo, lapso en el que los militares lo amenazaron con 44 intentos de golpe, el 30 de mayo de 1962 fue destituido el presidente Arturo Frondizi –que había sido elegido en 1958– y enviado prisionero a la isla Martín García. Ocupó su cargo José María Guido, por entonces presidente provisional del Senado, ya que el vicepresidente Alejandro Gómez había renunciado tiempo atrás. El trasfondo era una pelea militar por el poder que se prolongó durante años, afectó seriamente la vida de los argentinos y el desarrollo del país y tuvo numerosos efectos sobre la prensa.

Los mismos sobresaltos políticos que tuvieron a Frondizi contra las cuerdas hasta sacarlo del ring se reprodujeron en la imposibilidad de contar con una adecuada prensa partidaria. "Ahí tuvo una muy consistente etapa el semanario *Qué*, con Rogelio Frigerio a la cabeza, Merchensky, García Lupo y yo en la redacción. Pero en cambio, el diario *El Nacional*, donde estuvieron León Bouché y Emilio Perina, fue un fracaso, porque nunca pudo superar los problemas administrativos", rememora Dardo Cúneo, hoy con 83 años y que en un tramo de la gestión de Frondizi asumió el cargo de secretario de Prensa de la presidencia. "A Frondizi lo empiezan a atacar a partir de su intervención en la Conferencia de Punta del Este a la que concurre el Che Guevara, en agosto de 1961. Desde entonces muchos medios, en especial *Correo de la Tarde*, de Manrique (que después se arrepintió públicamente), lo atacaban diciendo que era comunista", apunta Cúneo. Para Isidoro Gil-

## En primera persona

* Horacio Verbitsky: "El medio golpista por excelencia de esa época es *La Razón* de Laíño, como agitador de las posiciones militares en contra de los gobiernos democráticos. No con columnas brutales, sino con una manipulación cotidiana de los títulos, los copetes, los epígrafes. Por otra parte, no tenía la menor independencia por ser del Servicio de Informaciones del Ejército. Ese diario contribuyó a la caída de Frondizi con todas las denuncias por corrupción y de financiamiento de la política con recursos ilegítimos: ellos ayudaron a crear la imagen de que ese era el gobierno más corrupto de la historia, lo cual es dudoso viéndolo hoy retrospectivamente. Pero aun así, tampoco creo determinante la acción de *La Razón*. Un ejemplo categórico de la relativa influencia de los medios en general es que Perón, que controlaba toda la prensa, perdió sostén en la sociedad y fue derrocado en 1955. Y en la década siguiente, donde su imagen y su nombre estuvieron legalmente prohibidos, reconquistó la adhesión popular y volvió al gobierno en 1973."

bert sería posible afirmar que la prensa tuvo alguna responsabilidad en la caída de Frondizi: "*La Razón* siempre fue el diario de la derecha y vocero de algunos servicios. Hablaba de la corrupción, alertaba sobre los excesos y los personalismos, pero lo principal es que asociaban a Frondizi con el comunismo. El diario más prestigioso, *La Prensa*, también le era muy hostil al presidente, al que corrían por sus vinculaciones con Perón. Ahí eran editorialistas Luis Pan y Adolfo Lanús, después ministro del reemplazante de Frondizi, José María Guido. *Clarín* tenía el rol del diario legalista. Frondizi no contó con prensa propia porque *El Nacional*, que había nacido como diario oficial, fue un fracaso".

## Dos detenidos...

El día del derrocamiento de Frondizi hubo dos arrestados: al ex presidente lo trasladaron en un avión a Martín García, en tanto que al periodista de *La Prensa* Gregorio Selser lo obligaron a pernoctar en el Departamento Central de Policía, luego de que agentes de civil revisaran la biblioteca de su casa en busca de materiales comunistas. No conformes con la detención de Selser, le pidieron su cabeza al director de *La Prensa*. Alberto Gainza Paz no se dejó amedrentar y los sacó corriendo de su despacho "porque nuestro diario no acepta órdenes ni pedidos de jefes de policía ni de presidentes de la República... y mucho menos referidos a empleos o despidos de su personal. Por lo demás y para su información –respondió por escrito Gainza Paz– el señor Selser no es comunista sino socialista y aunque lo fuera, respetaría sus creencias y opiniones en tanto no las mezcle con su labor profesional y me consta que no lo hace". En varios de sus libros, como por ejemplo *El Onganiato*, Selser certifica la tradicional falta de macartismo de sus patrones y confirma el respeto ideológico con que fue tratado.

## ...y dos censurados

En 1962 hace eclosión una antigua diferencia entre los dueños de la publicación y el director de la revista deportiva de mayor circulación. Dante Panzeri abandona la dirección de *El Gráfico* y lo reemplaza Carlos Fontanarrosa, quien poco a poco la va transformando en un medio más dedicado al show del deporte. Sin embargo, Panzeri nunca se sintió censurado, sino que lo consideraba el fin lógico de una etapa.

Otra cosa sintió Landrú cuando, en plena presidencia de Frondizi, allegados al jefe del gobierno lo presionaron –si no de un modo oficial, al menos oficioso– para que dejara de dibujarlo con una nariz tan larga. "Al Presidente no le gusta nada", le explicaron. Dardo Cúneo, quien fuera secretario de Prensa de Frondizi, desmiente rotundamente el recuerdo del caricaturista: "Cómo dice eso, si Frondizi tenía un enorme sentido del humor. Le digo más: las caricaturas que le publicaban en el semanario *Azul y Blanco* eran todavía más hirientes que las de *Tía Vicenta*." "Es cierto –insiste no obstante Landrú– al punto tal que a partir de la sugerencia lo dibujé siempre de espaldas con largo cuello de cisne."

## Otra violencia

- El periodista Hugo Ezequiel Lezama es agredido a puñetazos, patadas, cachiporrazos y puñaladas por una banda de contrabandistas marplatense que él había denunciado en una serie de notas en *La Prensa*. Con la renovación generacional que caracterizó al periodismo entre 1956 y 1958, "ciertos poderes que operaban y operan desde las sombras descubrieron entonces que la tranquilidad y la impunidad se estaban terminando en la Argentina: ya no sería suficiente con sobornar a la policía, a los legisladores o a los ministros. También sería necesario tapar las bocas de ciertos testigos", decía el semanario *Usted*. La explicación que da la revista a esta oleada de agresiones es que después de la censura y autocensura surgidas del peronismo, las empresas periodísticas no supieron cómo alejarse "del enmohecimiento de los viejos tiempos y entrar en la nueva etapa de agudeza informativa y de luchar por las primicias".

- *Usted* denunció también otros casos de intimidación y violencia en contra de periodistas.

El más grave de ellos fue el asesinato a golpes de Jorge Luis Gallardo, que había investigado para *Noticias Gráficas* el submundo del turf.

- El director del vespertino *Correo de la Tarde*, Francisco Manrique, es víctima de un intento de soborno por 20 millones de pesos por haber denunciado irregularidades en la construcción de casas en Río Turbio.

- Horacio Gómez, de *Radio Rivadavia*, y Luis González O'Donnell, de *Prensa Latina*, son procesados y encarcelados luego de que denunciaran un negociado de armas de los militares.

- El periodista Santiago Pinetta es golpeado por anticipar un planteo militar; Armando Alonso Piñeiro es desmayado a patadas en pleno centro de Buenos Aires luego de publicar una información; el corresponsal de *La Razón* en Mar del Plata es tiroteado por unos tenebrosos sujetos.

- En abril de 1961, Mariano Grondona, comentarista político de *La Nación*, es cuestionado por la empresa editora por el tono antigubernamental de sus comentarios.

De izquierda a derecha,
Tomás Eloy Martínez, Luis Pico Estrada
y una mujer no identificada. Todos
en un festival cinematográfico europeo.

Aunque era difícil,
*Tía Vicenta* se lo tomaba
todo en broma.

Entre sables y uniformados, el presidente Arturo Frondizi debe abandonar el poder.

## Entre azules y colorados

En setiembre de 1962, bandos enfrentados del Ejército, públicamente conocidos como "Azules" y "Colorados", se habían apuntado mutuamente los cañones, sumando un nuevo encono a esta sociedad.

Como un símbolo de la frustración que en los ámbitos intelectuales habían provocado primero las volteretas y después la renuncia de Frondizi, en la película *Dar la cara*, basada en la novela homónima de David Viñas y dirigida por José Martínez Suárez, uno de los personajes tira a un cesto de basura el libro *Petróleo y política*, la obra central del pensamiento de Frondizi. Otro intelectual, Mariano Grondona, también es criticado, pero por otros motivos: había participado en la redacción de la proclama del sector "azul" del Ejército en los enfrentamientos militares de 1962. El *opus* que Grondona admitió haber escrito fue popularmente conocido en la historia política reciente como "el comunicado Nº 150".

Horacio de Dios tuvo que cubrir para el diario *El Mundo* algunos de esos episodios militares. Cuenta en 1996 que, camino a la base de Magdalena, oficiales de Marina confundieron el *jeep* del diario y lo tirotearon. "Huimos de las balas trazadoras a campo traviesa y como a veinte cuadras encontramos refugio en un rancho perdido y nos salvamos", evoca.

Con 21 años y recién ingresado en *Clarín*, el joven Marcos Cytrynblum ostentaba el pergamino de un primer premio en un concurso de cuentos en el Círculo de la Prensa. Pero una de las primeras notas que le tocó cubrir fue el desplazamiento de tropas de Magdalena. "Ocurrió frente al cine Colonial, de Avellaneda, y la gente salía de ver una película de guerra y se encontró con una columna de tanques y soldados de verdad. Había miedo, todos corrían", recuerda Cytrynblum.

## La era Primera Plana

Inclinado el conflicto a su favor, un grupo de coroneles "azules" pensó en la necesidad de contar con un medio propio e incluso deslizaron un nombre: *Azul*. La idea de la marca fue finalmente rechazada porque el nombre ya se encontraba registrado por el semanario *Azul y Blanco*. Finalmente, el periodista al que los inversores pusieron al frente del proyecto eligió otro título. El nombre *Primera Plana* se lo sugirió a Jacobo Timerman su abogado, Emilio Weinschelbaum.

El 13 de noviembre de 1962 apareció el número 0 de Primera Plana. En la tapa, la fotografía de un juvenil y triunfante John Kennedy (adquirida a la agencia United Press International) y un título desenfadado: "Kennedy no tiene complejos". La imagen, puesta en caja por el diagramador Francisco Rojo Anglada, sería un símbolo para una publicación que parecía pensada –al decir de algunos– "para una secta kennedyana". Y fue la misma imagen que apareció en el número 1.

*Primera Plana* era un emprendimiento de la editorial Danoti, palabra conformada por las sílabas iniciales de los apellidos de Victorio Italo Sebastián Dalle Nogare y Jacobo Timerman. Periodísticamente, venía a sumar las experiencias de los semanarios norteamericanos *Time* y *Newsweek*, aunque contaba con los servicios de la francesa *L'Express*. Con esos modelos, con redactores de entre 25 y 32 años de edad y de un excelente nivel cultural, *Primera Plana* llegó a ser un producto atractivo y distinto, aunque su precio de tapa equivalía al valor de seis diarios de la época. Desde sus inicios demostró que ningún tema le resultaba distante: las ambiciones de los militares y la difusión del psicoanálisis, el nacimiento de los "ejecutivos" y los sucesos del Instituto Di Tella. Durante años propagó un estilo zumbón de abordar la actualidad, dictó juicios, impuso modas, dijo –incluso con arbitrariedad– lo que estaba bien o estaba mal pensar, hacer o ver. La revista se impuso rápidamente y alcanzó mucha más influencia que ventas.

Desde México, el que fuera el primer jefe de redacción de *Primera Plana*, Luis González O'Donnell, explica: "Timerman era extremadamente eficaz para conseguir los medios, inversionistas y anunciantes; conocía más que todos nosotros lo mejor del periodismo europeo y estadounidense de aquellos tiempos (Jacobo no leía novelas: sólo ensayos y reportajes) y antes que audaz innovador era un brillante productor siempre a la caza de talentos. Realmente se desesperó por reclutar, entre tantos otros, a Tomás Eloy Martínez, Julián Delgado, Osiris Troiani, Ramiro de Casasbellas, Sara Gallardo y Rodolfo Pandolfi".

"La revista –cuenta Ramiro de Casasbellas– había salido para defender la candidatura de Onganía, que se colocaría a la cabeza de un frente nacional y popular auspiciado por el sector azul del Ejército. Uno de los financistas era Raymond Richard, de la firma Peugeot. En los tiempos iniciales, su mujer, Elise Richard, aparece firmando una columna de actualidad teatral."

## Nuevo periodismo

En abril de 1962 la revista norteamericana *Esquire* le encarga al escritor Gay Talese una nota periodística sobre el boxeador Joe Louis. El audaz paso obliga a los editores de *New York, New Yorker* y *Harper's* a imaginar qué podrían hacer otros escritores. "La tendencia –escribió Tom Wolfe– se metería como una cuña entre la decadencia de la novela y el agotamiento de ciertas formas periodísticas. Ahora se podía escribir periodismo como si fuera literatura." A diferencia del periodismo de columna, en donde brillaba la pluma de Walter Lippman, en la nueva modalidad el periodista ponía más el cuerpo que la inteligencia, la emoción antes que su capacidad de reflexión. Los periodistas

### *Cómo se escribió en* Primera Plana

- Textos agradables, de redacción precisa y no exentos de humor.
- Se soslayaban los lugares comunes propios de los diarios pero se advertía cierto regodeo en utilizar sustantivos pintorescos, giros insólitos o adjetivos originados en rasgos físicos o psicológicos: "la resbaladiza Marta Minujin"; "el hepático Gómez Machado"; "el omnímodo Vicente Saadi".
- Informaciones que mezclaban interpretación y opinión.
- Profusión de términos extranjeros. En una sola página se descubren: "couturier", "hit", "puff", "twenties", "signée", "jet set", "designers".

- Introducción de columnistas especializados en diversos temas.
- Viajes de enviados especiales para tratar la noticia de un modo directo.
- Informantes novatos salían a la calle a buscar datos, con la exigencia de chequear doblemente sus fuentes. En la redacción, periodistas más experimentados reescribían completamente las crónicas.
- Se trabajaba la interna de los partidos políticos; se rastreaban hechos de la historia argentina reciente, en especial del peronismo, del que la revista hace una permanente revisión.

comenzaban a elegir estar no tanto en sus escritorios sino en aquellos lugares en donde pasaban las cosas.

En los primeros años, el nuevo periodismo recibió con los brazos abiertos a escritores consagrados como Saúl Bellow, Philip Roth, Gore Vidal, Joe McGinnis, Hunter Thompson, Norman Mailer, Truman Capote y tantos más. Ellos habían aprendido a escribir literatura con los más "periodísticos" de los escritores: Ernest Hemingway, James Cain, William Saroyan; y ahora volcaban toda su experiencia, su encanto y su capacidad de observación en artículos muy extensos donde trazaban perfiles psicológicos de grandes personajes o revisaban y profundizaban en grandes acontecimientos y temas.

## Crimen sin castigo

A las 19:45 del 29 de mayo de 1962, una adolescente porteña de clase media, de origen judío, llamada Norma Mirta Penjerek, se despidió de su profesora de inglés hasta la semana siguiente. Pero nunca regresó a su casa. Casi sesenta días después, la chica, de 16 años, apareció asesinada en un campo de Lavallol con signos de ahorcamiento y con varias puñaladas. En un principio, por haber coincidido con otros episodios, algunas organizaciones judías y varios diarios alentaron la hipótesis de que podía tratarse de una acción antisemita. Durante más de un año el caso permaneció en la nebulosa. El cadáver no descansaba en paz.

Más de un año después del crimen, en julio de 1963, una prostituta de la zona de Constitución llamada María Mabel Sisti, presa por infracción al edicto que sancionaba los escándalos públicos, hace una declaración sensacional: "¿Se acuerdan de la chica Penjerek? A ella la mató Pedro Vecchio". El tal Vecchio era un conocido comerciante de zapatos de Florencio Varela, que había sido dos veces concejal por un partido vecinalista. A partir de ese momento buena parte del periodismo se involucra en la difusión de una historia negra que transforma en "caldera del diablo" a un suburbio porteño en el que, al decir de sus vecinos, "nunca pasaba nada". La historia del crimen de la hija única de una buena familia judía, presuntamente entregada a los desbordes de la droga y la pornografía fue un plato cargado de morbosidad que alimentó durante meses a la opinión pública y que dio de comer a muchos medios gráficos de la época.

Pero pasó el tiempo, la Justicia no pudo comprobar la veracidad de las acusaciones en contra de Vecchio, y todos los implicados fueron sobreseídos. Para recuperar su buen nombre y honor, Vecchio arrastró durante años juicios contra revistas –*Así*, *Careo* y *Ocurrió*–, diarios tradicionales –*La Razón*, *Clarín* y *El Mundo*– y contra el vespertino *Crónica*, que acababa de aparecer y se había encargado de difundir los aspectos más espeluznantes de la historia.

## La quinta que faltaba

En el comienzo, sus logotipos se parecen, su título tiene la misma cantidad de letras que el de *Crítica* y es el que Natalio Botana le habría puesto a su diario en 1913 de no haber comprobado que esa marca ya tenía dueño: el 29 de julio de 1963, con una única quinta edición, *Crónica* se suma a un mercado de vespertinos. Se trata de un mercado donde sólo *La Razón* subsiste sin problemas y en el que languidecían títulos de extraordinario pasado como *Crítica* (que en setiembre dejaría de aparecer) y *Noticias Gráficas*, y expresiones relativamente recientes como *Correo de la Tarde* y *El Siglo*. En poco tiempo, el ascenso del nuevo periódico los obligaría a todos a cerrar sus puertas.

Héctor Ricardo García, fotógrafo de origen, periodista por vocación y responsable desde 1954 de varios éxitos editoriales,

## La no ficción

- El nuevo periodismo crea un nuevo género: la no ficción *(non-fiction)*, ubicado entre la realidad del periodismo y la ficción de la literatura.
- No importa tanto la exactitud rigurosa de los hechos o declaraciones sino la verosimilitud que contribuya a revelar un episodio o un personaje.
- El autor se convierte en uno de los protagonistas.

- A lo largo de una nota se cruzan con enorme libertad prácticamente todos los géneros: entrevista, crónica, testimonio, semblanza, análisis.
- Se utilizan más recursos tipográficos: puntos, guiones, signos de exclamación, interjecciones, negritas, mayúsculas y también palabras sin sentido aparente pero que intervenían en los textos sumándoles énfasis y distintos significados.

sabía lo que buscaba. "Hacía falta un diario estridente, con grandes letras en la primera página, con titulares muy fuertes al estilo de los diarios centroamericanos, porque los nuestros eran todos demasiado tranquilos". En el arranque hubo preocupación en las filas de García y su elenco más cercano: el propio Rotundo, que lo había ayudado a sacar *Así* en 1955; el fotógrafo Enrique Capotondo; los periodistas Juan Carlos Petrone, Marcos de la Fuente y Guido Merico y los jóvenes Héctor Luis Zabala, Hugo Gambini, Carlos Aguirre y Oscar Ruiz. Es que el diario no pasaba los 20.000 ejemplares de venta. Pero todavía faltaba la espectacular ayuda de la casualidad que siempre asistió a la intuición y el talento de García.

## Algo más que suerte

Ya le había sucedido a Botana décadas antes: durante un largo tiempo, el jefe de su reventa –un mítico personaje llamado Eduardo "El Diente" Dughera– le mintió diciéndole que el diario andaba bien mientras escondía los paquetes con la devolución. Pues bien, antes de que García se llegara a enterar de que su distribuidor Ayerbe le hacía "trampa" sencillamente porque creía en el producto, el diario había trepado primero a los 60.000 ejemplares y después a los 100.000.

El sorpresivo retorno a la actualidad del denominado "Caso Penjerek" le vino como anillo al dedo. "Y claro que inflamos –admitiría García años después–, pero también exageró la policía. Con mentiras o sin mentiras aquello fue un bombazo." La cobertura de *Crónica* obligó al líder *La Razón* a trasladar, por primera vez en su historia, una noticia policial a la portada.

El otro recurso que encontró García para incrementar sus ventas tiene más que ver con la picaresca que con el periodismo. La transnacional Pepsi iniciaba su batalla en el país para introducirse en el mercado de los refrescos cola y organizó un concurso de preguntas y respuestas de cultura general con premios fabulosos. El lanzamiento publicitario abarcó a todos los medios escritos con la excepción de *Crónica*. Sin decir de qué concurso se trataba –no hizo falta, ya que a los pocos días se corrió la voz de un modo imparable–, en cada edición el diario adelantaba una respuesta y se calcula que con ese ardid vendió 10.000 ejemplares más por jornada. "Lo que no le entraba por publicidad de la campaña, lo recuperaba por venta de ejemplares", cuenta un cercano colaborador de García de esos tiempos.

*Crónica* se hacía caseramente y con mucho esfuerzo. El ordenanza Panchito cruzaba varias veces al día la ciudad en bicicleta llevando y trayendo originales de la imprenta Cogtal. Pero llegó un momento en que la imprenta dijo "basta": sus máquinas no eran capaces de responder a semejante aumento de tirada. Con los primeros pesos seguros, García le compró al exhausto *Noticias Gráficas* los talleres –en Riobamba 280–, que eran propiedad de Raúl Damonte Taborda, entre otras cosas ex yerno de Natalio Botana. Allí también se había impreso *Crítica*. Años más tarde, García instaló talleres propios en Garay al 100 y edificó en Riobamba el teatro Estrellas.

Hay todavía un hecho más que ensancha la popularidad de *Crónica*: García viaja a Europa por un partido de fútbol y de paso por Madrid obtiene una entrevista exclusiva con Perón, donde revelaba que el ex presidente acababa de ser operado de la próstata. Los textos y las fotografías (en una de ellas, Perón, en pijama y en cama, leía un ejemplar de *Crónica*) publicados el 23 de enero de 1964 pertenecían a Héctor Ricardo García. Es por eso que aunque hizo de todo –produjo espectáculos y cine, tuvo y tiene teatros, fue dueño de radios y de una compañía de discos, manejó dos canales de aire y ahora es propietario de un cable de noticias–, García sigue afirmando: "Soy fundamentalmente un periodista, y hasta como empresario me sigo manejando como un periodista".

## Las verdades de García

- "Nosotros nunca editorializamos, no vendemos ni ideas ni análisis. Vendemos la realidad."
- "Primero está el drama humano del pueblo, la suerte que corran semejantes cercanos. Después, una mala noticia internacional."
- "*Crónica* se vende primero por la sección 'Deportes', después por la información de espectáculos y le siguen turf, policiales, juegos de azar, información general y, por último, los temas políticos. En definitiva, *Crónica* se vende porque habla de los temas de la vida."
- "La mejor definición la hacen las agencias de noticias norteamericanas. Cuando mandan un cable, encabezan diciendo: 'El diario populista argentino *Crónica*...'"
- "El diario y yo pertenecemos a una única ideología: la del Partido Periodista."

Un cercano colaborador de García, el periodista Eduardo Rafael, reflexiona: "Había que ser aventurero para llamarse 'García' y salir a competir, sin otros recursos que la imaginación, con los productos de empresas que respondían a apellidos de tradición y abolengo: los Mitre, los Gainza Paz, los Noble, los Peralta Ramos. Eso: había que ser loco o gallego. García era las dos cosas. Si hasta parece un chiste".

De todos modos, *La Razón* no se inmutaba por el pequeño gigante que le había salido al lado. El 22 de noviembre de 1963, el día que asesinaron a Kennedy, vendió más de 900.000 ejemplares.

## Para ampliar el panorama

El primer número de *Panorama*, un emprendimiento de editorial Abril en sociedad internacional con *Time-Life* y Mondadori, apareció a principios de 1963 y se agotó en 48 horas. En la edición inicial se explicaba el funcionamiento de esa especie de redacción "doble", una en Buenos Aires y otra en Nueva York, "que selecciona material de acuerdo con las directivas enviadas desde Buenos Aires. Desde la redacción de *Time*, en la Avenida de las Américas, Nueva York, se despachaban hacia el sur más de dos millones de palabras". Y desde aquí viajaban periodistas para especializarse.

El eslogan de la publicación, de 132 páginas y encuadernada con lomo cuadrado, era: "La revista de nuestro tiempo". Ofrecía notas en color –mucho antes que la TV cromática–, en especial las de temas extranjeros; presentaba un movimiento informativo inusual apoyado en el tratamiento *in extenso* de cuestiones que los diarios no trataban o a las que conferían espacios mínimos; le daba gran importancia a los enviados especiales. En el número 1 había 7 notas locales y 20 internacionales, resueltas por una redacción dirigida por Jorge De Ángelis, un italiano casado con la periodista Adriana Civita –hija de César Civita, el dueño de editorial Abril–, a quien no pocos veían como "la Oriana Fallacci argentina". Ella se destacó velozmente por sus reportajes, poco habituales para la época: se infiltraba en una seccional para contar cómo se vivía un día entero allí, o se mimetizaba con un alcohólico o una prostituta para buscar una información más directa. Por su parte, el español Víctor Saíz se hacía pasar por un hombre acosado por la soledad para mostrar por dentro el funcionamiento de las agencias matrimoniales porteñas. Osvaldo Seiguerman delineaba una atractiva crónica de costumbres: reunía a los 11 argentinos más gruñones y los agrupaba en "el equipo de los antipáticos": desde la maestra de cocina Doña Petrona hasta el actor Lautaro Murúa, desde Karadagian hasta Silvina Bullrich.

Entre los periodistas y fotógrafos que en los primeros veinte números publican notas destacadas, comienzan a perfilarse Eduardo Guibourg, Carlos Velazco, Fernando Más, Salvador Nielsen, Luis Soto, Norberto Álvarez Ojea, Alberto Rodríguez Muñoz, Mario Enrique Ceretti, Aníbal Walfisch, Santiago Rojo, Mario Marotta, Juan Carlos Martelli y el aporte extraordinario de Mario Bernaldo de Quirós, un notero formidable que en el número 6 de *Panorama* llega adonde ningún otro periodista había llegado antes: "Malvinas, la Argentina que habla inglés". Williams Fredes, Sara Facio, Francisco Vera, Eduardo Comesaña y Pablo Alonso fueron los fotógrafos que tuvieron que ir a buscar la noticia y en ocasiones la generaron o la pusieron en escena con calidad o con audacia.

Cuando se los acusó de practicar un periodismo que explotaba las emociones fáciles, la revista respondió: "'Sensacional', según el diccionario, es algo que causa emoción. 'Sensacionalismo' es, en lenguaje popular, una característica negativa de cierto tipo de periodismo que explota la capacidad humana de emocionarse apelando más a los instintos que a la razón. *Panorama* rehúye el sensacionalismo, pero no puede evitar ser sensacional".

## Breves de la década

- Para solucionar los problemas de cierre, en *Primera Plana* adelantaban las tapas entre siete y diez días. Cuando algún episodio de actualidad los obligaba, recurrían a la tapa tipográfica (es decir, sin fotos ni dibujos, sólo texto).
- Como muchos periodistas deportivos, en 1962 se inicia en el diario *Noticias Gráficas* Eduardo Rafael, pasando los resultados de partidos de Primera C desde la cancha de Brown, de Adro-

gué, donde había que caminar 15 cuadras –recuerda– hasta encontrar una panadería. En esa sección "Deportes" estaban Miguel Ángel Merlo y Alfredo Parga, y se iniciaba Enrique Macaya Márquez. Era el año del mundial de fútbol en Chile, y Rafael escribió la historia de la Jules Rimet. Luego de colaborar un año en el vespertino, le ofrecieron pagarle parte de lo que le debían con un placard –producto de un canje publicitario–, y él aceptó.

Primera Plana sale a la calle por primera vez y todo el mundo habla de ella.

Con el eslogan "La revista de nuestro tiempo" aparece la revista mensual Panorama.

Para la época, Adriana Civita era una reportera osada.

Las notas e investigaciones de Mario Bernaldo de Quirós eran uno de los atractivos de Panorama.

## Temas de Primera Plana

"En julio de 1963 Ezequiel Martínez Estrada estaba por morir y a mí, en su ocaso, me había impresionado como una especie de profeta solitario de la pampa. El viejo era una expresión de rebeldía, de inconformismo, de protesta, hasta de violencia. Hice la nota y luché para que saliera en tapa así como ya habían salido Borges y Cortázar. Al final, como Alfredo Alcón estaba por estrenar *Hamlet*, la tapa terminó siendo ésa", evoca Tomás Eloy Martínez, por entonces activo periodista de la sección "Cultura" de *Primera Plana*.

Por entonces, la imaginación popular ya denominaba a *Crónica* "Seccional 51" –cuando en la Capital funcionaban cincuenta comisarías–, aludiendo a los títulos y fotos policiales del diario, que ganaron la confianza de sus lectores. A tal punto que comenzó a hacerse costumbre que algunos delincuentes y hasta asesinos decidieran entregarse en la redacción del diario frente a un periodista y un fotógrafo. Se hacía la nota y, de ese modo, la foto se convertía en un documento valioso para el juez, y los que iban a ir presos se aseguraban de que no serían golpeados o torturados. La costumbre sigue hasta ahora. "Si un lustrabotas es víctima de un agravio físico y va a uno de los llamados diarios grandes a quejarse, ¿usted cree que lo atienden? No, ni la hora le dan. En cambio,

### Perfil: Mario Eduardo Ceretti

Tiene el título de abogado, pero nunca ejerció. Hablaba y escribía varios idiomas y cuando llegó de Santa Fe a la Capital en los años 60, se empleó en la editorial Jackson, que estaba traduciendo la enciclopedia *El Tesoro de la Juventud*. Enseguida entró en la editorial Abril como traductor, pero a las pocas semanas ya era todo un cronista y redactor de sus propias notas, como Martín Iriart, Mario Bohoslavsky y Ovidio Lagos. La editorial de los Civita quería cambiar el perfil de sus inicios, cuando comenzó como gestora de exitosos títulos infantiles y fotonovelas. "*Panorama* tenía una forma de investigar profunda, con un estilo elegante, ameno, gracioso y a veces pedante, como también era *Time*", recuerda en 1996 Ceretti, quien todavía afirma que mucho de lo que aprendió en periodismo se lo debe a Mario Bernaldo de Quirós, "un periodista de la antigua escuela, fumador, nochero, sofisticado, mujeriego, cultísimo".

Por su intermedio, Ceretti supo que un periodista es una especie de intermediario entre las noticias y el público que quiere saber qué pasa. "Para ser periodista agarrá una silla, sentáte al lado del Obelisco y mirá qué le pasa a la gente", le aconsejaba Quirós. Y él lo repite hoy, convencido de que en ese sitio está el mejor lugar en el mundo de los periodistas.

si va a *Crónica*, sí lo escuchan", explicó Américo Barrios, fundador y durante 15 años director de la versión matutina del diario.

El *Mundo* ofrecía una contratapa ocupada por el género de las crónicas vivas. Allí publicaban Enrique Silberstein, Jorge Korenblit y Horacio de Dios, pero el inquilino más frecuente de ese espacio era Bernardo Neustadt. Escribía una serie titulada "Reportaje a...", redactada en frases cortas, casi telegráficas, puntuación no ortodoxa, estilo coloquial, con negritas y mayúsculas en abundancia. La nota terminaba invariablemente con una cita al pie de algún pensador, escritor o filósofo famoso.

Sergio Sinay, que por aquellos años soñaba con abrirse camino, recuerda un hecho que prueba su vocación. Sinay registraba en una libreta negra innumerables comienzos o finales de las notas de *Primera Plana*, ejercicio que le permitía darse cuenta de la técnica periodística y resolver el dilema de cómo pasar de una idea a otra dentro de un mismo texto, o después de cuántas palabras conviene poner un punto.

## Hablando en números

Entre 1962 y 1963, de acuerdo con datos del Instituto Verificador de Circulaciones, los diarios *La Razón*, *Clarín* y *La Prensa* bajaron sus ventas, en tanto ascendieron las de *El Mundo* y *La Nación*. En esos años también se produjo un fuerte descenso en la inversión publicitaria en medios gráficos. Cada mañana los matutinos peleaban por un millón de ejemplares de venta. El diario de García, *Crónica*, llegaba a los 114.000 ejemplares. Pero ninguna publicación vendía más que *Así*, que en sus tres ediciones semanales despachaba un millón y medio de copias. Esa redacción de *Así* la integraban grandes periodistas y escritores: el poeta Joaquín Gianuzzi, Dante Panzeri, Alfredo Serra, Julio Bornik, Juan Carlos Algañaraz y Héctor Simeoni, entre otros.

## La renuncia de Jacobo

El 9 de julio de 1964 Jacobo Timerman citó en su departamento a las cuatro figuras más encumbradas de la redacción de *Prime-*

*ra Plana*. A Luis González O'Donnell, Ramiro de Casasbellas, Julián Delgado y Tomás Eloy Martínez se les heló la sangre cuando Timerman les anunció que había decidido alejarse de la dirección del semanario y de la empresa que lo editaba. Intentaron hacerlo cambiar de idea, pero no lo lograron, y tampoco pudieron conocer los motivos profundos del distanciamiento. "Sentíamos que, sin Timerman como piloto, íbamos derecho al naufragio", recuerda Martínez. Pero no fue así.

Apenas repuestos del shock, los cuatro periodistas vuelven a reunirse en el comedor del Hotel Nogaró y comienzan a mirar hacia adelante. En pocas horas se entrevistan con Victorio Dalle Nogare, que tomaría el lugar de Timerman en la sociedad. Cuando escuchan del empresario que "lo que quiero es que hagamos una especie de *Billiken* para toda la familia", entienden que ha llegado el momento de hacerse cargo de una revista en la que todo estaba por hacerse. Al poco tiempo se producirá otro enroque importante: Luis González O'Donnell es contratado por editorial Abril, y el poeta Ramiro de Casasbellas se hace cargo de la jefatura de redacción.

## Perfil: Manuel García Ferré

La adolescencia de Manuel García Ferré concluyó en Andalucía al mismo tiempo que se disparaban los últimos disparos de la Segunda Guerra Mundial. No era la primera guerra que le tocaba soportar: la otra había sido la Guerra Civil Española. En 1947, en busca de paz, su familia emigró a la Argentina. Estudió arquitectura, pero la caricatura y el dibujo artístico le atraparon el corazón. En 1950 conoció a Constancio Vigil. Aunque los separaban cincuenta años de edad, se hicieron cercanos amigos y el dueño de Atlántida le contrató para *Billiken* la historieta "Pi Pío". Fue el inicio de una larga carrera que aún sigue, pródiga en personajes exitosos: "Calculín", "Hijitus", "Cachavacha", "Oaky", "Larguirucho", "Trapito", "Ico"... García Ferré trabajó primero en el dibujo animado para cine y TV, y después en revistas que a partir de 1962 encumbran a personajes sencillos y con contenido moral como "Anteojito", "Antifaz" y "Petete", que viven en el corazón de varias generaciones. Su revista semanal *Anteojito* compite cada semana con *Billiken* en el mercado infantil y ya a fines de la década del 60 y comienzos de la del 70 vende 400.000 ejemplares.

Con la exportación de "Petete" en 1980 regresó a la España natal como editor consagrado en el arte de "enseñar entreteniendo". Dice que un día aprendió de su compatriota Eugenio D'Ors algo que jamás olvidó: "Por qué inventar, si la naturaleza nos lo da todo. Lo que tenemos que aprender es a verla".

Manuel
García Ferré.

Publicidad de *El Mundo*
de la década del 60.

Mario Eduardo Ceretti.

Ramiro de Casasbellas: en 1964 reemplazó a Timerman
y a González O'Donnell en *Primera Plana*.

Casasbellas recuerda que ya en ese momento la revista se había puesto frontalmente contra Illia. Pero hay una circunstancia, asegura, que agudiza la inquina. La revista *Qué* publica que el alejamiento de Timerman, había sido forzado por un operativo del vicepresidente Carlos Perette. "La reacción de los que quedamos en la revista fue sencillamente infantil. Para probar que eso no era cierto, profundizamos la crítica a Illia. Y desde entonces hasta mis propios correligionarios (Casasbellas se afilió al radicalismo en 1972) creen que yo fui el que derrocó a Illia", se conduele el periodista.

## Neustadt apuesta todo

Luego de hacerle una entrevista al ex presidente Frondizi, el 16 de mayo de 1964, Canal 9 levanta el ciclo *Incomunicados*, que conducían Bernardo Neustadt y Pinky. El mismo empresario que le producía el programa en TV (Mario Alessandro, propietario de

## Breves de la década

- Críticos y lectores se asombraban con *Rayuela*, el nuevo libro de Julio Cortázar. "¿Antinovela nihilista?" "¿Refinado rompecabezas?", eran algunas de las preguntas que generaba su lectura.
- "En el siglo XX cada país vale lo que pesa en acero" pensaban los gobernantes de aquellos tiempos. Se generaban proyectos –Somisa, en San Nicolás; Siderca, en Campana; Altos Hornos, en Salta; Fabricaciones Militares, en Zapla– y se instalaban fábricas –La Cantábrica, Acindar– que treinta años después caerían en las garras de la economía de mercado.
- Como si fueran los "azules y colorados" del mundo, Kennedy y Kruschev protagonizaban la post Guerra Fría. Pero los "bandos" opuestos de ese mundo se sorprenderían cuando el 22 de noviembre de 1963 se conoció la noticia de que manos mafiosas habían asesinado al presidente John Fitzgerald Kennedy en Dallas.
- Con el peronismo proscripto (19 por ciento de votos en blanco, aceptando la orden dada por Perón desde Madrid) y con el 25 por ciento de los votos, Arturo Illia es elegido presidente de los argentinos.
- A los rusos y a los norteamericanos ya no les alcanza la Tierra: piensan en el espacio, en las estrellas, en la Luna.
- En la Argentina muchos pensaban en descubrir la fórmula del peronismo sin Perón, y Vandor se constituía en uno de los principales alquimistas.
- En Buenos Aires son un éxito de venta y de crítica los libros periodísticos de la editorial que Jorge Álvarez había fundado recientemente.

la empresa Kenwood) decide prolongar su apuesta y acepta financiar un semanario de actualidad política y general. Se llamaba *Todo* y apareció el jueves 1° de octubre con una foto del líder francés Charles De Gaulle (curiosamente bastante parecido a Perón), que estaba por esos días de gira en la Argentina.

Su eslógan era prometedor –"Para interpretar la realidad argentina y mundial"– y tenía varias curiosidades, por ejemplo que las tapas de los primeros números eran ilustraciones del pintor Vicente Forte, un íntimo amigo de Neustadt. A la cabeza del staff figuraban Rodolfo Pandolfi (que venía de hacer un paso por *Primera Plana*) y Edgardo Da Mommio; algunos redactores eran Jorge Couselo, Ulises Barrera, Milton Roberts, Luis Murray, Enrique Raab, Oscar Delgado, Esteban Peicovich y allí debutaron Pablo Gerchunoff, Marcelo Cosin, José "Pepe" Eliaschev y Rolando "Lanny" Hanglin. Jorge Miller era el fotógrafo. El jefe de arte, Leonardo Werenkraut, había elegido que el editorial de Neustadt se publicase tal como había sido escrito a máquina: toda una novedad gráfica.

"Una revista, LA REVISTA, coherente, mentalizada, con un objetivo preciso, SER UNA EXPLICACIÓN en medio de tanto tránsito de información, funde la individualidad del periodista en un bloque, en una constante de grupo social. Así nace el INSTRUMENTO. Así nacen las conjeturas también. Los duendes, ¿cómo?, ¿para qué?", editorializaba, algo enigmático, Neustadt. (Las mayúsculas son del original.) Neustadt siempre calificó de "lindísima" a esa experiencia editorial, pero lamenta que, "por errores garrafales cometidos, administrativos y editoriales", no haya durado más de un año. El principal motivo de discusión –finalmente zanjado con el alejamiento del jefe de redacción, Pandolfi– consistía en decidir a qué distancia debía colocarse la nueva revista con respecto al modelo *Primera Plana*.

## Buenos Aires insólita

Ya en 1964 las revistas hacían el periodismo de provocación que en la década del 90 hace con humor la televisión: bajar a las cloacas para descubrir personajes, batirse a cuchillo criollo frente al Obelisco, fingir estar afectado de lepra. Uno de esos grandes provocadores era el escritor Dalmiro Sáenz, que ideaba sus propias transgresiones, algunas de las cuales aparecieron en una revista de breve vida titulada *Spot*. En una ocasión, un maquillador caracterizó de "crotos" a Sáenz y a la actriz Susana Mayo para que con un aspecto lamentable solicitaran alojamiento en los hoteles más lujosos de Buenos Aires y describieran cuál era la reacción de quienes los atendían, y medir de ese modo el grado de prejuicios. Se los veía sucios, mal vestidos; ella semejaba estar embarazada y a él le habían adosado una albóndiga en mal estado debajo de la camisa y despedía un olor tremendo. Ninguno les ofreció posada. Tal como esperaban.

En esos mismos días el redactor de *Panorama* Carlos Velazco publicó *El hombre viejo*, un libro de ficciones integrado por una novela corta y siete cuentos. No envió ejemplares a ninguna redacción de diario o revista (incluida la que él integraba) ni a otro medio, como radio y TV, pero, a pesar de ese voluntario silencio, el libro fue comentado espontáneamente por una radio porteña, por una revista literaria del interior y por un diario venezolano. El texto obtuvo el primer premio municipal de 1964 y la edición inicial se agotó sin promoción. Al explicar su acción, Velazco dijo que lo había hecho para poner a prueba su propio valor de escritor y "para demostrar la falsedad de la creencia de que en la Argentina el éxito sonríe solamente a los amigos de los influyentes y a los miembros de las camarillas".

## Perfil: Pepe Eliaschev

José Ricardo "Pepe" Eliaschev venía del periodismo estudiantil desarrollado en el Nacional Buenos Aires entre 1960 y 1963. En *Para Hoy* sus compañeros eran Mario Sabato, Roberto Jacoby y Rolando Hanglin, y en *El Fiurso* colaboró con Jorge Omar Lewinger y Jorge Diamant. "No tenía claro que quería ser periodista: hasta la década del 70 trabajaba de periodista, pero no hacía la carrera. Ya desde 1962, a través del padre de Rolando Hanglin, fuimos invitados en calidad de jóvenes estudiantes preguntones a la tribuna del programa de televisión de Neustadt. Ahí lo conocimos y así llegamos a *Todo*, en donde Neustadt intervenía escasamente en las cuestiones de la redacción." En una Lexikon 80, Eliaschev escribió su primera nota, que, recuerda, Enrique Raab corrigió sentado en una escalera porque no había lugar en otro lado. De esos momentos iniciales Eliaschev evoca un arresto de soberbia juvenil. Esteban Peicovich le pidió al redactor de 19 años que pasara a máquina un texto de otro. "Yo no soy dactilógrafo. Soy periodista", dijo Eliaschev, respuesta que en 1996 le da vergüenza.

## *Aparece* Gente

El 29 de julio de 1965, con Cacho Fontana en su mejor momento de fama sonriendo en la tapa, apareció el número 1 del semanario *Gente*. Esa edición de 48 páginas (7 de ellas en color, 8 avisos de página completa) tuvo una tirada de 120.000 ejemplares y vendió casi 70.000. "En un país revistero por naturaleza no existía la revista semanal tipo *Paris Match*, *Life* u *Oggi* que circulaba por el mundo", explica el editorial sin firma del número 1.000, casi veinte años después. Esta edición ofrecía, como una prueba del paso del tiempo, 220 páginas, 184 de ellas a color, 68 páginas de anuncios y una tirada de 245.000 ejemplares.

Durante el primer año, sus reporteros y periodistas salieron a la calle a buscar la noticia tal como había aconsejado el nuevo periodismo norteamericano. "Eso hizo *Gente* desde su primer número, con sus increíbles coberturas, sus viajes y sus infinitas guardias", relata en 1995 su actual director, Jorge de Luján Gutiérrez. La publicación en cuyos conceptos avanzaron su director de los primeros años, Carlos Fontanarrosa, y su jefe de redacción, Eduardo Maschwitz, fotografió de asalto a Jacqueline, viuda de Kennedy, medio cuerpo desnudo, de visita en una estancia de Ascochinga, Córdoba, y se acercó para registrar a un sargento chileno herido por la gendarmería argentina en un incidente fronterizo. Aparecida en el número 16, esa nota dio a la revista un desahogo de ventas que hasta entonces no había tenido. Bonavena en su momento de gloria en el Luna Park, Isabel Martínez en representación de su esposo en Buenos Aires, el romance de Palito Ortega con Evangelina Salazar y la dramática noche del 29 de julio de 1966 –la llamada "Noche de los Bastones Largos"– fueron algunas de las espectaculares notas del año inicial. "El sopapo de la actualidad, a menudo dura, quiso ser compensado con el besito en la punta de la nariz o la cosquilla de una nota frívola", explica Víctor Sueiro, uno de los redactores históricos de la revista. Esto sería una clave permanente: una nota impresionante al lado de otra liviana. La idea paradigmática de ese concepto es una tradicional sección: "La Fotografía del Año", en donde conviven modelos con científicos, políticos con futbolistas, escritores con cantantes. Se cubrían los veranos, se descubrían los cuerpos, se imponía como género mostrar las fiestas y la revista se convertía por momentos en *voyeur* privilegiado de la vida de los demás.

## Consecuencias de un estilo

La nueva revista era informal y osada pero muy integrada al sistema occidental y cristiano. Casi nunca abandonaba sus miradas de frivolidad y, especialmente en verano, admitía un módico destape sobre el físico de las modelos (a las que puso de moda) y se ponía "fresca".

Samuel "Chiche" Gelblung, que se inició en 1966 y durante años fue jefe de redacción de *Gente*, piensa hoy que "parte de esa audacia me pertenece. Como respuesta a mi caos intelectual, poner en una página la nota de una inundación trágica y enseguida un desfile de modelos, me resultó natural. A mí me interesan por igual las declaraciones de una top model, siempre y cuando tengan miga humana, como un suplemento sobre los viajes de Darwin. Una vez, cuando murió Picasso, defendí a muerte la posibilidad de que fuera tapa. Y lo conseguí y fue un éxito de ventas". Para Mario Mactas, sindicado como una de las plumas brillantes del estilo *Gente* (junto con Alfredo Serra y Víctor Sueiro), el que mejor tuvo en la cabeza el producto fue Carlos Fontanarrosa. De este modo explica Mactas la forma de trabajo de Carlos Fontanarro-

## Breves de la década

- Aparece el semanario *Imagen*, en cuya redacción figuran Roberto Hosne, Diego Baracchini, Osvaldo Bayer y Luis Arias. Entre sus primeros números acierta con una amplia cobertura de la visita del presidente francés Charles de Gaulle a la Argentina.

- El vespertino *Correo de la Tarde*, que respaldaba y orientaba el proyecto de poder de Francisco Manrique, es considerado por algunos políticos radicales como "un diario fragotero".

- El periodista Osiris Troiani cubre para *Primera Plana* el denominado "Operativo Retorno" del general Perón a la Argentina. Antes de llegar, el ex presidente es detenido en el aeropuerto de Río de Janeiro y obligado a retornar a Madrid. La extensa charla entre Perón y Troiani en Madrid y la crónica de la travesía son publicadas en el semanario.

- En la editorial Atlántida se prepara activamente la salida de un nuevo magazine cuyo nombre será *Ecos*. Aníbal Vigil y David Ratto habían viajado a los Estados Unidos para comprar en la empresa Merghentaler tipografías exclusivas para estos números que nunca vieron la calle y a los que se considera el antecedente del semanario *Gente*.

sa, quien fuera durante años el director del semanario: "Desplegaba la pauta, y como quien estudia una partitura, o el plano de un edificio, nos alertaba: 'Ojo, hay mucho amor de este lado de la revista. Entonces, en esta mitad debe figurar la ruptura del amor: ¿quién se está divorciando?'. O decía: 'Si mostramos una situación política desfavorable, pensaremos que no hay salida. Pongamos al lado el sueño cumplido de alguien, capaz de contrarrestar tanto veneno moral'. Fontanarrosa –agrega– pronunciaba una frase enigmática pero que nos hacía poner en marcha: '¿Saben lo que le falta al número?: el baño de chocolate'". Mactas admite hoy que nadie sabía qué era pero era cierto: le faltaba.

*Gente* hizo en cualquier tiempo y lugar un periodismo caro. Para cubrir la última pelea de Carlos Monzón en Europa destinó a 17 personas, entre ellas el pintor Antonio Berni, como ilustrador, y la escritora Silvina Bullrich, como cronista de boxeo, para obtener una mirada diferente del acontecimiento. Julia Constenla, que llegó a principios de los años 70 llevada por Juan Carlos y Julio Algañaraz, cree que *Gente* fue una revista "para cholulos", pero rescata el entusiasmo de Fontanarrosa para estimular las ideas distintas. En su tiempo, produjeron una fotonovela basada en una de las *Crónicas marcianas*, de Ray Bradbury, fotografiada por Oscar Burriel, dirigida por Mario Sabato e interpretada por Inda Ledesma, Héctor Alterio, Sergio Denis y Leonor Benedetto. También le encargaron a Ernesto Sabato la redacción especial de una "Enciclopedia del hombre de la calle".

Para Rodolfo Bracelli –que en 1996 obtuvo una entrevista exclusiva con Gabriel García Márquez en Cartagena–, lo que impidió que la frivolidad se convirtiera en la medida de todas las cosas dentro de la revista fue que siempre tuvo vivamente presente al hombre común, oscuro y luminoso a la vez. "En mis notas,

## *Cómo era el estilo* Gente

- Textos escritos en primera persona, lo que posibilitaba que el cronista reseñara sus sensaciones personales.
- Mezcla casi insolente de temas muy serios con muestras de fuerte frivolidad.

- Notas con grandes fotografías, en donde las tomas forman parte de un nuevo espectáculo, que incluso, compite con la TV.
- Profusión de enviados especiales que cubren, con ojos argentinos, los hechos periodísticos de otros países.

busqué a los desconocidos de siempre, prodigiosos hombres anónimos: un hachero sabio, un hombre acusado de ladrón pero inocente, un maestro de mapuches", escribió en un número aniversario. "Hace treinta años el periodismo argentino era adusto, severo, formal, convencional", explicó Jorge de Luján Gutiérrez, director de la actual etapa del semanario, que según el Instituto Verificador de Circulación en 1995 vendía 193.260 ejemplares.

## La gente de Gente

Los primeros grandes nombres que pasan por su redacción son los de Horacio de Dios, Carlos Aguirre, Edgardo Da Mommio, Julio Lagos, Julio Portas, Raúl Urtizberea, Julio Landívar, Emilio Giménez Zapiola, José De Zer, Helena Goñi, Enrique Walker, Andrés Cinqugrana, Roberto Jacobson, Matilde Herrera, Enrique Monzón, Eduardo Maschwitz, entre otros. El extraordinario plantel de fotógrafos –Alfieri, Carreño, Legarreta, Pellizeri, Speranza, Forte, por nombrar sólo a algunos– empieza en una revista de riquísimo contenido gráfico. Cada hecho tuvo un registro, un click al estilo *Gente*, y esos materiales reunidos a lo largo de treinta años constituyen un inapelable álbum de lo argentino.

### Perfil: Hugo Gambini

Entre 1962 y 1963 cierran dos de los cuatro diarios en los que hizo sus experiencias iniciales: *Crítica* y *Noticias Gráficas*. En 1963 consigue un medio tiempo en el nuevo vespertino *Crónica* y completa la jornada en la revista de la que todo el mundo hablaba: *Primera Plana*. "Un día, con la dulzura que lo caracterizaba, y para reprocharme un error que yo había cometido, Timerman me llamó y me dijo: 'Mire, Gambini, en *Crónica* trate de escribir para los lectores de *Crónica* y acá, trate de hacerlo para los lectores de *Primera Plana*. Porque si no, lo van a terminar echando de los dos lados. O, seguro, de uno. Puede retirarse.'"

Pero Gambini tenía por lo menos dos herramientas para quedarse en el oficio: suficiente sensibilidad popular como para titular estilo *Crónica* y conocimiento adquirido en su paso por *La Vanguardia* para hacer una nota política en *Primera Plana*. Lo expresa de un modo gracioso: "Cuando en *Primera Plana* se necesitaba verificar algún dato culto, el asesor era Ernesto Schóo, pero cuando el asunto era algo de la vida atorrante, el informante clavado era yo. Bajo el vidrio del escritorio de Ernesto había fotos de Bela Bartok o reproducciones de El Greco; bajo el mío estaban Horacio Salgán y el equipo de Vélez".

La tapa del primer número
de *Gente* y sus creadores,
Carlos Fontanarrosa
(a la izquierda) y Aníbal Vigil.

Hugo Gambini.

Los diarios en la calle:
la hora de la verdad.

## ¿Por qué no hacer periodismo?

En 1964, a Jorge Bernetti, un militante de la juventud demócrata cristiana y redactor del periódico partidario *En Marcha*, la política y la historia le interesaban más que el periodismo. Aunque en un nivel de reflexión elemental, oportunidades como las que acababa de tener su ex compañero del Nacional Buenos Aires Pepe Eliaschev en la revista *Todo*, de Neustadt, le parecían excitantes. En 1965 se enroló en una pequeña agencia informativa internacional, la Inter Press Service, que fue escuela para muchos periodistas. Y en 1966 participó del proyecto de la revista *Cristianismo y Revolución*.

Sergio Rubén Caletti se inició en *Leoplán* en 1965, año que sería el último de esa histórica publicación en la que Miguel Brascó deslumbraba con su suplemento satírico "Gregorio". Caletti aceptó la sugerencia recibida de Rolando Hanglin en el Nacional Buenos Aires unos años antes: "¿Por qué no hacés periodismo?". "Uno se sabía bueno escribiendo, y no me pareció mala la idea", explica ahora, en su condición de ex periodista pero con un profundo amor por el oficio. Así empezaron muchos.

## Perfil: Carlos Ferreira

**S**e inició en 1965 en *Crónica* (y a veces colaboraba también en la revista *Así es Boca*). El escritorio de enfrente lo ocupaba un hombre que era todo un símbolo: Dante Panzeri, que conocía hasta el nombre del último jugador de la Tercera. No lejos de allí tecleaba otra figura fundamental en la vida y la vocación de Carlos Ferreira: nada menos que su padre, también de nombre Carlos, pelirrojo como él, crítico de cine, hombre del espectáculo, escritor, con quien mantenía una relación de afectuosa tensión. "¿Por qué no firmás como 'Carlos Ferreira hijo'?". A lo que el chico le respondía: "¿Y vos, por qué no firmás 'Carlos Ferreira padre'?". El director periodístico del diario, Américo Barrios, y el director general, Héctor García, surgen también en la evocación como sus tutores periodísticos. En esa redacción conoció y frecuentó al poeta Leónidas Lamborghini, al famoso gordo Juan Carlos Petrone y a Estanislao Villanueva, "que, sin ellos saberlo, me enseñaron muchas cosas".

Según Ferreira, los tres berretines de *Crónica* fueron "fútbol, carreras y policiales". "Y el tango estaba en los títulos. El diario siempre estuvo titulado como los dioses, con un ingenio que tenía algo de literatura popular. Eran títulos que invitaban a leer. Por ejemplo: Suiza había ganado en un partido del mundial, y el título era: 'Suiza fue un relojito'. Cuando el Sporting Cristal le ganó a Boca en la bombonera: 'Boca fue más frágil que el cristal'."

## Competencia

La competencia entre publicaciones fue una marca del año 1965. Los muchachos de *Primera Plana* viajan de un lado para el otro. En una edición de abril de ese año, Ramiro de Casasbellas hace una nota en Dallas, la ciudad donde asesinaron a Kennedy; Tomás Eloy Martínez sigue al papa Pablo VI por Tierra Santa; Ernesto Schóo describe los juegos olímpicos de Tokio aunque no es cronista deportivo (o justamente por eso), mientras que Osiris Troiani acompaña la gira sudamericana del general De Gaulle.

Por su parte, el número 27 de *Panorama* anuncia la historia del peronismo. Perón en tapa era cuanto menos una audacia. Jóvenes periodistas como Rolando Hanglin, Daniel Muchnick, Máximo Simpson, Enrique Raab, Julio Crespo, Susana Viau ponen en marcha investigaciones sobre temas que ni la prensa ni gobierno alguno resolvió hasta hoy: los chicos de la calle, la crisis de la educación, el éxodo de cerebros, los jubilados.

Abril y *La Razón* se asocian para hacer un suplemento semanal titulado *Siete Días* que se incluiría dentro del diario al mismo precio. "Recuerdo que Civita había traído unas máquinas italianas marca Cerutti que hacían un huecograbado en color muy moderno. La revista no tenía actualidad pero marcaba tendencias. La dirigía Roberto Hosne y gozaba de una independencia total con respecto a *La Razón*, algo que encolerizaba a Laiño", recuerda Carlos Andaló, que se iniciaba con aquella experiencia. Civita no se quedaba quieto y hasta se daba el lujo de tener en una oficina a un cerebro pensando nuevos productos. Resultado de los devaneos de Luis González O'Donnell y de algunos estudios de mercado –que recién se empezaban a hacer aquí– salió *Adán*, un mensuario para hombres que terminaban leyendo las mujeres. Revista cara, de excelente gráfica y costosa impresión, su staff no procedía exclusivamente del periodismo. Homero Alsina Thevenet, Juan Carlos Martelli, Carlos Villar Araujo, Ezequiel de Olaso y Bengt Oldenburg venían de las ciencias sociales, de la filosofía, de la crítica de artes, de la docencia universitaria. "Aparte de excelente lectura, *Adán* se volvió lo que entonces llamaban un símbolo de status de los jóvenes ejecutivos en ascenso, antecesores de los yuppies", recuerda González O'Donnell.

En este 1965 Neustadt volvió a intentar con una revista. El 1°
de julio sacó *Extra*, un medio que casi siempre tuvo escasa venta pero ostentaba gran cantidad de avisos. A medida que se iba
convirtiendo en un hombre de la radio y la TV, Neustadt se fue
distanciando del medio escrito, pero, de cualquier modo, al revisar la publicación se hace evidente una de sus características
más criticadas: que siempre fue un hombre de enamoramientos
y desenamoramientos políticos y que, mientras pudo, trató de
estar bien con todos los sectores. Una verdadera curiosidad es
repasar quiénes ocuparon altos cargos en su revista, pues de-
muestra que no palpaba de ideologías a quienes iban a ser sus
empleados. La lista se inicia con Héctor Grossi y Mabel Itzcovich, y sigue con Sergio Sinay, Dardo Cabo, María Cristina Verrier, Miguel Bonasso, Jorge Sánchez Arana, Hernán Invernizzi,
José Miguel Tarchini, Enrique Walker, Héctor Simeoni. *Extra* duró 25 años, durante los cuales Neustadt también sacó la revista
*Creer* y el boletín *País País*.

## Macartismo

El anticomunismo era, todavía en esos años, todo un tema en la
sociedad y había numerosas ligas e instituciones que luchaban
contra el "terror rojo". La Federación Argentina de Entidades
Antidemocráticas Anticomunistas (FAEDA) promueve a través

### Perfil: Mario Mactas

En el Colegio Nacional de Buenos Aires trabajó
en dos revistas, una de clara intención surrealista cuyo nombre no recuerda y otra llamada *Para Hoy*, en la que también escribían Mario Sabato, Pablo Gerchunoff y Rolando Hanglin. A
Mactas, impulsado en especial por su tía Albertina Mactas de Gerchunoff, le interesaba la filosofía y, dentro de la literatura, la poesía. Afirma
hoy que fue un chico de campo, solitario, me-
lancólico, hipersensible, un lector temprano, y
desde pequeño alguien para quien las palabras
tuvieron un poder de hechizo y fascinación. A
una redacción en serio –la de *Pregón*, un diario
que sacó Francisco Manrique– arribó a los 18
años para hacer crítica de teatro. "Esto –confie-
sa– me condujo a detestar el teatro." Posteriormente en la redacción de *El Siglo*, vespertino de
*El Mundo*, conoció "periodistas absolutamente
fascinantes, que por lo general bebían mucho
pero que en un minuto le daban a uno leccio-
nes de castellano, de captación sintética de la
realidad y de escepticismo".

de nueve solicitadas publicadas en varios diarios una intensa acción de estrategia macartista en la que ve "rojos" infiltrados en los medios de comunicación. Quien le sale al frente a esas denuncias, con enorme valentía, por considerar que la gente de FAEDA hace terrorismo de ultraderecha contra la libertad de expresión, es Augusto Bonardo, que da respuesta al grupo desde su programa de televisión "La gente" y publica un documento titulado "Antología de un asco en la Argentina".

## Está confirmado

El 7 de mayo de 1965, con una tapa tipográfica ocupada por tres títulos ("Buenos Aires: batalla secreta por dominar el gobierno"; "América: relaciones entre civiles y militares" y "Santo Domingo: se presenta el fantasma de Castro"), dice "aquí estoy" en los kioscos la nueva creación de Jacobo Timerman: *Confirmado*.

Un staff de cotizados periodistas con sólida experiencia –como Alberto Rudni, Héctor Tomasini, Jorge Aráoz Badí, Osiris Chiérico, Edmundo Eichelbaum, Félix Luna, Luis Alberto Murray y Victorio Sánchez– se mezclaban con profesionales de la generación intermedia como Rodolfo Pandolfi, Armando Alonso Piñeiro, Agustín Mahieu, Osvaldo Ciézar, Enriqueta Souto, Horacio Verbitsky y con jóvenes que recién se iniciaban, o casi, como Diego Barracchini, Oscar Delgado, María Angélica Molinari, Sergio Caletti y Pepe Eliaschev. Desde Europa despachaban Enrique Raab y Héctor Kuperman.

En su plataforma de propósitos editoriales decía que intentaría presentar "sin escamoteos ni subterfugios la actualidad del mundo contemporáneo". Según evoca hoy Horacio Verbitsky, *Confirmado* había decidido de un modo deliberado ignorar "esa actitud zumbona, sobradora, que *Primera Plana* les daba en especial a sus notas breves". Lo cierto es que, a pesar de ese y otros cuidados, lo que nunca se olvidó de la revista fue su asociación con las posiciones que alentaron y provocaron el golpe de Estado que derrocó a Illia.

Publicidad de *Siete Días*.

Desde 1965 Timerman editaba
el semanario *Confirmado*.

De izquierda a derecha, Héctor Grossi, Tomás Eloy Martínez, Silvia Rudni, Roberto
Aizcorbe, Felisa Pinto, Roberto Socol y Hugo Gambini, del staff de *Primera Plana*.

## Estilos propios

Buena parte del periodismo iba detrás de la hechura que cortaba *Primera Plana*. Los títulos eran traspolaciones de refranes, paráfrasis de libros y películas: "Sesenta años y ninguna flor"; "Para atrapar al guerrillero"; "Las vaquitas siguen ajenas"; "El oro es el opio de los ricos"; "Todos los cantos, el canto" y otros juegos de palabras por el estilo. Eran, para qué negarlo, tiempos de ingenio. Varios medios porteños dieron cuenta de la realización de un *happening*, que un tiempo después sus creadores admitieron que jamás se había realizado. "Escribimos sobre una invención para permitir una experiencia que sólo tenía sentido a través de órganos de prensa y suministrada bajo la forma de una nota periodística", proclamaron los transgresores, vecinos de los experimentos del Instituto Di Tella.

Afirma el investigador cultural Jorge Rivera que *Adán Buenosayres*, la primera novela de Leopoldo Marechal, tardó 17 años en vender los 3 mil ejemplares de su primera edición. Pero la segunda edición, de 1966, agotó 10.000 libros en poco menos de un año. *Bestiario*, el primer libro de cuentos de Cortázar, vendió 3 mil ejemplares entre 1951 y 1961, en tanto que la segunda edición, de 1964, se agotó en un año y en 1965 se liquidaron dos ediciones. En ambos casos, advierte Rivera, se notó la influencia de *Primera Plana*.

*Crónica* sostenía su identidad y, disconforme con la suerte de la Selección argentina en el mundial de Londres, titula: "Primero nos robaron las Malvinas, ahora la Copa Mundial". Y en el número 32 de *Panorama* un equipo integrado por María Cristina Verrier, Ramón Nodaro y Antonio Monsi, con la coordinación de Rolando Hanglin, revela que el cadáver de Eva Perón yace en el fondo del Río de la Plata, a la altura del Club Náutico de San Isidro, a 25 metros de profundidad.

## Novedades

Entre marzo y abril de 1966, con el clima político muy enrarecido y recargado de rumores de inminente golpe de Estado, aparecen dos nuevas publicaciones: *Análisis* y *Acción*. La primera había nacido en 1961 como boletín de difusión reservada especializado en economía y como parte de una sociedad integrada por tres técnicos: el contador Ernesto Hamak, Fernando Morduchowicz y el doctor Julio César Cueto Rúa. De a poco, la revista va haciendo una transición hacia una temática más general hasta convertirse en un semanario que se suma a los otros que ya tiene el mercado, con una redacción integrada por periodistas de primera línea. Por su parte, *Acción* había nacido "cuando ya los ruidos de los sables se hacían oír" y como "defensa del cooperativismo y del país". El quincenario se inició con 8 páginas, ahora tiene 24 y más de 700 ediciones cumplidas en treinta años, con una distribución nacional de 60.000 ejemplares. En su número aniversario de 1996, el órgano de los cooperativistas evoca que "en medios muy resonantes (de 1966) el presidente Illia era caricaturizado como una tortuga inoperante mientras presentaban el severo ceño del general Juan Carlos Onganía como el rostro del futuro próximo".

## ¿Acaso existió el golperiodismo?

Apunta Roberto Potash, en su ya clásica investigación sobre las Fuerzas Armadas y el poder en la Argentina, que el golpe de

---

### Breves de la década

- El 22 de abril de 1965 aparece por primera vez la "Claringrilla", un juego de palabras cruzadas que alcanzó enorme popularidad. La historia oficial de *Clarín* afirma que el primer claringrillista fue el propio Roberto Noble, que, cada día, antes de encarar su editorial, se relajaba completando el juego.

- En 1965 seis publicaciones de la editorial Julio Korn (*Radiolandia, Antena, Goles, Vosotras, TV Guía y Anteojito*) totalizaban una circulación de siete millones de ejemplares por mes.

- Los semanarios políticos instalaban frases ampulosas que quedaron para siempre: "información exclusiva", "memorándum reserva-

do", "archivo secreto", "documento confidencial", "análisis revelador".

- En 1966 se inicia una gravísima huelga de obreros gráficos que afecta por dos meses la salida de numerosas publicaciones.

- *Última Hora*, un vespertino con el que Héctor García se hacía la competencia a sí mismo, no tuvo éxito. Su tono era más popular que el de *Crónica* y al final, para salvarlo, lo transformó en diario deportivo pero no hubo nada que hacer. En ese diario, el jefe de espectáculos Jorge Sturla hace debutar en Buenos Aires a un conocido periodista uruguayo: Lucho Avilés.

Estado que derrocó al doctor Arturo Illia en la madrugada del 28 de junio de 1966 fue el quinto que interrumpió la gestión de un presidente electo en la Argentina contemporánea. "Desde mediados de 1965 ciertos periódicos se habían comprometido en una campaña deliberada para desacreditar a la administración radical [...] a transmitir la idea de que un golpe era inevitable [...] y los que no participaron desempeñaron un papel pasivo, observando con indiferencia el proceso sin hacer nada para desalentarlo". Potash señala a revistas como *Confirmado* y *Primera Plana*, y a columnistas como Juan José Güiraldes (que por entonces dirigía *Confirmado*) y Mariano Montemayor ("Dorrego") como los conspiradores de prensa más visibles, aunque no pasa por alto el grado de virulencia de algunos editoriales de *La Nación* y *La Prensa*. En 1986 Potash recibió del propio Mariano Grondona la confesión de que en aquel momento "apoyaba la idea de un golpe a través de su columna semanal en *Primera Plana*".

El periodista Isidoro Gilbert opina que el único diario que defendió a Illia fue *El Mundo*. Según Daniel Horacio Mazzei, que ganó el primer premio en un concurso sobre historia de revistas con un trabajo sobre *Primera Plana*, los dos Marianos –Montemayor y Grondona– "representaban dos tradiciones diferentes del pensamiento de derecha liberal y conservador en el país". Si bien diferían en muchos aspectos, coincidían en que Illia debía cesar en su cargo y en que Onganía era la última alternativa de orden y autoridad. "En los años 60 –piensa en 1996 Ramiro de Casasbellas– los periodistas tenían un perfil común. Irresponsables, jugábamos a hacer un periodismo brillante sin medir las consecuencias. Escépticos frente a las instituciones, cultos en permanente formación, para no parecer complacientes con el poder nos mostrábamos con poco tacto."

## Cronología de una caída anunciada

### ANTES
En mayo de 1966, como un modo de medir el grado y la calidad de la libertad de expresión en el país, la revista *Panorama* contrató a unos "hombres-sándwich" para que caminaran por la calle

Florida portando carteles sin identificación partidaria, con la sola leyenda "Basta Illia". Al relatar la experiencia, la propia revista reconoce que, aun siendo provocativa, la consigna resultaba más inofensiva que muchos titulares de periódicos políticos de esos días.

La imagen del presidente que la mayor parte de la prensa escrita transmitía era más bien desafortunada. A través de textos serios, de columnas encarnizadamente opositoras y hasta de chistes, se decía de Illia que era: un médico del interior casual e ilegítimamente instalado en la cumbre del poder, alejado por completo de la realidad y sobrepasado por las responsabilidades de su cargo y por las exigencias de su tiempo; un político demasiado antiguo, con una forma de captar la realidad excesivamente distorsionada e ingenua; o un abuelo bonachón y decente, pero incapaz de generar poder y hasta algo *gettatore*.

El 17 de agosto de 1965, *Primera Plana* publicó una larga nota titulada "La señora presidente", una semblanza de Silvia Martorell de Illia a la que no por veraz se la podía considerar menos cruel. No son pocos los que todavía hoy piensan que ese texto, donde se mostraba a una primera dama poco refinada y vulgar, lesionó la imagen del presidente de la Nación. Las respuestas de la esposa de Illia fueron transcriptas sin tocarles una coma, de un modo crudamente real, con respeto hasta de los silencios. La entrevista causó sensación –agotó el número– y estupor.

Tomás Eloy Martínez, por entonces jefe de redacción del semanario, fue el editor final de materiales obtenidos por Silvia Rudni en Cruz del Eje, Córdoba, y por Roberto Aizcorbe en la Base Puerto General Belgrano, Bahía Blanca. Sólo por una circunstancia casual (no había otro que lo hiciera) Martínez fue el encargado de ir, munido de las averiguaciones previas, a entrevistar a la primera dama. Consultado en 1996, asegura que la repercusión que despertó aquella nota "fue obra de la casualidad; no hubo detrás voluntad política ni malsana deliberación periodística. La realidad es que la señora habló hasta por los codos y que ella misma exigió que todo debería aparecer tal como acababa de decirlo. Ya en los papeles nos dimos cuenta de que podía ser explosivo, llamamos a gente de prensa del gobierno y la orden fue reiterada: que salga tal cual".

En los alrededores del golpe, medios extranjeros prominentes, de distintos países y de distintas tendencias, coincidieron en que la crisis del gobierno radical era "terminal". Entre el 9 y el 20 de junio de 1966 *Le Monde*, *The Times*, *Ya*, *La Prensa* y *El Correo de Lima*, *Diario de Noticias* de Río de Janeiro y *Newsweek* coincidieron en ese diagnóstico. El 14 de junio, luego de que el secretario de Comercio, doctor Alfredo Concepción, presionara (sin mucho éxito) a sectores empresarios para que no colocaran avisos en varias publicaciones, el gobierno denunció ante la Justicia por instigación a la rebeldía "y por crear un clima psicológico propicio a las revistas *Atlántida*, *Imagen*, *Primera Plana* y *Confirmado*, y a los periodistas Mariano Grondona y Mariano Montemayor al golpe de Estado". Los medios rechazaron las acusaciones y resistieron la medida, pero la Justicia desestimó las demandas. Recuerda Emilio Gibaja que, como alto funcionario del área de Prensa, trató, junto con Mario Monteverde, de convencer a Illia de que aceptara poner en marcha acciones de "propaganda y difusión con leyes de juego democrático", pero que sólo consiguieron la airada reacción del presidente, que respondió enfáticamente: "Yrigoyen nunca lo necesitó". A lo que Monteverde, decepcionado, acotó: "Así cayó".

Un mes antes del golpe –cuando *La Razón* tituló "Hacia fines de este mes se producirán hechos de singular trascendencia"–, el entonces comandante en jefe del Ejército, general Pascual Pistarini, y el comandante de Campo de Mayo, general Julio Alsogaray, revelaron al cronista de Fuerzas Armadas de dos importantes matutinos: "En pocos días habrá una revolución". Otras fuentes militares manejaron el mismo anticipo con el compromiso (no cumplido) de mantener la información en reserva. Pero el que batió un record fue Rodolfo Pandolfi, que escribió en *Confirmado*, el 23 de diciembre de 1965, una especie de crónica futurológica de asombrosa precisión. A siete meses del golpe afirmó que se produciría el 1° de julio siguiente (se produjo el 28 de junio) y detalló hasta la hora en que Illia abandonaría la Casa Rosada.

En 1996 Rodolfo Pandolfi rechaza la impresión de que aquella nota fuera el anuncio de un golpe de Estado: "Era habitual en las revistas hacer un balance de fin de año. Esa nota estaba incluida en ese marco. La hipótesis de Timerman era que ese golpe sería inevitable", y explica que calculó la fecha basándose en que:

Illia, por Flax.

Juan Carlos Onganía: otra vez
la hora de los generales.

El periodista Gregorio Selser.

- El golpe debía producirse antes de la celebración del 9 de Julio. Sectores militares no habrían aceptado la figura de Illia como comandante en jefe.
- Además, es el momento tradicional de cambio de destino de los militares.
- Era tradición que los golpes de Estado en la Argentina se produjeran en viernes, con la idea de evitar el impacto en la Bolsa y en los bancos.

## Durante

Un personaje de historieta fue quien interpretó mejor que cualquier editorial los sentimientos de temor, desesperanza y perplejidad que despertaba la nueva interrupción institucional. La carota en primer plano de Mafalda, la niña prodigio que Quino dibujaba para *El Mundo,* apareció a la mañana siguiente preguntándose lo que muchos: "Entonces, ¿y eso que me enseñaron en la escuela?".

El mismo día del golpe, en una edición que se había cerrado con anterioridad, *Primera Plana* presentaba en tapa una encuesta inquietante: "¿Quiénes (SI/NO) quieren el golpe?". El 30, la revista saca a la calle una edición especial con los detalles de la conspiración triunfante. En un editorial titulado "Por la Nación al nuevo caudillo" opina que "Onganía es pura esperanza, arco inconcluso y abierto a la gloria o a la derrota". La asonada sorprende a Tomás Eloy Martínez en España, que desde Buenos Aires recibe la orden de entrevistar a Juan Domingo Perón en Puerta de Hierro. Perón responde que "simpatizo con el nuevo movimiento militar porque el nuevo gobierno puso coto a una situación catastrófica".

Los prolegómenos del golpe habían elevado el interés de la gente por diarios y revistas. *Primera Plana*, que en julio de 1965 había vendido un promedio de 38.188 ejemplares, antes y después del fragote superó los 50.000. Esta tendencia fue similar en el resto de la prensa escrita. De acuerdo con la revista *Acción* en su edición del trigésimo aniversario, entonces se iniciaba "el ensayo general de lo que, extremado hasta lo indeseable, el país vivió a partir de 1976. El nuevo régimen militar produjo dos grandes víctimas iniciales: el movimiento social y económico nucleado alrededor del Instituto Movilizador de Fondos Cooperativos y la universidad, antes todavía de la represión a las costumbres, la ilegalización de los partidos políticos y de la liberalización a ultranza de la economía". Para el periodismo esos años no fueron fáciles, no sólo por la censura sino porque el de prensa fue (junto con el de químicos) uno de los dos gremios intervenidos durante esa dictadura militar.

Afirma Gregorio Selser que Illia recibía acusaciones de ineficacia, de estancamiento institucional y muy especialmente de quebranto económico y financiero. El país soportaba una inflación en alza desde 1951. Los detractores que cargaron las tintas con el 6 por ciento de inflación registrado en el semestre inicial, asegura Selser que miraron para otro lado cuando se conoció la cifra del semestre siguiente: 23,9 por ciento.

Rodolfo Pandolfi sostiene que antes que un golpe contra Illia el de 1966 fue un golpe contra la realidad del peronismo. Todos sabían, y los militares también, que en agosto de 1966 se iniciaba la campaña para las elecciones de marzo de 1967. "¿Cómo iba a hacer Illia para evitar que el peronismo ganara las próximas elecciones?", se pregunta Pandolfi en 1996. Lo cierto es que, tanto en *Confirmado* y *Primera Plana* como en algunos otros semanarios políticos, se cultivó la famosa tesis del vacío de poder que tanto horadó la estabilidad del gobierno radical.

Sergio Caletti reconoce que eran muchos los periodistas de izquierda que en el fondo cuestionaban la partidocracia y la obsolescencia de las formas democráticas burguesas. "Después de todo –reflexiona–, desde hacía décadas la democracia no era un valor, ¿qué sentido tenía defenderla? Para cambiar de idea tuvimos que atravesar la dolorosa experiencia del '76. Aunque muchos lo callen, en general muchos periodistas vimos bien el golpe del '66. Desde un pensamiento de izquierda o desde el peronismo significaba sacarse de encima una legalidad mentirosa. Lo que no sabíamos, por ingenuos, por estúpidos, por creer que la democracia burguesa era una nimiedad, era cuánto peor podía ser lo que vendría."

DESPUÉS

Lo que vendría para la prensa no sería miel sobre hojuelas. A menos de un mes del golpe, el 23 de julio, el gobierno de facto dispuso la clausura del semanario de humor *Tía Vicenta* y tres días después canceló el permiso de venta en la Argentina del prestigioso semanario político-cultural uruguayo *Marcha*. El periodista Andrew Graham Yool, en *Cronología de la Revolución Argentina*, afirma que a partir de 1966 se produjeron, en distintas etapas de este proceso, detenciones de periodistas, querellas a medios y clausuras temporarias o definitivas de revistas y diarios como *Cristianismo y Revolución, Inédito, Azul y Blanco, Así, Crónica, Primera Plana, Ojo, Prensa Confidencial* y sus sucesoras *Prensa Libre* y *Prensa Nueva*. *Adán* no fue clausurada, pero su éxito "duró corto tiempo en medio de condiciones represivas". González O'Donnell recuerda así ese momento: "Cada mes había que discutir con los censores del gobierno militar cuántos centímetros de piel libre podían exhibir las modelos. ¡Qué aburrimiento! Renuncié y quedó en mi lugar Carlos Burone, pero la revista dejó de aparecer enseguida".

*Tía Vicenta*, que en ese tiempo salía como suplemento dominical en el diario *El Mundo*, cayó en su ley: en la tapa había caricaturizado a Onganía como una morsa; junto a ella, otras dos celebraban y consentían: "por fin hay un presidente de los nuestros". La notificación que recibió Landrú, como director del semanario, parecía un rayo: "Clausurada por falta de respeto hacia la autoridad y la investidura jerárquica". Los diarios, incluso *El Mundo*, se limitaron a consignar el hecho, pero sólo el *Buenos Aires Herald* lamentó y condenó la medida: "No habrá lugar para los partidos políticos, pero debe haber lugar para el humor". Nadie le respondió, pero era larga la lista de cosas para las que no había lugar: el pelo largo, las expresiones culturales de vanguardia, hacer tranquilo el amor en los hoteles alojamiento, los libros. Como para no llorar sobre la leche derramada, Juan Carlos "Landrú" Colombres, sacó el 31 de julio *María Belén*, otro suplemento que nunca hizo olvidar a su antecesor y en el que era evidente la supresión deliberada del humor político.

La revista *Confirmado* justificó la clausura de *Tía Vicenta* alegando que "la autoridad presidencial no podía ser objeto de burla sistemática con el pretexto de la libertad de prensa". Jamás había emitido comentario semejante cuando durante la presidencia de Illia los caricaturistas de distintos medios lo representaban como una paloma o como una tortuga. El 31 de agosto de

1966 los radicales derrotados emprendieron una acción audaz: comenzaron a publicar la revista *Inédito*, dirigida por Mario Monteverde, y en la que tras el seudónimo "Alfonso Carrido Lura" escribía Raúl Ricardo Alfonsín. El abogado de Chascomús estaba por cumplir 40 años, en muchos sectores se lo consideraba (por su juventud y modernidad ) "el Kennedy argentino" y, de no haber mediado el golpe de Onganía, habría sido el candidato natural del radicalismo en las elecciones a gobernador bonaerense que debían realizarse en 1967. *Inédito* fue una revista independiente en un momento difícil y se destacó por su tono crítico al régimen de Onganía y a los siguientes gobiernos de facto de Roberto Levingston y Agustín Lanusse. Entre persecuciones y secuestros pudieron colaborar numerosos dirigentes radicales que de otro modo no habrían tenido oportunidad de expresión y periodistas de otras tendencias como Gregorio Selser, Rogelio García Lupo, Santiago Senén González, Philip Labreveux, Juan Sabato y Alberto Ciria.

## Perfil: Samuel "Chiche" Gelblung

**D**espués de insistir durante meses para entrar en la redacción de la revista *Gente*, el 28 de junio de 1966 Gelblung tuvo su chance inaugural. Aquél no fue un día como cualquier otro: los militares acababan de dar el golpe de Estado. De la revista lo enviaron a hacer una guardia frente a la casa del hermano de Illia, en Martínez, en donde se suponía que estaba o adonde en algún momento podría llegar el ex presidente. "El fotógrafo y yo dijimos que estábamos con grupos de la juventud radical de Avellaneda y de Trenque Launquen y en un momento pudimos entrar. Y, efectivamente, ahí estaba Illia. Hasta que se dieron cuenta de que éramos los que hacíamos más preguntas y descubrieron que éramos periodistas, ya teníamos las fotos y la nota.

De la revista *Gente* no me fui más hasta 1981", recuerda Gelblung en 1996. A Julio Aníbal Portas, el hombre que lo mandó aquella tarde a ver si se hacía periodista, le debe también un dato de oro del oficio: "Cuando en este trabajo le digan que no, usted primero que nada, piense que sí". El gobierno del general Onganía acababa de prohibir la ópera *Bomarzo*, de Mujica Lainez, y en el Colón, para sacárselo de encima, le dijeron que había sido por motivos técnicos. Cuando regresó a la redacción y dijo que no era un caso de censura, Portas, sospechando todo lo contrario, lo mandó a que empezara de nuevo. "Y no se equivocó", reconoce Gelblung en 1996, viejo zorro ahora y novato en 1966 ."Y yo no lo olvidé nunca", concluye.

El dibujo de *Tía Vicenta* que indignó al general Onganía.

Samuel Gelblung, Eduardo San Pedro y Raúl "Lalo" Fain Binda, en *Gente*.

*La Razón* 6ª

## Dialoguitos

Pepe Eliaschev venía trabajando bien en *Gente* desde fines de 1965 y el jefe de redacción lo gratificó, en 1966, con un viaje periodístico que él podría elegir. Eliaschev decidió viajar a Salta a entrevistar al grupo guerrillero encabezado por el Comandante Segundo, el nombre de guerra del periodista Jorge Ricardo Masetti, detenido en una prisión de esa provincia. Después de muchas dificultades, Eliaschev conversó con los 12 guerrilleros, volvió con la nota y unas fotos tomadas de asalto por Antonio Legarreta y se sentó a escribirla, apasionadamente. Luego de leer la investigación, turbado, el jefe Julio Aníbal Portas encara al joven Eliaschev:

—Pibe, te equivocaste. Esto no es así.

—¿Cómo?

—Claro, vos fuiste a hacer una nota contra los guerrilleros. Esta es a favor.

—No creo: está la opinión del fiscal, habla el abogado defensor, están las fotos que nadie tiene. ¿Usted me está pidiendo que haga una nota en contra? Si es así, yo no la voy a hacer.

—¿Usted está loco, Eliaschev? ¿Qué pretende? ¿Que la reescriba yo?

—En cualquier caso, sáquele la firma.

A la mañana siguiente, Eliaschev, periodista de 21 años, fue despedido de *Gente*. La nota apareció con un sentido absolutamente contrario al que le había dado el enviado especial de la revista.

## El fin de Eudeba

Uno de los saldos funestos de la intervención universitaria fue la renuncia de quienes, a partir de 1958 y con el liderazgo de Arnaldo Orfila Reynal primero y de Boris Spivacow más tarde, habían levantado el ejemplar proyecto de la Editorial Universitaria de Buenos Aires (Eudeba). "Durante ocho años un libro costó menos que un kilo de pan, menos que un atado de cigarrillos, menos que una botella de vino común", decía en su carta de renuncia del 3 de agosto de 1966 Boris Spivacow. Efectivamente, el formidable plan de lectura masiva lanzado por Eudeba, a partir de la fórmula "Bueno, Bonito y Barato", había llegado también a los kioscos, y sus colecciones, tratados, manuales y libros de estudio se vendían a la par de las revistas. Es particularmente memorable el éxito alcanzado por la "Serie del Siglo y Medio" que a comienzos de los 60 dirigía Horacio Achával: cuidadísimos textos de Hernández, Sarmiento o Lugones con tapas e ilustraciones de grandes pintores como Berni, Urruchúa o Castagnino. El paradigma de esa colección de divulgación a precios populares, diagramada por Oscar "Negro" Díaz, fue la aparición del *Martín Fierro* ilustrado por Castagnino, que vendió 170.000 ejemplares en tres meses. Su concepto era toda una invitación a leer: arte para todos.

## A Eudeba muerta, Centro Editor puesto

El día de la primavera de 1966, como para probar que el sol siempre está, Spivacow, sin un peso pero con pasión e ideas, en un departamento de dos ambientes prestado y con la cercana colaboración de Miriam Polak, Oscar Díaz y Horacio Achával, funda el Centro Editor de América Latina. Se trata de una organización que desde lo privado mejora y lleva a su máxima expresión la posibilidad de sacar revistas y libros con propósitos de divulgación y difusión cultural que Eudeba había despuntado. Lo primero que hace Spivacow es perfeccionar los instrumentos para llegar a todo público a través de los kioscos con colecciones como "Cuentos de Polidoro", dirigida por Beatriz Ferro y con ilustradores como Oscar Grillo y Ajax Barnes. Con "Capítulo", una serie manejada por Luis Gregorich y Jaime Rest, inicia la era de los fascículos, que implica fundamentalmente el desarrollo de un nuevo enfoque de venta y una forma distinta de participación del lector. Durante 59 semanas sacaba por secciones la historia de la literatura nacional; por ejemplo, con la biografía de José Mármol entregaba, gratis, su libro *Amalia*. A partir de ese momento y en años sucesivos, con títulos como "Polémica" (sobre historia argentina, a cargo de Gregorio Weinberg y Sergio Bagú), "Los hombres de la historia", la notable colección sobre "Historia Popular" dirigida por Oscar Troncoso,

"Transformaciones", o la historia del siglo XX –"Siglomundo"– dirigida por Jorge Lafforgue, cuyos impresos eran acompañados por discos, pósters o diapositivas, la gente de Spivacow realizó una tarea cultural sistemática e inolvidable. "El catálogo del Centro Editor representa una formidable radiografía de la vida argentina, latinoamericana y mundial de las últimas décadas. Ojalá que se preserven sus colecciones", escribió Luis Gregorich, aunque no es muy seguro que eso haya ocurrido. Nacido durante la dictadura de Onganía, el Centro Editor atravesó durante más de una década distintos gobiernos de facto, y fue siempre mirado como una organización subversiva. Cuando en la última dictadura militar muchos quemaron libros y revistas, casi nunca faltaba entre ellos algún fascículo del Centro costosamente atesorado en otras épocas.

## En primera persona

● Sergio Morero: "En 1966 yo tenía 31 años y era cronista de 'Universitarias' en *Primera Plana*. El 29 de julio grupos de estudiantes habían tomado algunas facultades dispuestos a resistir el intento de la intervención que se venía. A sólo una cuadra de la redacción de *Primera Plana*, que estaba en Perú al 300, quedaba la sede de Ciencias Exactas. Hasta allí llegó la guardia de Infantería, con sus borceguíes, sus cascos, sus protectores, rompiendo vidrios con sus largos bastones. '¡Salgan, comunistas de mierda...! ¡Afuera, judíos hijos de puta...! ¡Cuidado, que pueden estar armados!', vociferaban los policías.

"Los alumnos y profesores que salían con las manos en alto como si fueran delincuentes, estaban armados, sí, pero con lápices, libros y apuntes. Al volver de hacer la nota, nervioso y apesadumbrado comenté que lo que acababa de presenciar me había hecho pensar en aquella noche de 1938 en Berlín, en donde con largas bayonetas el hitlerismo destruyó las vidrieras de centenares de negocios de judíos, y que quedó en la historia como 'La Noche de los Cristales Rotos'. En este caso los cuchillos habían sido reemplazados por bastones de madera y lo que se había roto, además de la paciencia y la ética, habían sido varias cabezas, como la del profesor norteamericano Warren Ambrose (quien se ocupó de difundir el suceso internacionalmente) y la de Manuel Sadosky, vicedecano de Exactas.

"La reseña de aquel episodio apareció en la semana siguiente en la revista y se tituló 'La Noche de los Bastones Largos'. A partir de ese momento la frase funciona como un símbolo de la interrupción violenta de la autonomía universitaria y como un claro sinónimo de 'atropello'. La brutal intervención policial fue el preámbulo de la intervención a la Universidad y el paso inicial de la destrucción de la educación pública. Desde entonces, las páginas de *Primera Plana* recogieron con frecuencia los momentos que vivía la universidad."

Fascículos del Centro Editor de América Latina.

Eudeba hace un éxito
con el *Martín Fierro*,
de José Hernández,
ilustrado por Juan Carlos
Castagnino.

Un periodista llamó a este episodio "La Noche de los Bastones Largos".

## Colofón

A esta altura queda claro que revistas como los semanarios *Primera Plana* y *Confirmado* alentaron el golpe que puso fin al gobierno de Illia. Pero eso fue sólo un aspecto de su contenido y sería injusto no advertir los matices. Veamos algunos:

- A la manera de sus similares extranjeras, se denominaban "revistas de influencia".
- Propiciaban una ideología liberal, compartida por el grueso de sus lectores (nunca superaron los 60.000 ejemplares, pero tenían cinco o seis lectores por ejemplar).
- Apoyaron las novedades, las vanguardias estéticas, todas las formas artísticas y culturales de renovación y de la modernidad en el país y en el extranjero.

## En primera persona

- Ramiro de Casasbellas: "No es que fuéramos golpistas. También recogíamos la ideología dominante en la sociedad: creer débiles e ineficaces a los gobiernos civiles y conferirles condiciones de salvadores de la patria a los militares. Y si fuimos golpistas, no estuvimos solos. Nuestra prédica llegaba a 60.000 compradores por semana; los diarios, que tampoco defendieron a Illia, tenían siete millones de clientes por semana".

- Horacio Verbitsky: "En el caso de *Confirmado* era evidente que participaba de una conspiración en la que habían sectores militares y sindicales. Mi conocimiento de estas cosas no es detallado, porque en *Primera Plana* no estuve en esa época y en *Confirmado*, aunque llegué a ser jefe de redacción, manejaba todo aquello que no fuera política. Pero me acuerdo del malestar que nos produjo a todos una columna de Mariano Montemayor publicada a comienzos de 1966 que empezaba diciendo: 'Al regreso de las vacaciones no está de más recordarles a los militares argentinos que su de-

ber patriótico es derrocar al presidente Illia'. Al gobierno de Illia había muchas cosas que reprocharle, pero esa columna no estaba haciendo periodismo, sino que formaba parte de una conspiración golpista. Aun así, el fenómeno de la caída de Illia es mucho más complejo y deben tenerse en cuenta los planes de lucha de la CGT, el establecimiento de un eje entre sindicalistas y militares —que describió muy bien Rodolfo Walsh en *¿Quién mató a Rosendo?* y en el semanario *CGT*— y que excede la tarea de cualquier columnista".

- Julia Constenla: "Formábamos parte de una cultura en la que la violencia se toleraba como una parte real de la política. No crecimos con ningún respeto especial por la democracia. Entre las dos grandes guerras mundiales, la idea de democracia era un defecto pequeñoburgués. Estábamos más en condiciones de tolerar los defectos del estalinismo que las virtudes de los Estados Unidos, y entre las dos opciones elegíamos perdonar a la madre

- Informaron en detalle sobre todas las censuras, juicios y condenas promovidas por el poder militar contra los creadores culturales.
- Revisaron importantes temas históricos de la época que estaban sepultados y sobre los que había mucha ignorancia: el peronismo, Eva Perón, Che Guevara, el 17 de Octubre y muchos otros.
- Promovieron el conocimiento de grandes figuras culturales extranjeras, desconocidas o prácticamente desconocidas aquí, desde García Márquez hasta Marcuse. La tarea que hizo *Primera Plana* con su premio de novela fue valiosa.
- A partir de 1967, aun con los partidos políticos prohibidos, comenzaron a incluir entrevistas a sus dirigentes más conocidos.

---

Rusia. Muchos periodistas de la época formaron parte de un mundo en que los golpes de estado integraban la lista de soluciones políticas posibles. El golpe de Estado fue, también, durante mucho tiempo, una forma de hacer política en la Argentina".

- LUIS GONZÁLEZ O'DONNELL: "*Primera Plana* no derrocó a Illia. Más le habría valido a Illia tomar en cuenta los anticipos que sobre los preparativos golpistas *Primera Plana* reveló a lo largo de muchos meses, semana tras semana. La misma cúpula militar que acabó con Illia en 1966 fue la que acabó con *Primera Plana* en 1969".

- JACOBO TIMERMAN: "Siempre se dice que apoyé el golpe de Estado. Pero no se recuerdan otras cosas. Cuando se anuncian las elecciones que Illia gana, la revista *Primera Plana* había luchado mucho para evitar la proscripción del peronismo y para la formación de un frente nacional y popular que, se suponía, tendría el aval de Perón desde el exilio. Los partidos democráticos se habían comprometido a no participar de las elecciones si había proscripciones. Las hubo y al fin gana Illia con un porcentaje de votos bajísimo. Era un gobierno civil, aunque ilegítimo. Aun así la revista apoyó para que se le entregara el gobierno. Ahí inicié una acción para que el nuevo gobierno se juntara con un equipo de jóvenes militares, tenientes coroneles con vocación democrática, pluralistas, encabezado por Juan Enrique Guglialmelli, López Aufranc, Julio Aguirre y Osvaldo Montes. Facundo Suárez, un importante funcionario de Illia, no pudo convencerlo para que entrara en conversaciones. Después cometí un error y hasta por televisión lo reconocí: pedí perdón y dije que no volvería a apoyar un golpe. Pero para ser sinceros ni el pueblo argentino ni los radicales reaccionaron frente al golpe o para defender a Illia".

- RODOLFO TERRAGNO: "Creo que Illia hubiera caído exactamente igual si *Primera Plana* no hubiera existido".

## *Aparece* Todo es historia

Así relata Félix Luna el momento de 1960 en que se le ocurrió hacer la revista *Todo es Historia*: sucedió en un frío atardecer en Berna, Suiza, cuando Luna descubrió la revista francesa que lo fascinó e inspiró, *Miroir de l'Histoire*. Siete años después Luna estaba al frente de la revista *Folklore* y Onganía era el presidente que había decidido que lo mejor para los argentinos era vivir sin partidos políticos. Luna pensó entonces que una actividad sustituta de y cercana a la política podría ser la historia. Apoyado por la familia Honegger, editores del mensuario folklórico, apareció *Todo es Historia* con la idea de ofrecer una revisión del pasado "seria, amena, original, polémica" y con un grupo de colaboradores importantes integrado por Osvaldo Bayer, Juan Carlos Vedoya, Salvador Ferla, Miguel Ángel Scenna, Francisco Uzal, Horacio Sanguinetti, Pedro Olgo Ochoa, Luis Soler Cañas, Tabaré de Paula, León Benarós (que desde el número 1 estuvo a cargo de la deliciosa sección "El Desván de Clío") y un Luna por partida doble, ya que, además de dirigirla, hacía aportes con el seudónimo Felipe Cárdenas (hijo). Años después, Luna tomaría la decisión de alejarse de *Folklore* porque "mientras escribía sobre Los Chalchaleros pensaba en Mariano Moreno y cuando corregía una nota sobre San Martín tenía que prepararme para reportear a Jorge Cafrune". La idea de divulgación se cumplió y todavía en 1996 se cumple de un modo impecable: de los héroes de la patria a Ceferino Namuncurá, de la matanza de la Patagonia a la vida de Evita, absolutamente todo pasó por este mirador privilegiado, observado por autores precisos y conocedores. *Todo es Historia* ha hecho "un aporte formidable a la cultura histórica y a la divulgación de saberes antes circunscriptos a la enciclopedia o al libro especializado".

## Un breve recreo

Aunque las dos habían tenido el mismo padre (Jacobo Timerman) y una le llevaba tres años de diferencia a la otra, entre *Primera Plana* y *Confirmado* existía una lógica competencia. La mayorcita ganaba casi en todo. Y también en fútbol, como quedó demostrado en diciembre de 1966, cuando en la cancha del club YPF jugaron un desafío. El equipo de *Primera Plana* (camiseta roja, pantalones blancos) le ganó al de *Confirmado* (camiseta a rayas amarillas y negras) por 6 a 1. Muy conocidos periodistas integraron ambos equipos.

Los equipos de *Confirmado* y *Primera Plana*,
en competencia extraperiodística

Félix Luna, creador de *Todo es Historia*.

El dibujante Quino
(autorretrato).

## La prensa de esos años

En esos tiempos, todo material escrito quedaba atado a la ley 17.401, que reprimía a las actividades comunistas. Cada palabra era observada con lupa. Y ya se sabe lo extrañas e inexplicables que suelen ser las lupas militares. Los uniformados pensaban que con frecuencia la prensa tenía el poder de "crear una imagen de deterioro o desunión por medio de la que se vulnera también la seguridad y el orden".

*Siete Días*, de Abril, recientemente independizada de *La Razón*, se había convertido en semanario, primero dirigido por Luis Clur y más adelante por Norberto Firpo, que venía de *Primera Plana*. En *Siete Días*, Firpo realizaría una tarea importantísima, transformando aquella redacción en una verdadera escuelita de jóvenes valores. Recuerda al periodismo de esos años como "rico, original, snob. En rueda de periodistas circulaba el siguiente chiste: 'Sí, sí, todo muy lindo, pero ¿de qué color eran las medias del entrevistado?'. Esto aludía a que, a partir de Timerman, las notas empezaron a ocuparse de una serie de temas menores, que según Jacobo revelaban mucho de lo que había visto el cronista y podía ayudarlo a conocer a los lectores".

Carlos Andaló fue secretario y jefe de redacción en esos años y recuerda a *Siete Días* como "muy evolucionada. En los números

## Perfil: Sergio Sinay

Cuando Sergio Sinay llegó de Santiago del Estero para estudiar periodismo, ninguna de las escuelas que visitó lo conformaron y entonces ingresó en Sociología, que "no sabía muy bien de qué se trataba pero tenía la idea de que algo serviría para el periodismo". En esa facultad conoció a Norma Osnajanski, su primera mujer y madre de su hijo Iván, que ahora estudia periodismo. Con Norma (periodista también, actual directora de la revista *Uno Mismo*) hicieron el boletín de espectáculos *Shows* y luego compartieron la redacción de *Antecedentes*, la revista que dirigían Osvaldo Ripoll y Carlos Mutto. Un día de 1966, con muchas ideas, pidieron hablar con alguien de la revista Gente. Fueron atendidos por Julio Aníbal Portas, en corbata y sin zapatos. Recién ahí comenzaron a sospechar acerca de la rareza de los periodistas. "Portas –recuerda Sinay, y lo homenajea– era un escéptico feroz. En el fondo, un anarquista, domesticado a su pesar, cuya idea irónica del periodismo consistía en que no había que hacer éxitos sino fracasos. Sin embargo, no le fue tan mal." Desde entonces, como un reconocimiento a aquel maestro involuntario, cada vez que pudo recibió a todo periodista joven que quería empezar.

iniciales tuvimos la nota de la invasión rusa a Checoeslovaquia o la invasión norteamericana a República Dominicana, ambas provenientes de servicios de *Paris Match*". Mario Ceretti evoca al producto como "una revista que, a la manera de *Life*, contaba historias con fuerte acento en lo humano y apelaba a fotografías muy grandes. Ahí empezó a desarrollarse el puesto del editor gráfico". Para Ceretti una etapa importante se inicia a partir del concurso Miss Siete Días, en el que en diferentes años salieron elegidas Adriana Constantini, Teté Coustarot y Graciela Alfano.

Un colaborador habitual de *Panorama* llamaba la atención cada mes por sus extensas y profundas investigaciones. La vida en el matadero, la crisis ganadera, los lancheros del Delta (a quienes llamaba "los magos de agua dulce") son todas notas firmadas por Rodolfo Jorge Walsh. Cuando se cumplían treinta años de la muerte de Horacio Quiroga, Walsh recorrió algunos pueblitos de Misiones buscando, uno por uno, rastros de los personajes del escritor.

Fue en marzo de 1967 cuando un ilusionado Sergio Sinay le envió a Bernardo Neustadt una crítica de cine y el director propietario de *Extra* le respondió que sí a vuelta de correo pero advirtiéndole: "Está bien saber escribir buenas críticas de cine, pero un periodista tiene que saber hacer de todo: una gacetilla, una necrológica, una entrevista al paso y hasta ir al taller a cortar". Al poco tiempo Sinay ingresaba en *Extra*, en donde su jefe fue Rolando Hanglin y uno de sus compañeros de redacción era Roberto García. "Con mi primer sueldo –recuerda Sinay– me compré mi primera máquina de escribir."

*La Razón* y *El Mundo* vivían realidades diferentes. El diario de los Peralta Ramos tenía una circulación de 1.500.000 ejemplares, en tanto que el clásico tabloide de la editorial Haynes atravesaba momentos económicos muy duros. Los lectores del vespertino empezaban por atrás para seguir las aventuras de "Lindor Covas, el Cimarrón", "un gaucho medio quijotesco, guapo e hidalgo" que desde 1954 dibujaba Walter Ciocca. Y los del matutino no se perdían ni una de las tiras de "Mafalda", de Quino, y cuando no les alcanzaba con esa pequeña dosis, se zambullían en los libritos que reunían seis meses de Mafalda, editados con un éxito impresionante por Jorge Álvarez en tiradas de 5.000 ejemplares que puntualmente se agotaban en no más de 45 días.

De todos modos, el diario fundado por Haynes antes de 1930 atravesaba sus últimos días.

La publicación más sofisticada de ese tiempo de cerrazón era los *Cuadernos de Mr. Crusoe*, dirigida por González O'Donnell y en la que Juan Carlos Martelli y Horacio Verbitsky funcionaban como usinas de ideas. La publicación, que duró poco tiempo y produjo fuertes pérdidas a su director, se vendía en las librerías porque parecía un libro por su formato y porque apelaba a una temática sumamente intelectual: guiones completos de Ingmar Bergman; objetos ópticos como un espejo flexible original de Julio Le Parc; pirograbados registrados sobre láminas de corcho o metal; temas musicales no comerciales grabados en discos flexibles. "Era un placer hacerlo, pero me costó dos años de trabajo recuperar el dinero perdido", recordó González O'Donnell en 1996.

## A pura pérdida

El 22 de diciembre de 1967 mil trabajadores –periodistas, gráficos y administrativos– del diario *El Mundo*, que ya venían sin cobrar durante tres quincenas, reciben una desdichada noticia de fin de año: el mítico matutino en donde habían trabajado Roberto Arlt, Octavio Palazzolo y Miguel de Amilibia, entre otros cientos, cierra sus puertas. No era una sorpresa, porque ya desde 1965 la empresa se había presentado en convocatoria de acreedores. En 1963 había perpetrado su última travesura: durante semanas redujo ostensiblemente –y sin avisar a nadie– su

### Perfil: Ardiles Gray, antropólogo

En marzo de 1967 el periodista Julio Ardiles Gray llegó a Buenos Aires y entró en *Primera Plana*. "Era tal el poder que tenía la revista, que era capaz de hacer la lluvia y el buen tiempo a la vez", acota en 1996 con su típico acento tucumano. En esa redacción de "lindos locos sueltos" se encontró con un nuevo estilo de periodismo, en el que las noticias podían ser contadas como una novela; descubrió el gusto por reflotar e imponer palabras (como por ejemplo, "parafernalia") y desarrolló el género de las *historias de vida*, donde la crónica se da la mano con la antropología oral. Allí Ardiles Gray descubrió y mostró con los recursos del nuevo periodismo a artistas de circo y fileteros, a inmigrantes y prostitutas, a ignotos y famosos.

tirada metropolitana y produjo la sensación de que el diario se agotaba. Cuando para dar una respuesta lógica de mercado su competencia *Clarín* aumentó su tirada, *El Mundo* regresó con su tirada habitual y apeló a las cifras del Instituto Verificador de Circulaciones para probar que las diferencias entre ellos y el diario de Noble no eran tan grandes como se decía.

La desaparición de *El Mundo* abre un espacio que *Clarín* no desaprovecha: en corto tiempo sube sus ventas diarias de 347.000 a 424.000 ejemplares.

Desde la contratapa de *Clarín* le tocó a Jorge Götling, que en 1960 se había iniciado en Haynes, la dura tarea de despedir al periódico en donde había dado sus primeros pasos periodísticos. En aquella glosa, a la que haciendo un juego de palabras tituló "El fin del mundo", destacaba lo que había significado para sus empleados el haber sido habitantes de aquel edificio ejemplar ubicado en Río de Janeiro y Bogotá, en Caballito, que tenía hasta peluquería. Götling señalaba una incongruencia que nunca nadie se había animado a modificar: en el edificio había un restaurante para periodistas y otro para gráficos. Sin embargo, el empeño de verlos diferentes se terminaba en la realidad porque, según apuntaba Götling, tipógrafos y escribas comían en los mismos platos, utilizaban los mismos utensilios, elegían menús idénticos y, fundamentalmente, despachaban cantidades similares de vino.

## Los vuelos de García

En noviembre de 1968, a bordo de un avión Aerocommander al mando del piloto Miguel Ángel Fitzgerald, el director de *Crónica*, Héctor Ricardo García, sobrevoló Puerto Stanley con el propósito de hacer una crónica exclusiva. El aterrizaje no fue del todo exitoso y la máquina se encajó en una zanja. Fueron tantos los destrozos que el avión jamás fue retirado de allí por quienes lo piloteaban. García y Fitzgerald fueron inicialmente puestos a disposición de las autoridades inglesas en un barco y luego expulsados de las islas Malvinas. Tiempo después, los ingleses les pasaron a los invasores una factura de 289 libras, 11 chelines y 3 peniques por los daños ocasionados.

Pero ésta no era la primera vez que García intentaba llegar –en persona o indirectamente– a las islas del Sur. El 8 de setiembre de 1964, justo cuando se cumplían 132 años del "acto de piratería y avasallamiento de la soberanía argentina en las islas", García –que cada vez que tuvo ocasión denominó desde sus medios "piratas" a los ingleses– envió a Miguel Fitzgerald a sobrevolar la zona con un modesto Cessna 185 para realizar "una ocupación simbólica" y hacer una nota. El viaje había sido ofrecido primero a Laiño, para *La Razón*, pero el jefe de redacción rechazó de plano la idea que García tomó con las dos manos.

Lo que le sucedió el 28 de setiembre de 1966 se parece mucho a una película. En su libro de memorias, García cuenta que aceptó una invitación del militante peronista Dardo Cabo para hacer un viaje al Sur. Un grupo armado, integrado por 18 jóvenes al mando de Cabo, tomó el vuelo 648 de Aerolíneas Argentinas que iba a Ushuaia –y en el que viajaba García– y lo desviaron a las islas Malvinas. Al llegar, los jóvenes plantaron siete banderas nacionales, cantaron el himno y prometieron volver. Tuvieron que permanecer cinco días allí, y después fueron detenidos en prisiones del Sur. Años más tarde, Cabo ingresó en la lucha armada y fue ejecutado en un traslado simulado, el 6 de enero de 1977.

## Periodistas en batalla

Enviado por *La Nación*, Ignacio Ezcurra llegó a Vietnam en abril de 1968, y desde el 8 de mayo se perdió todo contacto con él. Era el tercer periodista argentino que llegaba al epicentro de esa guerra (los anteriores fueron Jorge Iglesias, de *La Prensa*, y César Corbellini Rosende, de *Atlántida*) y uno de los 105 de todo el mundo que murieron en acción durante el conflicto. Era reportero y tomaba sus propias fotos. Alcanzó a enviar desde Vietnam unas diez notas y presumiblemente fue emboscado por guerrilleros del Vietcong en el barrio chino de Solón –de Saigón–, en donde se había internado apenas armado con una máquina de fotos, aunque le habían recomendado que de ninguna manera entrara solo. En su hotel había quedado una hoja en la máquina de escribir, con el título de un futuro despacho: "Sangre en mayo y paz en junio". "Estoy sentado en tu mismo escritorio –le escribió a modo de necrológica José De Zer, en *Gente*, en la cual Ezcurra solía colaborar– tecleando sobre la máquina que usabas. Y qué sé yo, recibimos un cable. Dice que desapareciste en Vietnam. Pero eso no quiere decir nada, aunque hoy en la redacción, Ignacio, no se escucharon los gritos acostumbrados de un cierre."

CLARIN
Revista

JULIE CHRISTIE, flor de invierno

*Clarín* transforma su revista semanal,
que aparece con nuevo formato.

Ignacio Ezcurra, de *La Nación*,
desaparecido en Vietnam.

Héctor Ricardo García,
orgulloso de su tapa de *Crónica*.

## Los argentinos en análisis

Pepe Eliaschev y Sergio Caletti recuerdan con cariño su paso por el semanario *Análisis*, al que le tocó lidiar con pesos pesados como *Primera Plana* y *Confirmado*, y con *Panorama* después, pero configurando una situación notable en el periodismo argentino: entre 1968 y 1970 salían simultáneamente cuatro semanarios de información política, cifra que se incrementa si se contabiliza también a *Gente*, *Siete Días* y *Semana Gráfica*. "Fue hermoso trabajar en *Análisis*, con periodistas como Gregorio Verbitsky, Enrique Raab, Carlos Abalo, Oscar Delgado, Osvaldo Seiguerman, Jorge Aráoz Badí, Kive Staif, Jorge Bernetti, Carlos Tarsitano, Alberto Speratti, Sergio Sinay, Emilio Ghergo, Hernando Kleimans, Alicia Galotti. Me acuerdo que a las cinco de la tarde pasaba un mozo de chaqueta blanca que ofrecía, gratis, una merienda completa. No sé si eso pasa hoy en alguna empresa", evoca Eliaschev. Mientras que *Primera Plana* era aguda y culturosa, y *Confirmado* cultivaba un estilo de información política más seco, a *Análisis* le tocó ser "más blanda y narrativa, más amable y dulzona que las otras –describe Sergio Caletti–. Venía de reconvertirse de medio especializado en economía a semanario de información general y política y acaso por eso le tocó mostrarse diletante e híbrido".

## Propuesta política

En el Día del Trabajo de 1968 nace un agrupamiento sindical peronista combativo que se convierte en eje de la oposición gremial y política al gobierno de facto de Onganía. Conducido por el dirigente gremial Raimundo Ongaro, el movimiento –denominado CGT de los Argentinos– comienza a sacar un periódico cuya influencia trascendería largamente los marcos del periodismo gremial o militante. En ese diario, *CGT*, que atravesó todas las etapas (legales, clandestinas) y todas las situaciones (presiones, prohibiciones, atentados) trabajaron, entre otros, Rodolfo Walsh y Horacio Verbitsky. Allí, entre mayo y junio de 1968, Walsh publica por primera vez la investigación "¿Quién mató a Rosendo?", acerca del asesinato del dirigente clasista Rosendo García en un tiroteo ocurrido en una pizzería de Avellaneda. Es otro de los trabajos de Walsh considerado como modelo de investigación periodística, que sería editado luego como libro. En otra investigación, bajo el título "La Secta del Gatillo Alegre", demostró que en sus procedimientos la policía intervenía abatiendo o hiriendo a quien se podía detener. Es lo que hace decir a su hija Patricia Walsh que en éste y en otros temas, Walsh fue un adelantado a su tiempo, "porque habló en 1969 del tema del gatillo fácil y porque transformaba una información policial en una noticia política". El diario salió hasta julio de 1969, y desde el número 49 hasta febrero de 1970, se editó y circuló clandestinamente.

Osvaldo Bayer se interesa en la historia de *La Rosales* –un barco de la Marina de Guerra que se había hundido en una acción militar y en el que sólo se salvaron los oficiales, mientras que todos los marineros murieron ahogados– y logra, diciendo que es periodista de *Clarín*, que la fuerza naval le muestre todos sus archivos. Finalmente la investigación aparece en *Todo es Historia* y la Marina nunca se lo perdona. No es la única investigación política que le trae problemas. Sus notas sobre el *affaire* de las tierras del Ejército de El Palomar en 1940, sobre la vida y muerte de Severino Di Giovanni y sobre "Los vengadores de la Patagonia trágica" significaron un enorme aporte al periodismo de investigación y originaron severos recelos en todos los imputados.

## Color rosa

En 1969 Alberto González Toro era un joven periodista de la editorial Julio Korn, líder en el rubro de revistas del espectáculo, de estrellas o, directamente, rosa por su ingenuidad. La primera vez que tuvo que escribir una nota para *Radiolandia* sólo contó con el mandato del director de la publicación, Aníbal Alberdi, y como único sostén informativo, lo que se desprendía de cinco fotografías tomadas el día anterior. La crónica debía referirse a un presunto romance entre la actriz Elsa Daniel y el actor Jorge Barreiro. "Todo debía girar alrededor del tema sexual, sin atreverse a mencionarlo nunca en la nota de un modo directo", explica González Toro. Los recursos periodísticos eran los de la ambigüedad, la sugerencia (no necesariamente sutil), un juego que permanentemente oscilaba entre el "sí pero no". Por motivos técnicos las tapas en color debían mandarse al taller con tres semanas de anticipación y se le ponían títulos ambiguos: "Alfredo Alcón frente a una encrucijada". Después, cuando se escribía la nota, los periodistas tenían que justificar el título de alguna manera. Así era ese género.

González Toro obtuvo del fotógrafo unos pocos datos concretos: "Ella tiene un departamento en Palermo con muchas plantas, sirvió café, había un gato". La crónica se titulaba "Elsa Daniel y Jorge Barreiro se perdieron en la noche" y debía sugerir que ambos transitaban un camino en común. ¿Hacia dónde? Cuentitos, diálogos inventados, periodismo almibarado de vidas ajenas en blanco y negro, chismes positivos, "literatura folletinesca", define González Toro. Finalmente, los artistas se prestaban a este jueguito promocional. Nada de lo que se hacía en *Radiolandia* (o *Antena* o *TV Guía*) era periodismo de baja estofa, porque allí trabajaban veteranos como Salvador Sammaritano, Manuel Ferradás Campos, Eliseo Montaigne, Orlando Danielo y Pancho Loiácono, y fueron llegando jóvenes como Horacio López Batista, Nora Lafón, Juan Carlos Novoa y Carlos Alfieri.

## Perfil: Enrique Walker

**E**nrique "Jarito" Walker había sido un joven perteneciente a la clase media de San Isidro con poca formación periodística pero con buena intuición, don de gente noble y enorme capacidad de trabajo. Los que fueron sus compañeros en la revista *Gente* aseguran que las coberturas de la desaparición del corresponsal viajero Ignacio Ezcurra en Vietnam, la de la muerte del Che Guevara en Bolivia en 1967, los episodios de mayo del '68 en París y el Cordobazo —de los que también fue testigo periodístico— pusieron en marcha en él lo que alguno califica como "un largo y profundo peregrinaje ideológico" que lo llevó de ser un excelente empleado jerárquico en la editorial Atlántida en la década del 60 a convertirse en un cuadro importante de la Organización Montoneros a comienzos de la década del 70. En ese sendero de transformación profunda que lo condujo a abismos (Walker es uno de los cien periodistas desaparecidos durante el "Proceso"), él y su amigo José De Zer protagonizaron a su modo una bohemia tardía pero regocijante. En una ocasión, haciendo una crónica de caminos que sería publicada en *Gente*, en un Torino prestado por la fábrica, volcaron en Comodoro Rivadavia y ambos estuvieron meses internados en recuperación. Con demasiada frecuencia las búsquedas de los periodistas corren entre la vida y la muerte.

Tapa del diario
*El Mundo* del 15
de marzo de 1967.

Enrique Walker.

Pepe Eliaschev.

## Las revistas juveniles

La periodista Nora Bigongiari, que se había formado en la editorial Abril, tenía desde hacía tiempo la idea de armar un proyecto para el mundo juvenil y adolescente, a la manera de lo que el editor francés Philip Achee había hecho en su país con *Salut les Copains*. O sea: problemática de los de menos de 20, los ídolos, la música de moda –empezando por el rock–, y con un lenguaje y una gráfica distintos. En una redacción muy cercana al Instituto Di Tella, Bigongiari reunió a varios jóvenes con poca o ninguna experiencia y les ofreció el capital más valioso: una ilimitada libertad. Osvaldo Daniel Ripoll se convirtió en el secretario de redacción de otros chicos como Andrés Cobino y Lucía Bonis; el diagramador Juan Bernardo Arruabarena tenía en el pintor Jorge de la Vega un colaborador de primera línea y a él le encargó la primera historieta; Carmen Martínez Castañeda estaba a cargo de la publicidad y Diego Benítez (hoy dueño de una fuerte distribuidora de diarios y revistas) era responsable de la circulación de cada número. La revista, llamada *Pinap*, alcanzó a vender 35.000 ejemplares, pero fue eclipsada por distintas impericias financieras. De todos modos llegó a aparecer durante un año y medio, y marcó un camino en ese mercado poco explorado hasta ese momento: la seguridad de que el estilo para comunicarse con los jóvenes debía ser el de la no complacencia.

Tanto como para no separarse, el grupo, ahora con Ripoll al frente, sumó deseos, sueños y algunos cientos de dólares, y se

## Breves de la década

- "Para que se pueda decir que en un país existe libertad de prensa, debe haber una razonable posibilidad para el pueblo de escuchar distintas campanas. Quien afirme que esto sucede en la Argentina hoy, está loco", editorializaba la revista radical *Inédito*.
- El 28 de junio de 1967, en una ceremonia celebrada por el cardenal Antonio Caggiano, se casaron el director fundador de *Clarín*, Roberto Noble, y Ernestina Herrera.
- En esos días de 1968 Jorge Bernetti y Enrique Raab compartían la redacción del semanario *Análisis*. Comentando un texto sobre los curas tercermundistas que Bernetti acababa de entregar, Raab, jefe de redacción, le dijo: "Está muy bien, pero porque escribiste a favor. Y un buen periodista es aquel que puede escribir bien, y creíble, aun sobre lo que está en contra o no le gusta ".

instaló en el subsuelo de la mueblería del padre de Ripoll. El 4 de febrero de 1970 inauguraron la revista *Pelo*.

## Los años 60, cabizbajos y meditabundos

En los inicios de marzo de 1969 el ministro del Interior de Onganía, doctor Guillermo Borda, citó a siete directores y editores de revistas y les pidió que "morigeren la exhibición de todo tipo de expresiones e imágenes eróticas que reflejan la alarmante evolución de las costumbres". Concurrieron a la charla Pedro Larralde, director de *Panorama*; Aníbal Vigil, director de *Gente*; Fernando Morduchowicz, director de *Análisis*; Raúl Horacio Burzaco, gerente de editorial Abril; Victorio Dalle Nogare, director-editor de *Primera Plana*; Bernardo Neustadt, director de *Extra*, y Miguel Alurralde, subdirector de *Confirmado*. Dalle Nogare y Larralde salieron diciendo que la solicitud del ministro entrañaba "una velada insinuación de autocensura". Alurralde y Neustadt entendieron el pedido de Borda como lo que era, una inquietud del presidente "preocupado por ciertos exhibicionismos. Si el país se está desnudando, que no se promocione esa desnudez", explicaron. Vigil aseguró al concluir la reunión que el ministro no les había hecho sugerencias políticas sino que "veláramos por conseguir una mayor moralidad –transcribe *La Nación*–. Por parte de nuestra editorial aceptamos el pedido y revisaremos los materiales en todo lo posible".

En un accidente automovilístico, cuando viajaba rumbo a Santa Catarina, Brasil, muere el 5 de julio de 1969 el creador de *Rico Tipo*, Guillermo Divito. Gracias a sus muñecos, y especialmente a sus chicas, se pronunció la palabra "destape" en la década del 40. En su necrológica, Osiris Chiérico asegura que "hizo sociología desde el dibujo" y que "interpretó como pocos el eterno espíritu de las posguerras, cuando el mundo se volvía más vivaz, sensual, despiadado y abierto".

En ese mismo mes aparece *Los Libros*, cuyos materiales teóricos y de discusión docente se debatían en cafés y claustros universitarios. Todavía hoy se la recuerda como modelo de revista de divulgación cultural. Estaba dedicada al mundo de los libros, según el modelo de la francesa *Quinzaine des Lettres*, y su contenido –de actualización, divulgación y análisis de textos– se extendía a la investigación de hechos culturales, sociales y políticos de actualidad. Según sostienen algunos analistas, en esta publicación, que observaba los fenómenos desde una perspectiva ideológica cercana al marxismo, comienza a difundirse el uso del concepto de "discurso" aplicado a lo hablado o a lo escrito. *Los Libros* estaba editada por Guillermo Schavelzon y su director era Héctor Schmucler. Colaboraban autores consagrados como Jaime Rest, Enrique Pezzoni, José Aricó y Juan Gelman, y otros que daban sus pasos iniciales como Eliseo Verón, Oscar Steinberg o Josefina Ludmer. La historia de la revista completa 44 ediciones en 1976, pero en 1972 había observado un cambio importante: Schmucler es reemplazado por un consejo directivo integrado por Carlos Altamirano, Germán García, Beatriz Sarlo y Ricardo Piglia.

Probablemente Orlando Barone leía *Los Libros*. Soñaba con ser escritor y cuando le sugerían que se hiciera periodista rechazaba la idea porque creía que las redacciones arruinaban a los literatos y ablandaban a los intelectuales. Sin embargo, a instancias de su compadre Adolfo Castelo y con la ayuda de Ricardo Frascara, Orlando Barone se hizo cargo en 1969 de la sección "Vida Privada" de la revista especializada en economía *Mercado*. Después, en 1972, entró en el suplemento cultural de *Clarín* que dirigía Albino Gómez, hizo grandes series de notas por el interior del país y en 1974 reunió a Borges y Sabato en unos diálogos que se convirtieron en un libro. Desde aquel debut algo forzado, Barone pasó por muchos medios, pero mantiene una idea fija sobre el periodismo. "Es tener una curiosidad permanente sobre lo que nos rodea. El periodista debe ver la foto, entenderla, saber contarla de inmediato con profundidad de escritor y con interés de relator", define.

## Momento de renovación

En enero de 1969, *La Nación*, ya en su nuevo edificio de once pisos en Bouchard y Tucumán, pasó de 9 a 8 columnas y mejoró su sistema de impresión. Sus nuevas rotativas Goss, las más modernas de plaza, dejaban listos en corto tiempo los 240.000 ejemplares de su edición. Las grandes empresas se expandían. El joven ejecutivo de Atlántida, Aníbal Vigil, de 32 años, anunció la compra del semanario *Canal TV* y la adquisición de veinte unidades de rotativa. *Crónica*, que ya vendía 500.000 ejemplares en tres ediciones, levanta su edificio de diez pisos en Azopardo y Garay, y *La Razón* (apenas por debajo del medio millón de venta) también inaugura su impresionante planta de General Hornos al 600, pensada para agregarle estudios de radio y TV y dotada hasta de helipuerto. En enero de 1969 muere el factótum de *Clarín*, y su viuda, Ernestina Herrera de Noble, asume la dirección del principal matutino nacional.

## Tres historias

Roberto Guareschi era profesor de inglés en algunas escuelas del sur del gran Buenos Aires y se ganaba la vida en Swift como comprador de carne. "Mándeme 1.500 toneladas de carne sin hueso", "Necesito 500 kilos de picada". Hacía bien el trabajo pero se le volvía insosteniblemente aburrido. Con un cuento había obtenido una mención en el concurso de la revista *El Escarabajo de Oro*. Un día alguien le sugirió que entrara en el periodismo y respondió casi con una bravata: "No me sentiría bien teniendo que hacer notas a pedido". Finalmente el destino se impuso y en 1969, a los 23 años, entró en *La Razón* y se convirtió en consentido discípulo de Félix Laiño. Allí empezó haciendo epígrafes y copetes, pero pronto, fijándose en el estilo despojado y preciso de Fanor Díaz, Jaime Zapiola o los hermanos Castiñeira de Dios, se dio cuenta de que desde este género, aun con notas por encargo, se podía contar la vida.

En 1969 María Victoria Walsh llegó a Buenos Aires desde el interior y se alojó en la casa de Pirí Lugones, ex pareja de su padre, Rodolfo Walsh. Según recuerda en 1996 su hermana Patricia, aquí empieza haciendo lo que sabe: dando clases de inglés y traduciendo desde ponencias de psicoanalistas hasta notas periodísticas. Por aquellos tiempos Vicki Walsh, de 18 años, tenía la idea de estudiar medicina para hacer psiquiatría, influencia que probablemente haya recibido de Enrique Pichón Riviere, una de las primeras personalidades que conoció en Buenos Aires. Antes de que se terminara la década del 60 entró en *Primera Plana* como colaboradora de la sección "Ciencia y Técnica". Una de sus primeras notas, que firma con sus iniciales, es una burlona descripción de la comunidad irlandesa en la Argentina, a la que presentaba prácticamente como un club de borrachos. La respuesta de los irlandeses y sus descendientes no se hizo esperar, sólo que desconocían dos cosas: que detrás de las iniciales de la autora de la nota se escondía una Walsh auténtica y que una de las principales fuentes informativas había sido el propio Rodolfo Walsh.

En 1965, en Tandil, un joven periodista del diario local *Eco* corría al kiosco cada vez que llegaba *Primera Plana* y leía cada línea con devoción. El "sueño del pibe" de ese muchacho de 21 años llamado Osvaldo Soriano era trabajar en el semanario de moda, cuya forma de tratar las informaciones –satírica, algo malvada, siempre inteligente– le resultaba fascinante. Un día le pidió a Osiris Troiani una oportunidad y Troiani se la concedió. Soriano tuvo que encargarse de contar los entretelones del tradicional Calvario que cada Semana Santa convoca a la población de Tandil. "Pasé dos o tres días escribiendo y reescribiendo la nota en el amanerado estilo de la revista y cuando la terminé me di cuenta de que no podría quedarme en Tandil. Corría el riesgo de que me lincharan. Mandé la nota, me despedí de mi novia y salí corriendo", cuenta Soriano en un libro. Llegó a Plaza Constitución a la misma hora en que aparecía la revista con su crónica, que llevaba su firma, junto a otras de Héctor Tizón, Daniel Moyano y Francisco Juárez. La abrió temblando y se puso a llorar de felicidad. Un importante sacerdote de Tandil protestó por la nota y tildó de mentiroso y comunista al novel reportero. Durante años, Soriano evitó regresar al pueblo. Lo que hizo al llegar a Buenos Aires fue instalarse en la redacción de *Primera Plana* como si alguien lo hubiera llamado. A fuerza de verlo ahí todo el día, los "grandes" comenzaron a pedirle esos informes que nadie quería hacer. Él los hizo y se ganó un lugar en el cielo de los periodistas novatos. Después de todo, el del Calvario la había pasado peor.

La llegada del hombre a la Luna en 1969, en *La Gaceta*, de Tucumán.

María Victoria "Vicky" Walsh, haciendo pie en Buenos Aires.

A la izquierda un corresponsal extranjero; en el medio, Osvaldo Soriano y a la derecha, Eduardo San Pedro.

## Escenas del Cordobazo

"Córdoba ha dado la muestra más acabada de la tremenda magnitud que pueden alcanzar los grandes síntomas de malestar social advertidos desde hace semanas en el ámbito de la República [...] Las jornadas anteriores a la tremenda conmoción registrada, demostraron la profundidad del abismo que separa a los gobernantes de los gobernados [...] La violencia no sólo está detrás de una piedra, de un garrote o de cualquier arma de fuego. También llega escrita muchas veces en el papel de un decreto o de una ley mal concebida", decía el editorial del diario *La Voz del Interior* dedicado a esa mayúscula conmoción social y política que en el otoño de 1969 pasó a la historia como el Cordobazo. El tradicional diario cordobés de la familia Remonda señala que el Cordobazo estalló cuando se coronaba un malestar que recorría el país. "En Corrientes, Rosario y Tucumán había asomado la rebelión y, como respuesta, el gobierno soltó una furiosa represión que acabó con la vida de dos estudiantes. Esto no hizo más que avivar el descontento, y el ánimo cordobés se recalentó cuando aún estaba fresca la herida por la muerte del estudiante y obrero mecánico Santiago Pampillón, provocada por una descarga policial en setiembre de 1966 –interpreta el diario–. Ese era el clima cuando se decretó un paro general en todo el país para el 30 de mayo de 1969. En Córdoba se resolvió extenderlo a 36 horas, desde las 11 del día 29, y ganar la calle", concluye.

---

### El año 1969: coletazos de una década

- Enero de 1969: Comienza una larga huelga de gráficos en la Compañía General Fabril Financiera.
- Marzo de 1969: ADEPA declara que no existe libertad de prensa en el país.
- Mayo de 1969: Debido a las informaciones que publica acerca del Cordobazo, el gobierno clausura por breve tiempo el diario *Crónica*.
- Junio de 1969: Mientras se desarrollaba una manifestación opositora en el barrio de Once es asesinado el principal dirigente del gremio de prensa, Emilio Mariano Jáuregui.
- El subsecretario de Economía Roberto Roth retó a duelo al director de *Correo de la Tarde*, Francisco Manrique, por haber publicado en el diario una serie de informaciones que el funcionario consideró "antigubernamentales". Finalmente el desafío no se concretó.

## Clausuran Primera Plana

El 5 de agosto de 1969, como protagonizando la metáfora del huevo de la serpiente, el presidente Juan Carlos Onganía ordenó el cierre definitivo de una de las revistas que más había hecho para que él se acercara al poder en 1966. La nota que irritó al general revelaba un secreto a voces: los enfrentamientos entre él y el general Agustín Lanusse, considerado a esa altura por numerosos sectores el próximo presidente militar de la Argentina. "La ofensiva de Lanusse" se denominaba la investigación que acercaba a la opinión pública pormenores desconocidos de un intento de desestabilizar el poder de Onganía y que en un apartado incluía detalles de una entrevista que Julio Landívar le había hecho al presidente (en la que también, esporádicamente, intervenía su esposa) en una residencia de descanso en el sur del país. En un momento de la charla, con toda la ironía de la que era capaz, Onganía desafió a Lanusse diciendo: "Si el general Lanusse quiere hacerme un planteo, que espere hasta el lunes". Ese próximo lunes sería 5 de agosto. Lanusse no se inmutó y destituyó a su rival otro lunes, pero diez meses más tarde. El 5 de agosto lo que cayó –todavía un poco más– fue la libertad de expresión y de prensa en la Argentina.

El acta que certificó la requisa de la edición 345 de *Primera Plana* y el cierre de la empresa que dejaba en la calle a 150 personas se escribió con una máquina Olivetti de la propia redacción. Era 1969, había estado de sitio y la Justicia acusaba al medio de "estimular el caos". A pesar de la desdicha de la clausura hubo lugar para un chiste: alguien afirmó que Casasbellas había reescrito por completo el parte del oficial de Justicia que tuvo a cargo el cierre. Probablemente Casasbellas se haya privado de semejante privilegio, pero con el tiempo la desaparición de *Primera Plana* le mereció la siguiente reflexión, con tono de autocrítica: "Presumíamos de independientes y acabamos por serlo, pero del destino de nuestra sociedad. Como todas las publicaciones de la época, ayudamos al derrocamiento de Illia. Cuando reaccionamos, el general usurpador que ocupaba la Casa Rosada cerró la revista. Tal vez hizo bien".

Entre el brillo y la arbitrariedad; entre el capricho y el desenfado; entre la genialidad y la maldad (características demasiado parecidas a la personalidad de Timerman, su creador, y de algunos de los que lo sucedieron) *Primera Plana* había protagonizado una era de intensa renovación en el periodismo, difícil de repetir.

Como para superar el mal paso, la gente de *Primera Plana* sale a la siguiente semana con la revista *Ojo*, a la que el gobierno, tras verificar los vínculos con su antecesora, prohíbe también. De inmediato insisten con *Periscopio*, que por esas cosas raras del poder y de la Justicia no es conculcada, y de la cual aparece 50 números (llega a 40.000 ejemplares de venta), hasta que trece meses después, en octubre de 1970 se logra la rehabilitación legal de *Primera Plana*. Sin embargo, la revista nunca volvió a ser lo que era. En ese año buena parte de la estelar redacción se dispersó: Ramiro de Casasbellas pasó a dirigir la agencia Latin, en tanto que Julián Delgado, Alberto Borrini, Raúl Sarmiento y Mario Sekiguchi fundaron la revista especializada *Mercado*. Muchos más aterrizaron en la editorial Abril, en donde hicieron carrera.

El semanario *Siete Días* recordó el 18 de agosto de 1969 que Onganía, al asumir el cargo en 1966, les había dicho a los propietarios de los medios más importantes que era "partidario de la libertad de prensa". En aquella ocasión les hizo saber otros aspectos de su pensamiento, evidentemente reñidos con su acción: "La prensa libre debe ser el nexo más adecuado entre gobierno y gobernados [...] Las críticas y sugerencias del periodismo se convertirán en una guía orientadora de la Revolución".

Desde Nueva York la SIP estimó que "la libertad de prensa parece estar desapareciendo rápidamente en la Argentina". En una edición de la revista *Redacción* de agosto de 1973, Hugo Gambini, su director y miembro de aquella mítica redacción de los primeros tiempos de *Primera Plana*, escribe un recordatorio al que no le faltan ni crítica ni autocrítica.

"Hoy se ve claro que el cierre de *Primera Plana* fue un hecho injusto, pero también premonitorio y hasta necesario, quizás. Premonitorio, porque anunciaba el fin de las revistas de noticias, que habían parado en una suerte de caricatura de sí mismas, aun la nuestra. Necesario, porque estaba indicando la necesidad de que esos semanarios bonitos y de reverberante (¿o coruscante?) lenguaje, tomaran una posición política, lo cual no

Escena
del Cordobazo, tomada
por *La Voz del Interior*.

Onganía encontró
en esta edición
el motivo para ahogar
a *Primera Plana*.

implicaba, desde luego, adherir a una de esas tribus oligárquicas que se llaman partidos. No fue grato para mí el cerrojazo. Estaba allí desde los comienzos y gracias a un equipo formidable pudimos lanzar ediciones realmente medulosas, renovando un periodismo anquilosado y hasta los hábitos de lectura y publicidad. Abundaron los errores: no defendimos el Gobierno Illia, acaso el mejor del último cuarto de siglo; no censuramos el Plan Krieger Vasena; no detuvimos la mistificación de la nueva novela latinoamericana. Sin embargo, creo que el saldo fue beneficioso, porque rehuimos el sectarismo, aceptamos la pluralidad y describimos la historia con pasión pero también con honradez, al menos la honradez de cada uno: en *Primera Plana* no imperaba la censura previa."

Aunque muchos pretendieron subestimarla llamándola "la *Radiolandia* de los ejecutivos", la realidad es que su lectura hoy constituye una guía insustituible para entender lo que fueron aquellos años. Por la clausura de *Primera Plana* y por muchas cosas más, la década hacía mutis por el foro, cabizbaja y meditabunda.

## Esto también ocurrió

### 1960

- El 3 de abril salió a la calle el primer número del semanario católico *Esquiú*, que fundaron Luis Luchía Puig y su hermano Agustín, sacerdote asuncionista. Sus principales lectores fueron los del diario *El Pueblo*, que compraban su ejemplar en las iglesias.
- El 3 de mayo se fundó el diario *El Litoral* en la provincia de Corrientes.
- El 1º de junio se publicó la *Revista Vivienda*, de aparición mensual y dedicada a la arquitectura.

### 1961

- El 7 de setiembre se editó el primer número del diario *La Mañana* de Formosa.
- En noviembre se conoció la primera de las veintinueve entregas que alcanzó, en julio de 1966, la revista de arte y cultura *Hoy en la Cultura*. Participaron en ella Pedro Orgambide, Raúl Larra, David Viñas, Fernando Birri, Javier Villafañe y Juan José Manauta entre otros.
- En diciembre se echó a correr la revista de automovilismo *Parabrisas*.

### 1962

- El 31 de enero en la ciudad de Comodoro Rivadavia, Chubut, se publicó el diario *Crónica*.
- El 8 de noviembre salió por primera vez en la ciudad de 25 de Mayo el diario *La Mañana*.

### 1963

- El 12 de junio la Editorial Abril lanzó la revista *TV Guía*, dedicada a la actividad televisiva. Fueron sus creadores Enzo Ardigó y Julio Korn.
- El 29 de julio Héctor Ricardo García fundó el diario *Crónica*.
- El 1º de agosto sale el primer número de la publicación cultural *El Barrilete* que dirigió Roberto Santoro y en la que colaboraron Horacio Salas, Héctor Yánover y Enrique Wernicke, entre otros. Salieron trece ejemplares en total. El último, en diciembre de 1967.
- En noviembre Rogelio Frigerio relanzó la revista *Qué*. La publicación tenía ya dos épocas: la primera entre agosto de 1946 y setiembre de 1947 y la segunda entre noviembre de 1955 y abril de 1959.

### 1964

- En abril, *Crónica* inaugura su edición matutina. Al poco tiempo, cambia su formato sábana por el tabloide y confía su dirección a Américo Barrios. En esos meses, una serie escrita por Barrios titulada "Mi vida con Perón" revierte la tendencia de baja venta.

- En julio, dirigida por el periodista especializado Kive Staif, aparece la revista *Teatro XX*, que ofrecía a sus suscriptores libros y entradas de teatro a precio rebajado.
- En la página 22 del número 99 de *Primera Plana*, en septiembre, se publica la primera tira de "Mafalda", una niña genial y terrible, creada, dibujada y escrita por el mendocino Joaquín Lavado ("Quino").
- El 1º de octubre apareció *La Rosa Blindada*, revista cultural mensual cuyas ocho entregas condujeron Carlos Alberto Brocato y José Luis Mangieri y que contó con el poeta Raúl González Tuñón como "director de honor".
- El 30 de noviembre desapareció el diario de la tarde *Noticias Gráficas*.
- El 28 de diciembre dejó de salir el diario *El Siglo*.

## 1966

- El 1º de abril apareció la publicación *Acción*, órgano de los cooperativistas, de aparición quincenal.
- El 2 de mayo se conoció en San Luis *El Diario de la República*.
- En junio, la Editorial Abril sacó la revista de automovilismo *Corsa*.
- El 27 de julio Jorge Palacio inició la revista humorística mensual *Avivato*, que apareció en los quioscos con 52 páginas.
- En agosto salió por primera vez la revista *Inédito*, que llegó a las cien ediciones, hasta 1972.
- El 1º de noviembre comenzó la distribución de la revista mensual *Fotomundo*.

## 1967

- En abril, la Editorial Primera Plana lanzó el quincenario de economía y negocios *Competencia*.
- El 12 de mayo reapareció la revista deportiva *Goles*.
- El 11 de mayo salió la revista de humor *La Hipotenusa*, que dirigió Luis Alberto Murray y contó entre sus colaboradores con el poeta Daniel Giribaldi. Su eslogan era: "Humor para gente en serio".
- El 30 de junio apareció en la ciudad de Comodoro Rivadavia el diario *El Patagónico*.

## 1968

- El 1º de julio apareció en Resistencia, Chaco, el diario *El Norte*.
- En octubre se conoció el primer número de la revista *Dinamis*, de la Editorial 2 de Octubre. La dirigió Roberto Guido y abordó temas de política nacional e internacional y economía.

## 1969

- En agosto salió la revista económica *Mercado*.
- A mediados de setiembre, Editorial Abril lanzó la revista *Semana Gráfica* con información general y un importante despliegue fotográfico.

# Fuentes

## *Personales y testimoniales*

Cecilia Absatz, Claudia Acuña, Gerardo Ancarola, Carlos Andaló, Julio Ardiles Gray, Carlos Ares, Pablo Avelluto, Orlando Barone, Raúl Barreiros, Osvaldo Bayer, Jorge Bernetti, Julio Blanck, Guillermo Blanco, Miguel Bonasso, Raúl Horacio Burzaco, Jorge Búsico, Hugo Caligaris, Rubén Caletti, Oscar Raúl Cardoso, Andrés Cascioli, Ramiro de Casasbellas, Abelardo Castillo, Adolfo Castelo, Mario Ceretti, Luis Clur, Gabriela Cociffi, Susana Colombo, Julia Constenla, Dardo Cúneo, Marcos Cytrynblum, Jorge Luis Chinetti, Héctor D'Amico, Horacio de Dios, Miguel Angel Diez, Sergio Dellachá, Ana D'Onofrio, Pepe Eliaschev, José Claudio Escribano, Jorge Fernández Díaz, Carlos Ferreira, Silvia Fesquet, Norberto Firpo, Dionisia Fontán, Carlos Gabetta, Rogelio García Lupo, Hugo Gambini, Samuel Gelblung, Isidoro Gilbert, Luis González O'Donnell, Alberto González Toro, Jorge Göttling, Roberto Pablo Guareschi, Jorge Guinzburg, Ricardo Halac, Jorge Halperín, Roberto Hosne, Nora Lafón, Jorge Lanata, Román Letjman, Alfredo Leuco, José Ignacio López, María Luisa Mackay, Mario Mactas, Luis Majul, Alejandro Margulis, Tomás Eloy Martínez, Pablo Mendelevich, Tununa Mercado, Joaquín Morales Solá, Daniel Muchnick, Luis Alberto Murray, Pedro Orgambide, Norma Osnajanski, Teresa Pacitti, Rodolfo Pandolfi, Juan José Panno, Luis Pazos, Osvaldo Pepe, Diego Pérez Andrade, Luis Pico Estrada, Felisa Pinto, Daniel Pliner, Eduardo Rafael, Julio Rajneri, Jorge Raventos, Osvaldo Daniel Ripoll, Alberto Rudni, Dalmiro Sáenz, Eduardo San Pedro, Carlos Scavo Kedinger, Adriana Schettini, Santiago Senén González, María Seoane, Sergio Sinay, Pablo Sirvén, Néstor Straimel, Rodolfo Terragno, Daniel Ulanovsky Sack, Horacio Verbitsky, Sylvina Walger y Patricia Walsh.

## Documentales

El autor y la editorial agradecen al señor Horacio López, Librería Antigua, Bartolomé Mitre 1592, Capital Federal.

## Archivos

Biblioteca del Círculo de la Prensa; Archivo de la Escuela Siglo XXI; Biblioteca del Taller Escuela Agencia (TEA); Hemerotecas y Colecciones Personales de Rogelio García Lupo, Fernando González T., Mario Ceretti, Sylvina Walger, Pablo Sirvén, Julia Constenla, Raúl Barreiros, Pablo Avelluto, Gustavo Bonifacini; Archivos de *La Prensa*, *Clarín*, *La Nación*, *Página/12*, Editorial Perfil, Editorial Atlántida, Biblioteca del Congreso de la Nación, Biblioteca Nacional, Archivo General de la Nación, Graciela García Romero.

## Revistas, ensayos breves y artículos periodísticos

*Oficios Terrestres*, 1995; *Medios y Enteros*, Rosario, 1991; *Gente 30 años*, Atlántida, 1995; *La Nación 100 años*, 1970; *Clarín 50 años*, 1995; *El Gráfico 4.000*, 1996; *Gente, 50 años de vida argentina*, 1974; *La prensa canalla*, 1 y 2, El Cid Editores, 1984; *1035 días*, Atlántida, 1976; *Los grandes diarios*, R. Rússovich y M. L. Lacroix, CEAL, 1982; *Humor 10 años*, 1988; *Periodismo y opinión pública*, Norberto Vilar, CEAL, 1972; *Periodismo por Periodistas*, TEA, 1989-1996, Colección *Todo es Historia*.
Agradecimientos: Ignacio Hernáiz, Marta de Grazia, Marta Eggers, Beatriz Ascurra, Margarita Peratta.

## Libros

*Aguafuertes inéditas*, Roberto Arlt, *Página/12*, 1996.
*Artistas, locos y criminales*, Osvaldo Soriano, Bruguera, 1983.
*Boris Spivacow*, Delia Maunás, Colihue, 1995.
*Buenos Aires, años 30*, Dardo Cúneo, Papeles de la Colina, 1995.
*Buenos Aires, vida cotidiana y alienación*, Juan José Sebrelli.
*Caso Satanowsky*, Rodolfo Walsh, De la Flor, 1993.
*Censura en Argentina 1960-1983*, 1 y 2, Andrés Avellaneda, CEAL, 1986.
*100.000 ejemplares por hora*, Roberto Tálice, Corregidor, 1989.
*Cien veces me quisieron matar*, Héctor Ricardo García, Planeta, 1993.
*Claves del periodismo argentino actual*, Jorge Rivera, Eduardo Romano, Tarso, 1987.

*Comunicación, la democracia difícil*, Nicolás Casullo (comp.), ILET, 1983.

*Contratapas*, Rodolfo Terragno, Cuestionario, 1976.

*Crónica del humor político en Argentina*, Jorge Palacio, Sudamericana, 1993.

*Cuba, vida cotidiana y revolución*, Enrique Raab, De la Flor, 1974.

*Dante Panzeri*, Ampelio Liberali, 1988.

*Ejército y política*, 1 y 2, Robert Potash, Sudamericana, 1994.

*El 45*, Félix Luna, Sudamericana, 1992.

*El ABC del periodismo sexista*, Ana María Amado y otras, ILET, 1996.

*El Centenario*, Horacio Salas, Planeta, 1996.

*El escriba*, Pedro Orgambide, Norma, 1996.

*El Grupo Sur*, Oscar Hermes Villordo, Planeta, 1994.

*El hombre que se inventó a si mismo*, Jorge Fernández Díaz, Planeta, 1993

*El Informador Público*, Jorge Boimvaser, Peña Lillo, 1988.

*El Mundo era una fiesta*, Calki, Corregidor, 1977.

*El nuevo periodismo*, autores varios, Editora/12, 1989.

*El Onganiato*, Gregorio Selser, Carlos Samonta Editor, 1972.

*El periodismo argentino*, C. Galván Moreno, Claridad, 1943.

*El periodismo cultural*, Jorge Rivera, Paidós, 1995.

*El periodismo político*, Víctor García Costa, CEAL.

*El violento oficio de escribir*, Rodolfo Walsh (edición Daniel Link), Planeta, 1995.

*Entre Periodistas*, Teódulo Domínguez, Editora Nieves, 1993.

*Entrelíneas*, Mona Moncalvillo, Planeta, 1993

*Historia del periodismo argentino*, Juan R. Fernández, Perlado Editores, 1943.

*Historias de revistas argentinas*, Asociación Argentina de Editores de Revistas, autores varios, 1995.

*Inédito, batalla contra la dictadura*, Raúl Alfonsín, Legasa, 1986.

*Jorge Antonio*, Any Ventura, Peña Lillo, 1996.

*La aventura del periodismo*, Francisco Luis Llano, Peña Lillo, 1978.

*La fotografía en Argentina*, Sara Facio, La Azotea, 1995.

*La inolvidable bohemia porteña*, José Antonio Saldías, Corregidor, 1968.

*La noche de los bastones largos*, S. Morero, A. Eidelman y G. Lichtman, Página/12, 1996.

*Landrú por Landrú*, Edgardo Russo, El Ateneo, 1993.

*Las ideas del diario La Nación (1900-1989)*, Ricardo Sidicaro, Sudamericana, 1993.

*Lino Palacio*, Alan Pauls, Espasa Calpe, 1994.

*Los años ciegos*, Julio Rajneri, Editorial de la Patagonia, 1987.

*Los cerrojos de la prensa*, Julio A. Ramos, Amfin, 1993.

*Manual de zonceras argentinas*, Arturo Jauretche, Corregidor, 1982.

*Medios de comunicación social en la Argentina*, autores varios, Editorial de Belgrano, 1977.

*Nacionalismo y peronismo*, Cristián Buchrucker, Sudamericana, 1987.

*No me dejen solo*, Bernardo Neustadt, Planeta, 1995.

*Perón y los medios*, Pablo Sirvén, CEAL, 1984.

*Perón y su tiempo*, 1 y 2, Félix Luna, Sudamericana, 1984.

*Piratas, fantasmas y dinosaurios*, Osvaldo Soriano, Norma, 1996.

*Pirí*, Analía García, Marcela Fernández Vitar, Coedición, 1995.

*Política y cultura popular*, Alberto Ciria, Ediciones de la Flor, 1983.

*Prensa y análisis políticos*, Rosendo Fraga y otros, Centro Nueva Mayoría, 1990.

*Querido Bernardo*, Claudia Selser, Ediciones Noventa, 1989.

*Releyendo Patoruzú*, Susana Muzio, Espasa Calpe, 1994.

*Reportajes*, Mona Moncalvillo, *Humor,* 1983.

*Restos humanos*, Alvaro Abós, Puntosur, 1991.

*Roberto Noble*, sin autor, Editorial Reuniones, 1990.

*Secretos del periodismo*, Félix Laíño, Plus Ultra, 1987.

*Secretos muy secretos de gente muy famosa*, Andrés Bufali, Editorial Eagle, 1991.

*Segunda enciclopedia de datos inútiles*, Homero Alsina Thevenet, 1987.

*Silvia Rudni, de profesión periodista*, Olga Bruder, De la Flor, 1984.

*Tía Vicenta*, Edgardo Russo, Espasa Calpe, 1994.

*Todo o nada*, María Seoane, Planeta, 1991.

*Todos teníamos veinte años*, Pedro Orgambide.

*Tras los dientes del perro*, Helvio Botana, Peña Lillo, 1978.

*Vida cultural e intelectuales en 1930*, Jorge Warley, CEAL, 1985.

El autor agradece la tarea de Florencia Verlatsky y de Adriana Martínez en la edición del libro.

# Índice de nombres y de medios

Cabo, Dardo: 240, 266.
Cambons Ocampo, A.: 128.
Cabrera Infante, Guillermo "Caín": 158
Cacya: 55.
Cafrune, Jorge: 160.
Cagnoni, Aldo: 152.
Caillois, Roger: 95.
Cain, James: 219.
Calcagno, Raimundo "Calki": 50, 122.
Caletti, Sergio Rubén: 238, 240, 250, 268.
Caligaris, Hugo: 24, 26, 190.
Calisto, Alfredo: 210.
Calle, Isidoro de la: 108, 134.
Camarotta, Aldo: 202.
Caminos, Roberto: 109.
Campos, Martín: 12, 270.
Camuatí: 79.
Canal TV: 206.
Cané, Cora: 186.
Cané, Luis: 98, 186.
Canto, Estela: 180.
Cao, José María: 28, 34, 74.
Capdevila, Arturo: 20, 42.
Capote, Truman: 218.
Capotondo, Enrique: 220.
Caras y Caretas: 28, 30, 32, 34, 36, 66, 128.
Caras: 190, 194.
Carbajal, Ricardo: 124.
Cárdenas, Felipe [hijo]: 260.
Careo: 220.
Caribé: 74.
Carlino, Carlos: 152.
Carreño: 236.
Casanova, Cayetano: 24.
Casas, Nelly: 186, 188.
Casasbellas, Ramiro de: 164, 208, 216, 218, 228, 230, 238, 244, 278, 280.
Cascabel: 102, 106, 116, 128, 173.
Castagnino, Juan Carlos: 254, 256.

Castañeda, Francisco de Paula: 22.
Castaño, Liliana: 190.
Castel, Casal: 50.
Castelar, Diana: 186.
Castelo, Adolfo: 203, 204.
Castelo, Oscar: 184.
Castillo, Abelardo: 204, 182, 184.
Castillo, Cátulo: 40.
Castillo, Ramón S.: 100.
Castiñeira de Dios [hermanos]: 274.
Castriota, Samuel: 41.
Castro, Ernesto L.: 99.
Castro, Fidel: 202.
Cattólica, Héctor: 203, 199.
Catú: 203.
Cazuela, Jordán de la: 198.
Celman, Miguel Ángel: 29.
Ceretti, Mario Enrique: 175, 224, 226, 229, 263.
Cerón, Sergio: 152, 178.
Cerruti, Gabriela: 190, 194.
Chacra&Campo Moderno: 78.
Chaplin, Charles: 44, 102.
Charivari: 28.
Chas de Cruz: 70.
Chávez, Fermín: 117.
Che: 197, 199, 200, 201, 202, 203.
Chicas: 143.
Chiérico, Osiris: 241, 273.
Chinetti [padre]: 74.
Chinetti, Jorge: 58, 61, 75, 125.
Choque: 103.
Chulak, Armando: 173.
Cien mil ejemplares por hora: 57.
Ciézar, Osvaldo: 86, 241.
Cimorra, Clemente: 75.
Cinecámara: 81.
Cinqugrana, Andrés: 236.
Ciocca, Walter: 263.
Ciria, Alberto: 252.
Ciruzzi, Renato: 201.

Civita, Adriana: 175, 190, 223, 225.
Civita, Bárbara: 141.
Civita, Carlos: 141.
Civita, César: 140, 142, 143, 145, 223, 239.
Civita, Mina de: 175.
*Claridad*: 54.
*Clarín*: 87, 98, 103, 109, 110, 111, 115, 116, 117, 121, 125, 134, 138, 140, 150, 170, 171, 186, 188, 189, 190, 197, 205, 213, 216, 227, 244, 265, 267, 275.
*Clarinada*: 103.
*Claudia*: 169, 185, 188, 191, 199.
Clemenceau, Georges: 37.
Clur, Luis: 125, 134, 135, 144, 170, 262.
Cobino, Andrés: 272.
Cociffi, Gabriela: 190, 192, 193, 195.
Colom, Eduardo: 116, 117.
Colombo, Eduardo: 67.
Colombo, Susana: 189.
Colombres, Juan Carlos "Landrú": 107, 128, 173, 174, 184, 203, 214, 251.
Columba, Ramón: 28, 34, 55, 59, 22, 124.
*Columna*: 80.
*Comercio y Justicia*: 81.
Comesaña, Eduardo: 224.
Concepción, Alfredo: 247.
*Conducta*: 81.
*Confirmado*: 12, 86, 189, 191, 241, 242, 245, 247, 250, 251, 252, 258, 260, 261, 268, 273.
Constantini, Adriana: 263.
Constenla, Julia "Chiquita": 98, 143, 144, 161, 182, 186, 187, 188, 199, 202, 235.
Conti, Oscar "Oski": 107, 203.
*Contigo*: 143.
*Continente*: 146.
*Contorno*: 147, 151.
Contursi, Pascual: 41, 46.

*Convicción*: 95.
Cooke, John Willam: 136, 139, 158, 180.
Copello, Santiago: 154.
Copi: 173.
Corbellini Rosende, César: 266.
Corbière, Emilio J.: 19.
*Córdoba*: 69.
Cordone (hermanos): 75.
Cordone, Alberto: 69.
Córdova Iturburu, Cayetano: 46, 63, 126.
Cornille, Gaspar: 31.
Correa Luna, Carlos: 34.
*Correo de la Tarde*: 182, 197, 212, 214, 220, 278.
Correy Beloqui, R.: 172.
*Corriere dei Piccoli*: 42.
Cortejarena, José A.: 31.
Cortázar, Julio: 208, 209, 226, 230, 243.
Cosin, Marcelo: 231.
Cosín, Luis Feldman: 172.
Cossa, Roberto: 170, 182.
Cotta, Juan Ángel: 143.
Cotta, Blanca: 189.
Courreges, Gabriela: 185, 189.
Couselo, Jorge: 231.
Coustarot, "Teté": 263.
Covarrubias, Ignacio: 125, 177.
*Creer*: 240.
Crespo, Julio: 239.
*Crisol*: 79.
*Cristianismo y Revolución*: 238, 251.
*Criterio*: 55.
*Crítica*: 37, 38, 40, 41, 46, 47, 51, 55, 57, 58, 59, 60, 61, 62, 63, 66, 67, 69, 74, 84, 86, 96, 97, 98, 103, 115, 121, 125, 150, 153, 154, 170, 197, 236.
*Crítica Libre*: 134.
*Crónica*: 220, 221, 222, 226, 227, 236, 238, 243, 251, 265, 267, 275, 278, 283.

Llano, Francisco: 38, 86, 97, 103, 110, 112, 117, 125.
Llanos, Alejandro: 69.
Lo Bianco, Alicia: 188.
Lococo, Clemente: 210.
Loiácono, Francisco "Pancho": 98, 270.
Lomuto, Oscar: 146.
Longo, José María. 150.
López Aufranc, Alcides: 201, 259.
López Batista, Horacio: 270.
López, [Lucio] Vicente: 24.
Lorenzo, Ricardo "Borocotó": 47.
*Los Andes*: 26.
*Los Libros*: 273, 274.
*Los Municipios*: 56.
*Los Principios [año 1894-Córdoba]*: 26.
Louis, Joe: 169.
Lovero, Onofre: 142.
Lozzia, Luis Mario: 162.
Luce, Henry: 197.
Ludmer, Josefina: 274.
Lugones, Leopoldo (hijo): 62.
Lugones, Susana "Pirí": 182, 186, 188, 199, 275.
Lugones, Leopoldo: 26, 34, 40, 42, 62, 67.
Luján Gutiérrez, Jorge de: 195.
Lumumba, Patrice: 201.
Luna, Félix: 15, 58, 60, 122, 140, 241, 260, 261.
Luna, José Ramón: 86.
Luna, Marisa: 211.
Luzzani, Telma: 190.

Macaya Márquez, Enrique: 224.
Machinandiarena, Narciso: 176.
Mactas de Gerchunoff, Albertina: 240.
Mactas, Mario: 234, 240.
Mahieu, Agustín: 241.
Mailer, Norman: 219.
Maldonado, Horacio: 109.

Malinow, Inés: 186.
Malle, Louis: 169.
Mallea, Eduardo: 62, 63, 65, 71, 72, 73, 95.
Mallet, Elisabeth: 185.
Manauta, Juan José: 283.
Mancera, Nicolás: 169.
Mangieri, José Luis: 284.
*Maniquí*: 81.
Manrique, Francisco: 159, 182, 212, 214, 234, 240, 278.
Mansilla, Lucio V.: 40.
Manteola: 43.
Manzi, Homero: 46, 63, 71, 98.
*Marcha*: 126, 260.
Marchetti, Ricardo: 125.
Marcuse: 259.
Marechal, Leopoldo: 63, 81, 243.
Mariani, Roberto: 55.
*Maribel*: 79, 187.
*Marie Claire*: 175.
Marín, Juan Carlos: 182.
*Marina y Navegación*: 80.
Marini, Hugo: 80, 93
Marini, Rómulo: 180.
Mariño, Cosme: 21.
Mármol, José: 255.
Marotta, Mario: 224.
Martelli, Juan Carlos: 224, 239, 264.
*Martín Fierro* [Libro]: 25, 255.
*Martín Fierro* [Revista]: 49, 257.
Martínez, Enrique: 60.
Martínez, Horacio: 171.
Martínez, Tomás Eloy: 65, 138, 158, 161, 169, 208, 210, 215, 217, 228, 239, 242, 246, 249.
Martínez Castañeda, Carmen: 272.
Martínez de Perón, María Estela "Isabel": 71.
Martínez Estrada, Ezequiel: 62, 147, 226.

Toscanini, Arturo: 142.
Trejo, Mario: 203.
*Tres*: 142.
*Tribuna [año 1931-San Juan]*: 79.
*Tribuna*: 117.
Troiani, Osiris: 18, 63, 125, 217, 234, 239, 276.
Troncoso, Oscar: 255.
Trotsky [León]: 74.
Trujillo [Rafael]: 203.
*TV Guía*: 270, 283.

Ugarte, Marcelino: 37.
*Ultima Hora*: 63, 76, 78, 87, 244.
*Uno Mismo*: 262.
*Uno y el universo*: 144.
Unsain, Alejandro: 75.
*Upa*: 44.
Uriburu, Francisco: 63.
Uriburu, José Félix: 29, 61, 62, 64.
Urquiza, Justo José de: 16, 22.
Urruchúa: 255.
Urtizberea, Raúl: 236.
*Usted*: 12, 197, 198, 199, 200, 201, 202, 203, 204, 208, 214.
Uturunco [comandante]: 171.
Uzal, Francisco: 260.

Vaccarezza, Alberto: 41.
Valeri, Mario: 152, 171.
Valle de Juan, Francisco: 12, 169.
Valle, Federico: 46.
Valle, Juan José: 162.
Valmaggia, Juan: 26, 169.
Vandor, A. T.: 203.
Vaner, María: 211.
Varela, Héctor: 24.
Varela, Mariano: 24.
Vargas, María Luisa: 42.
Varone, Domingo: 180.
Varsavsky, Oscar: 129.

Vázquez, Aníbal: 53.
*Vea TV*: 206.
*Vea y Lea*: 81, 92, 99, 101, 107, 146, 171, 173, 174, 198.
Vecchio, Pedro: 219, 220.
Vecino, Ambrosio: 172.
Vedia, Joaquín de: 29, 37, 75.
Vedia, Leónidas de: 75.
Vedia, Mariano de: 75.
Vedoya, Juan Carlos: 260.
Vega, Jorge de la: 272.
Veiravé, Alfredo: 158.
Velazco, Carlos: 224, 232.
Vélez Sarsfield, Dalmacio: 22, 23.
Ventura, Any: 188, 190.
Vera Peñaloza, Rosario: 44.
Vera, Francisco: 224.
Vera, Paco: 12.
Verbitsky, Alicia: 142.
Verbitsky, Bernardo: 69, 126, 148, 165, 167, 182.
Verbitsky, Gregorio: 69, 119, 268.
Verbitsky, Horacio: 12, 148, 170, 207, 209, 212, 241, 258, 268.
Verbitsky, Marcos: 207.
Verbitsky, Silvia: 207.
*Verbum*: 95.
Vergara, Valentín: 117, 170.
Verón, Eliseo: 274.
Verrier, María Cristina: 240, 243.
*Versos & Noticias*: 107.
Viacava, Enrique: 109.
Viau, Susana: 98, 189, 239.
Vidal, Gore: 219.
Vigil, Aníbal: 193, 234, 237, 273, 275.
Vigil, Carlos: 43.
Vigil, Constancio Valentín: 42, 44, 45, 47, 83, 149.
Vignale, Pedro Juan: 34.
Vignale, Pedro: 50.
Villa (fotógrafo): 154.

# Índice general

Los primeros años, 14; Aparece *La Capital*, 15; Antes de La Gazeta, 16; El periodismo ocupa un lugar, 18; Cómo conseguir clientes, 21; La competencia, 21; Nace *La Nación*, 22; En busca del futuro, 25; El nuevo humor político, 28; Las razones de un diario, 29; Entre diarios y revistas, 32; Breves, 32; Originalidades, 34; Breves, 36; Dichoso Centenario, 37; El inolvidable *Crítica*, 37; Expansiones, 38; Un diario increíble, 40; Almas cantoras, 41; El erial de Vigil, 42; *Billiken* a la historia, 42; Colaboradores de lujo, 43; Orgullosos lectores, 44; Para aprender a leer, 44; *La Nación* en aquellos años, 46; *El Gráfico* y *Para tí*, 47; Todos cantan, 48; Breves, 48; *El Mundo* en sus manos, 50; En primera persona, 50; *El Mundo:* dos veces bueno, 51. *Esto también ocurrió*, 52.

El golpe estaba escrito, 58; Breves de la década, 60; El director y el general, 61; Aprender sin darse cuenta, 62; "Policiales", la gran sección, 65; Opiniones sobre *Crítica*, 66; Periodismo y fotografía, 67; Esplendores, 67; Por las noticias y por las fotos, 69; El mundo del espectáculo, 70; Claves de un periodismo, 70; Personajes, 71; Mirando al sur, 71; El otro diario, 73; ¡Maestros!, 73; Breves de la década, 74; Laiño al poder, 75; Una nueva etapa, 76; Periodistas de la década, 78. *Esto también ocurrió*, 79.